JN029351

還暦後の40年

データで読み解く、ほんとうの「これから」

長澤光太郎（三菱総合研究所常勤顧問）ほか

平凡社

還暦以降は、
もはや、
「老後」ではありません。

だいたい、
平均寿命くらいまで生きる。

男の平均寿命は81・47年、女は87・57年で、女性は世界1、男性も世界2位を誇っています。ですので、ご自分の寿命も、長くて平均寿命前後とイメージしているかもしれません。しかし、それは思い込みです。

あらたな気づき

じつは、女性は大多数が90歳を超え、男性も、ほぼ半数が90歳近くまで生きる。

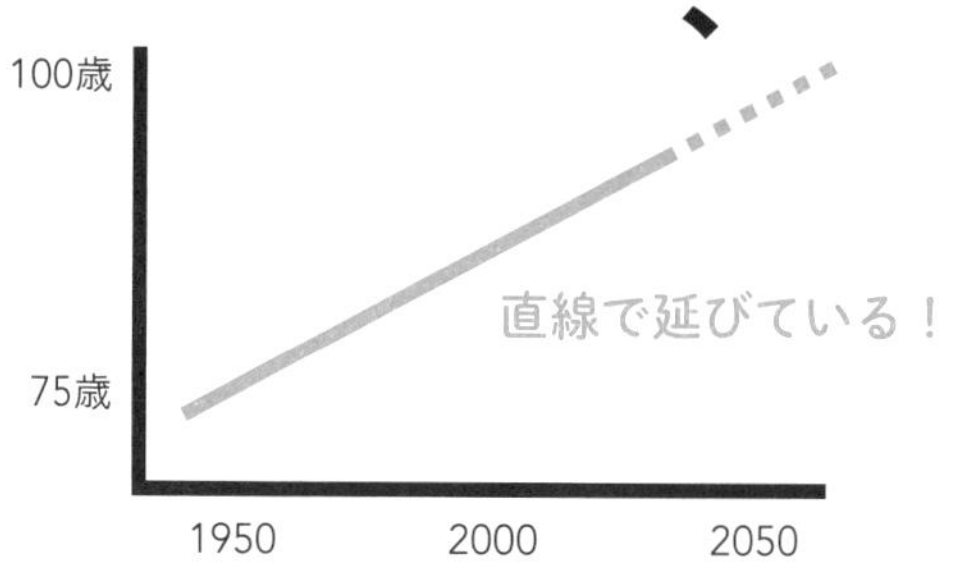

詳細は pp.48 ～58 を参照

加齢に伴い、体力は衰える一方だ。

小学生のとき、あなたのおじいさんやおばあさんが、ジョギングやウォーキングをしている姿を見た人は少ないはずです。そもそも60歳を超えると、身体のあちこちが痛み始めそうです。

あらたな気づき

いま還暦前後の人は、90歳の時点で、現在の70歳台半ばの体力を保持している可能性が高い。

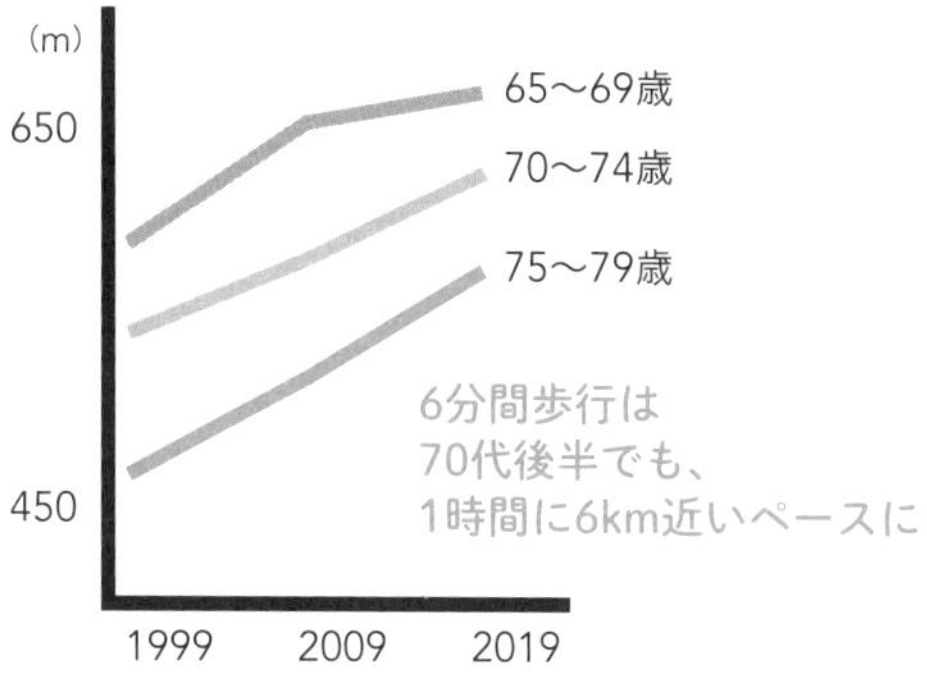

詳細は pp.107 〜 111 を参照

「健康寿命」は、「平均寿命」よりもかなり短い。

「健康寿命」と「平均寿命」の差は、
男性で約9年、女性で12年あります。
この差は、認知症や寝たきりになる期間だと書いてある本もあります。

あらたな気づき

「健康寿命」をすぎても、
日常生活に
ほとんど支障がなく、
80歳を超えて
暮らすことができる。

本書が
提案する
新しい
指標

健康寿命＜自立寿命

詳細は pp.85〜96 を参照

「健康寿命」を過ぎたら、寝たきりの生活がまっている。

子どもがいれば、
子どもには迷惑をかけたくないと考え、
いなければいないで、
他人に迷惑をかけたくないと考える人が多いようです。

あ ら た な 気 づ き

他人に頼っての生活になるのは、だいたい、亡くなる前の2年くらい。

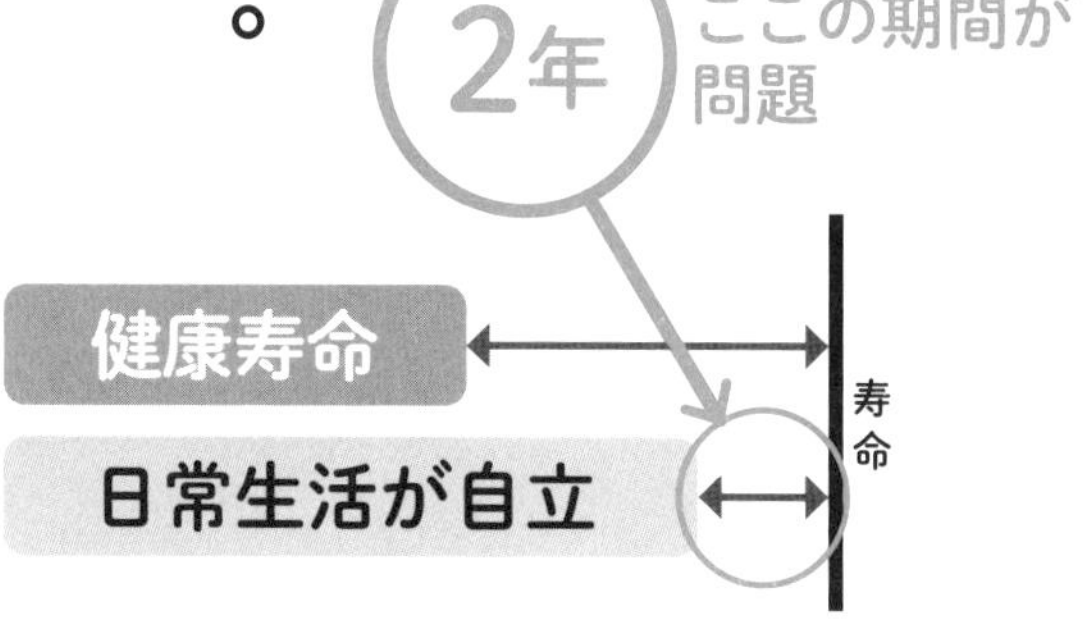

← 詳細は pp.96〜100 を参照

歳とともに記憶があやしくなり、だんだん頭が働かなくなってくる。

おつりの計算などは、たしかに若いころよりも遅くなったかもしれません。
それに、ぜったいに覚えているはずの人の名前すら、ど忘れしがちです。

あらたな気づき

80代を迎えるまで、知的能力は維持されるし、新たに伸ばせる能力すらある。

← 詳細は pp.161〜163 を参照

2人に1人はがんになる。

これは、テレビやポスターなどでおなじみのメッセージです。
たしかに、がんには、老年病という側面もあります。
むかし、「長生きは健康に悪い」と言った小説家もいました。

あらたな気づき

がんになる可能性は、80歳台まで少ない。また、罹患しても、生存率は年々上昇している。

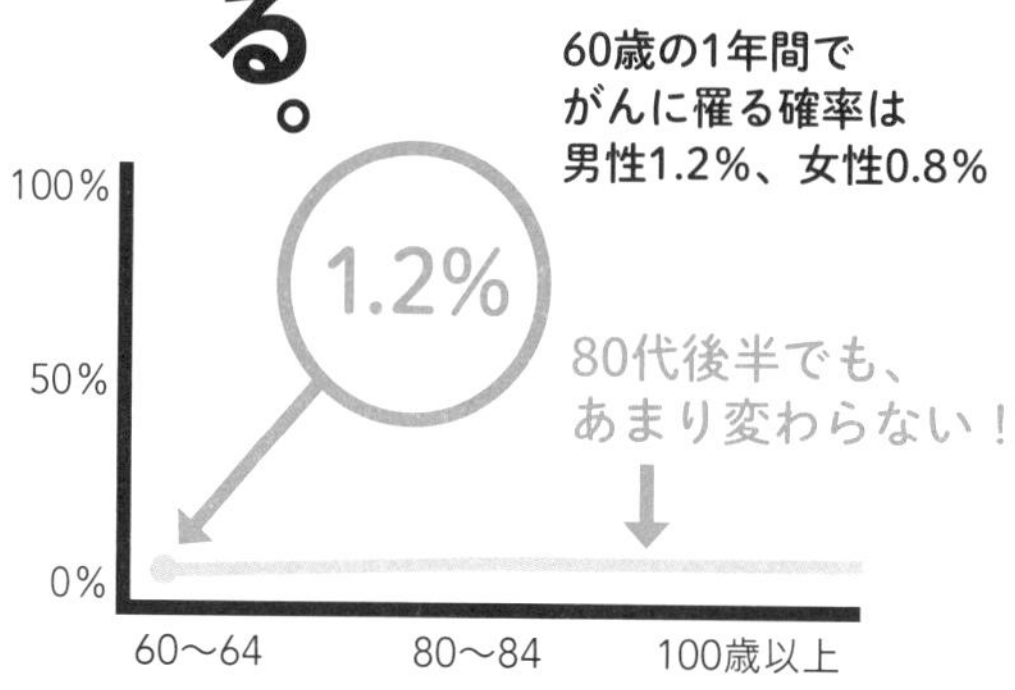

詳細は pp.67～84 を参照

日本の認知症患者は、30年後には、1000万人を超える。

30年後といえば、いま還暦の人が90歳になる年です。
この数字は、インパクトがありました。
高齢者は、誰もが認知症を心配しなければならないのでしょうか。

あらたな気づき

重篤な認知症の比率は、
意外と小さい。
しかも、
60歳台からの
生活習慣の改善で、
リスクを減らせる。

内訳をみると……

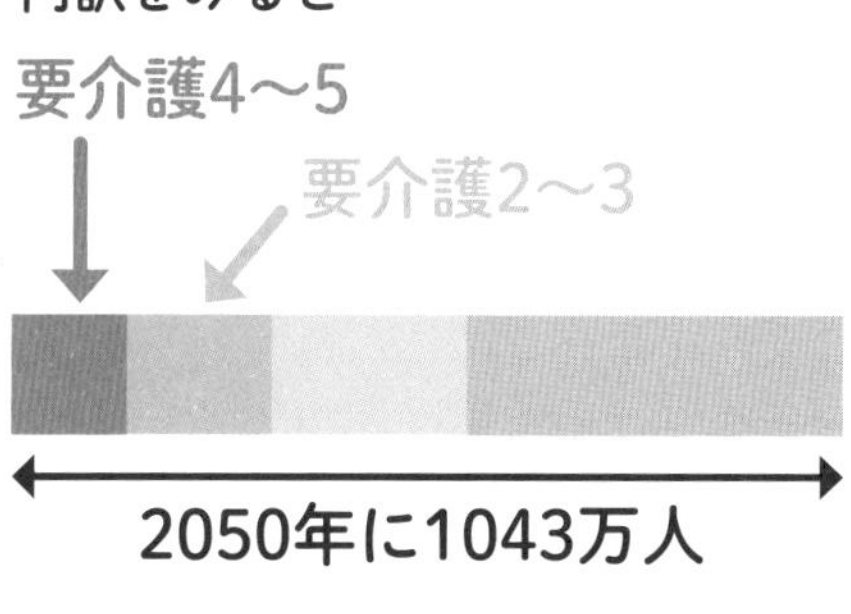

詳細は pp.139〜153 を参照

これからの40年、
なんとなく過ごしてしまうのは、
あまりにもったいないと
思いませんか？

CONTENTS

イントロダクション　3
はじめに　29

第一部
還暦後を読み解く七つの視点　33

疑問① 私たちは平均寿命でこの世を去るのか？　35
■90歳を超えて生きると考えている人は約2割　35
■日本人の平均寿命は世界トップクラス　37
■喪中欠礼はがきの享年が上昇している　38
■個人の寿命を探る指標として平均寿命は最良ではない　41

■ 中央値を使って考えるとイメージが湧きやすい　43
■ とどまる気配のない長寿化　45
■ これからの寿命の予測　48
■ なぜH60は上昇し続けているのか　51
■ いまの還暦世代のH60を推計する　54
■ 本節のまとめ　58
COLUMN ヒトは120歳まで生きられる　60
COLUMN 平均寿命は下がることがある　62

疑問② 2人に1人はがんになるのか？　66

■ 長寿の憂鬱　66
■ 「2人に1人ががんになる」とはどういうことか　67
■ なぜ高齢者はがんに罹りやすくなるのか　69
■ がんは恐怖すべき死因なのか　69
■ 90歳までのがんによる死亡はそれほど多くない　71
■ 肺と肝臓のがんは生活習慣でリスクを減らす　77
■ 早期発見の効果　79
■ 本節のまとめ　84

疑問③ 健康寿命を過ぎたら寝たきりの生活が待っているのか？ 85

■日本人の健康寿命は世界一 85
■日本人は60歳以降の「健康余命」も世界一 86
■健康寿命の算出方法 88
■「健康寿命」の定義はじつはひじょうに厳しい 89
■健康寿命と自立寿命 90
■要介護の定義 91
■「自立寿命」で考える 93
■「寝たきり」期間は短くなってきた 96
■「寝たきり」は人数も減っている 99
■本節のまとめ 101

疑問④ 身体は衰える一方なのか？ 102

■長寿化は「老化の減速」 102
■還暦世代の体力年齢は20年で10歳若返った 107
■運動能力の個人差も縮まっている 109
■物忘れすら起きにくくなっている 111
■なぜ私たちの身体は若返っているのか？ 114

■還暦世代に定着した運動習慣　116
■喫煙率の低下　118
■睡眠時間の確保　120
■いまの還暦世代が90歳になった時の肉体年齢は？　120
■本節のまとめ　123

疑問⑤ 身体の不調を抱えながら生きていくのか？　125
■高齢期の体調に関する不安は大きい　125
■自覚症状を伴う身体の不調は減っている　127
■腰痛はいまでも最大の有訴要因　127
■身体の機能低下は最新技術で補完できる　129
■一方で増加し続ける通院率　131
■通院は予防のため？　132
■身体は若返っている　135
■行動変容と健康改善　137
■本節のまとめ　138

疑問⑥ 5人に1人が認知症になるのか？　139
■認知症とは何か　139

■認知症の恐ろしいイメージ　140
■5人に1人が認知症になる？　143
■認知症の症状には大きな幅がある　144
■認知症の重さは5段階で評価される　144
■重篤な認知症患者は多くない　145
■認知症には生活習慣病の側面がある　148
■欧米では有病率や発症率低下の報告も　149
■日本の有病率にも低下の兆しが　150
■日本の有病率の更なる低下に向けて　153
■本節のまとめ　155

疑問⑦ 知能がどんどん衰えてしまうのではないか？　156

■歳をとると頭が悪くなる？　156
■知性・知能とは何か　157
■知能を測る　158
■「結晶性知能」は衰えない　158
■加齢と知性の関係は未開拓分野　160
■高齢者の知力は心的制約を受けている　161
■高齢者ほど操作ミスが少ない　164

■ 知恵に性差・年齢差はない 165
■ 知力と意欲 166
■ 本節のまとめ 168
第一部のまとめ 健康長寿の条件 169
■ 長寿化の原因 169
■ これからの健康長寿の条件 170
■ 90歳の同窓会にはクラスの半数が出席可能 171
COLUMN 平均寿命の算出方法 173

第二部
「還暦後」への新たな視点 177

1 60歳からの30年を健康面から展望してみる 179
■ 「限られた情報に基づく思い込み」を考え直す 179
■ 還暦後の30年間、健康で自立的に暮らすことは十分に可能 182

2 新しい世界への切替えができるか 184
■いまの還暦世代は旧世界に生きる新人類 184
■いまの世の中の仕組みの多くは「旧世界」で作られた 185
■かつての「老年学」に見られた65歳以上の寂しい姿 187
■従来の高齢者像は老いが早かった旧世界の産物 189
3 90年の人生を30年で区分してみる 190
■これまでの60年を2分割して「30年」の長さを実感する 190
■30歳から還暦までと同じ時間が目の前にある 191
■60代は「第2の青春」かもしれない 192
4 今後の30年間で気になるいくつかの事柄 193
つながり
■一人暮らしを楽しむ人も多い 195
■希薄化してきた人間関係の中で生きる 198
■会話があることはやはり重要 203
■夫婦のこれから 205
■還暦以降の結婚・離婚は増えているが…… 207

■晩婚化・非婚化で遠ざかる曾孫 212
■老親介護・老々介護の問題 214
■新時代の人間関係 218

時間（の使い方）

■テレビ「視聴爆発」からネットライフへ 219
■仕事とともにスポーツも趣味も 222
■趣味・娯楽・教養の活動はネット活用が拡大 224
■友人・知人との行動が増える 226
■これからの時間活用 226

お金

■「老後2000万円問題」を振り返る 230
■高齢世帯の暮らし向きは苦しいか？ 232
■収入も支出も減るが、ゆとりは増加 234
■資産を守ることの重要性 237
■起業するシニアが増えてきた 238
■これからの働き方 239

住まい

■引っ越しをするなら近くへ 241
■リフォームは還暦世代の一大仕事 243
■地方移住への行動は増えている 245
COLUMN 還暦世代がこれから目撃すること 250

おわりに 255

図表出典 267
参考文献 278

はじめに

本書では、日本人の長寿化をさまざまなデータから見ていきます。

いま起きている長寿化は、遅く生まれた人ほど長生きする現象と言えます。私たちの父母は祖父母よりも長寿であり、私たちは私たちの父母よりも長寿です。もちろん例外はありますが、統計で把握される全体像は、明らかにこうなっています。

大正時代に始まった国勢調査のデータを見ていくと、日本人の長寿化は、少なくとも過去100年にわたり延々と続いています。あまりにも長寿化が進んだことによって、過去に作られたさまざまな社会の仕組みも、不具合を起こし始めました。

たとえば、日本人の60歳までの人生航路は、「こんなものだ」という骨格が、おおむね明らかです。6歳で義務教育を受け始め、中学、高校、大学を卒業して就職し、結婚して家庭をもったりします。男女ともに働く人が増えていて、だいたい60歳から65歳くらいまでは勤め先があり、仕事を続けています。還暦までの人生はかなり明確です。

しかし、その後の人生絵巻はさまざまでもあり、不透明でもあります。古い時代に作られた社会の仕組みは、還暦後の人生を、せいぜい十余年しか想定していません。その十余年の暮らし方のイメージも、働き続ける人もいれば、引退して旅行したり、孫を可愛がりながら過ごす人もいるというくらいのものです。30年前であれば、まさに余生という表現が当てはまっていたのだと思います。

60歳から先の過ごし方の選択肢を多く創り出さないまま、日本人の長寿化が著しく進んできました。

そしていま、人生100年時代に向かっています。

その影響をもっとも受けているのが、古い時代の社会の仕組みの中で生きてきた人たち、具体的には、定年制のある企業に勤めてきた社員（多くは男性）です。社会的にやるべきことのイメージが共有されている人生を終えて、いざ60歳を迎えると、目の前に白紙の何十年かが出現します。さてどうしようと戸惑う人が、日本全国に百万人単位で次々に生まれるという前代未聞の時代が現在なのです。

還暦後の過ごし方は、個人の人生にとっても社会の在り方に関しても、とても大きな問題です。ところが日本社会には、いや日本だけではなく世界中を探しても、何千万人もの人が還暦を過ぎて何十年も生きたという経験がありません。就学や就労の義務もない自由な時間、それも何十年という時間をどう過ごすかを、一人ひとりで考えていかなければならないのです。では、何から考えていけばよいでしょうか。

まず気になるのは余命です。いったい自分は何歳まで生きるのか。誰にも分かりません。次に気になるのは健康です。何歳まで健康に過ごせるのか。がんに罹《かか》ったり、認知症になったり、寝たきりになる可能性が高いのではないかと心配になります。

そして、もし健康で長生きするとしても、お金の問題、生きがいの問題、家族との関係など、さまざまな心配ごとがあります。

筆者らが勤務する三菱総合研究所は、総合シンクタンクを標榜《ひょうぼう》しています。シンクタンクの重要な機能の一つは、さまざまなデータを読み込んで未来を予測することです。多くの場合、予測の対象は、日本の産業経済や先端技術の動向ですが、このような仕事で培った方法論は、個人の未来予測にも適用できるだろうと考えました。

本書は、これからの高齢期の姿を、データに基づき、さまざまな面から考察したものです。その対象は、いま還暦前後の世代としました。それは、分析の視点を絞り込むためと、将来の話なので、「これから」高齢期を生きていく方々をケーススタディするのがよいと考えたからです。ちなみに、著者（長澤）も還暦世代であり、この問題の当事者です。このため、それ以外の世代の方々には当てはまりにくい記述があるかもしれませんが、ご容赦ください。

　未来の話ですので、当たりはずれは当然ありますが、還暦を過ぎても相当に長い年月が目の前に横たわっている現在、これからの過ごし方を考えるよすがとして、少しでも本書がお役に立てば幸いです。

第一部

還暦後を読み解く七つの視点

本書は、可能な限りデータに基づいて、「人生100年時代」の後半の姿を描き出そうとするものです。

内容をシンプルにするため、いま還暦を迎えた人たちに焦点を絞り、その人たちが今後何年間、どのような人生を送るのかに焦点を当てて分析しました。いま60歳前後の人たちが感じている次の七つの疑問について、データに基づいて考えていきます。

①私たちは平均寿命でこの世を去るのか？
②2人に1人はがんになるのか？
③健康寿命を過ぎたら寝たきりの生活が待っているのか？
④身体は衰える一方なのか？
⑤身体の不調を抱えながら生きていくのか？
⑥5人に1人が認知症になるのか？
⑦知能がどんどん衰えてしまうのではないか？

しっかりしたデータをつぶさに見ていくことによって、通説とは少し違う世界が見えてきます。

疑問①

私たちは平均寿命でこの世を去るのか？

■90歳を超えて生きると考えている人は約2割

人に永遠の命はなく、少なくとも肉体的にはいずれ死を迎えるわけですが、自分の寿命について正確に予測することはできません。でも、考えることはあるでしょう。

自分は何歳まで生きるか考えたことがあるか、というアンケート調査の結果、60代～80代の7割以上の人が「考えたことがある」と回答しています。逆に、2割～3割の人が「考えたことがない」ということですから、個人差もあります。

そのアンケート調査とは一般社団法人投資信託協会が毎年公表しているもので、最新版では図表1のような結果が示されています。回答したのは全国の60代から80代の男女約5000人。回答者の年代別の構成比は、だいたい男女とも60代5割、70代3割、80代2割となっています。

90歳を超えて生きると思う人は約２割

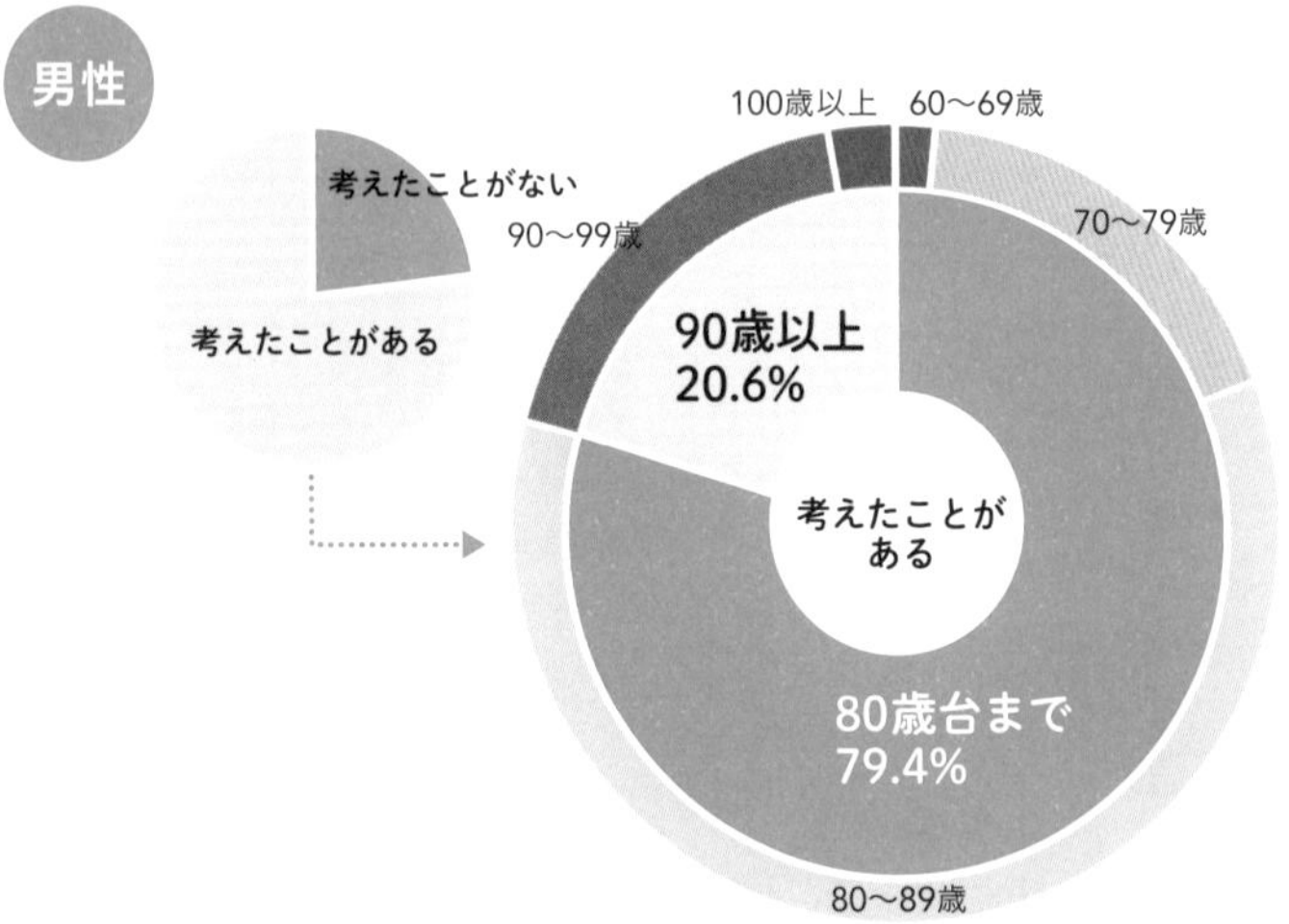

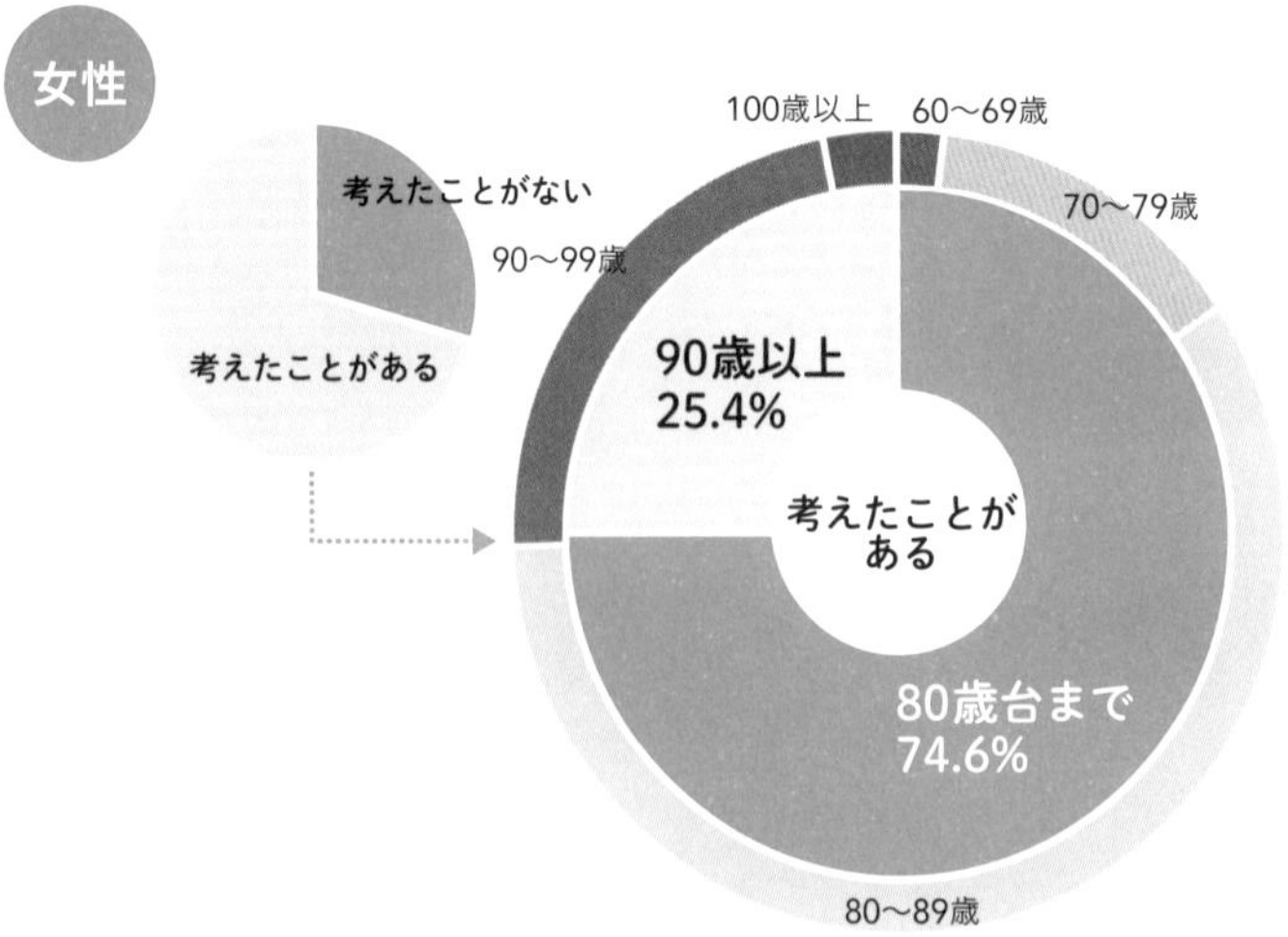

自分は何歳まで生きると思うか
図表１(上)：男性、図表２(下)：女性

多くのアンケート調査では「あなたは何歳まで生きたいと思いますか」と意思や希望を問うことが多いのですが、この調査では、客観的に「何歳まで生きると思うか」と聞いている点が特徴的です。その結果、男女とも8割弱が80代までということで最多となり、90歳以上まで生きるだろうと回答した人は男女とも約2割にとどまりました。

このようなアンケート調査に回答するとき、拠り所になるのは、毎年、新聞やテレビで報道される「平均寿命」でしょう。ご存知のとおり、平均寿命は、女性が80代後半、男性が80代前半で、毎年少しずつ延びてきています。そんな情報を頼りに、自分の寿命を考えることが多いはずです。逆に言えば、それ以上の情報を収集し、分析して自分の余命を厳密に計算しようとする人が多くいるとも考えられません。

もし「あなたが何歳まで生きるか」を、誰かがていねいに分析や予測をしてくれたなら、それは、これからの人生を考えるうえでおおいに参考になるでしょう。本書では、そのような視点で予測に挑戦してみます。

■日本人の平均寿命は世界トップクラス

二〇二二年に厚生労働省から発表された日本人の平均寿命（二〇二一年の値）は、男性81・

47歳、女性87・57歳です。

一九八〇年代中頃まで、平均寿命の長い国はスイスやスウェーデンなどの欧州諸国でした。その後、二〇〇〇年代初頭までの十数年間、日本人が男女とも平均寿命世界一になり、日本食が長寿の秘密ではないかと話題になりました。

二〇〇〇年代に入ってからは香港が台頭してきて、しばらくの間は、日本と香港の首位争いがありました。その後、WHOは、香港を中国の一地域として統計から外したため、最新版の二〇一九年の値では、日本は、男性では2位（スイスに次ぐ）、女性は1位となっています。我が国は、依然として平均寿命で世界トップクラスにあります。

こうしたことから、還暦を迎えた時、あと数年で自分は死んでしまうと思っている日本人は少なく、だいたい80歳を超えて生きるのだな、という感覚を持っている人が多いはずです。

■喪中欠礼はがきの享年が上昇している

ところが、平均寿命が、女性80代後半、男性80代前半だという知識と、現実に周囲で起きていることの間には、ズレが感じられることもあります。

身近な事象から考えてみます。

日本人の平均寿命は世界トップレベル

男性

順位	国名	平均寿命
1位	スイス	81.8
2位	日本	81.5
3位	オーストラリア	81.3
4位	キプロス	81.1
4位	ノルウェー	81.1
4位	シンガポール	81.1
7位	イタリア	80.9
8位	スウェーデン	80.8
8位	アイスランド	80.8
8位	イスラエル	80.8

女性

順位	国名	平均寿命
1位	日本	86.9
2位	韓国	86.1
3位	スペイン	85.7
4位	シンガポール	85.5
5位	キプロス	85.1
5位	フランス	85.1
5位	スイス	85.1
8位	イタリア	84.9
9位	オーストラリア	84.8
9位	ドイツ	84.8

平均寿命の国際比較（2019年）
図表3（上）：男性、図表4（下）：女性

年の暮れが近づくと、ポツリポツリと喪中欠礼のはがきが配達されてきます。言うまでもなく、親族に不幸があったため年賀状は出しません、との連絡です。

父○○○○が○月○日に享年■■で永眠いたしました
ここに本年中のご厚情に深く御礼申し上げます
明年も倍旧のご交誼をお願い申し上げます

といった文面が記されています。「享年《きょうねん》」という用語は何気なく用いていますが、もともとは「天から享《う》けた年数」という意味で、この世に何年存在していたかを表す言葉だといいます。たとえば、満80歳で亡くなった人が生きた年月は80年以上81年未満なので、繰り上げて「享年八一」と記されます。また、これは何年生きたかを表す数字であり、年齢を示すものではないため、「享年八○歳」という表現は、じつは誤りになるということです。

近年、この■■の部分が「九三」や「八九」などであることが多くなったと感じませんでしょうか。仮に「八一」と書いてあれば「まだ若いのに」と感じられる時代になってきた、こんな感覚を持っている方が多いと思います。

80代前半で亡くなることを「若くして」と感じることは、20年前、30年前にはありませんでした。こうした肌感覚から、日本人がかなり長寿化してきたことが感じられます。特定の誰彼が長生きだ、ということではなく、日本人全体として長寿になっていることが伝わってくるのです。そして、この、多くの人が平均寿命を超えて生きるという肌感覚について、それが正しいのか確認しておきたいところです。

個人の寿命を探る指標として平均寿命は最良ではない

結論から申し上げると、平均寿命と最近お亡くなりになる人の年齢との間に乖離があるという感覚は、間違っていません。それは、まぎれもない事実なのです。

次頁の図表5と図表6を見てください。図表5は、二〇二〇年の国勢調査結果に基づいて作成された「完全生命表」による、日本人女性の年齢別死者数のグラフです。全体の人数は、実人口ではなく10万人に換算されています。完全生命表とは、1年間の出生・死亡の全データを用いて、日本人の年齢ごとの死亡率を算出し、それぞれの年齢に到達する確率を男女別に表したもので、寿命を検討する際に用いられるもっとも基礎的なデータです。

この生命表によれば、もっとも多くの女性が亡くなる年齢（これを「最頻《さいひん》死亡年齢」、また統計用語では「最頻値」といいます）は93歳であり、平均寿命の87歳より6歳も上です。男性の場

死亡者数がもっとも多い年齢は、平均寿命を大きく超えている

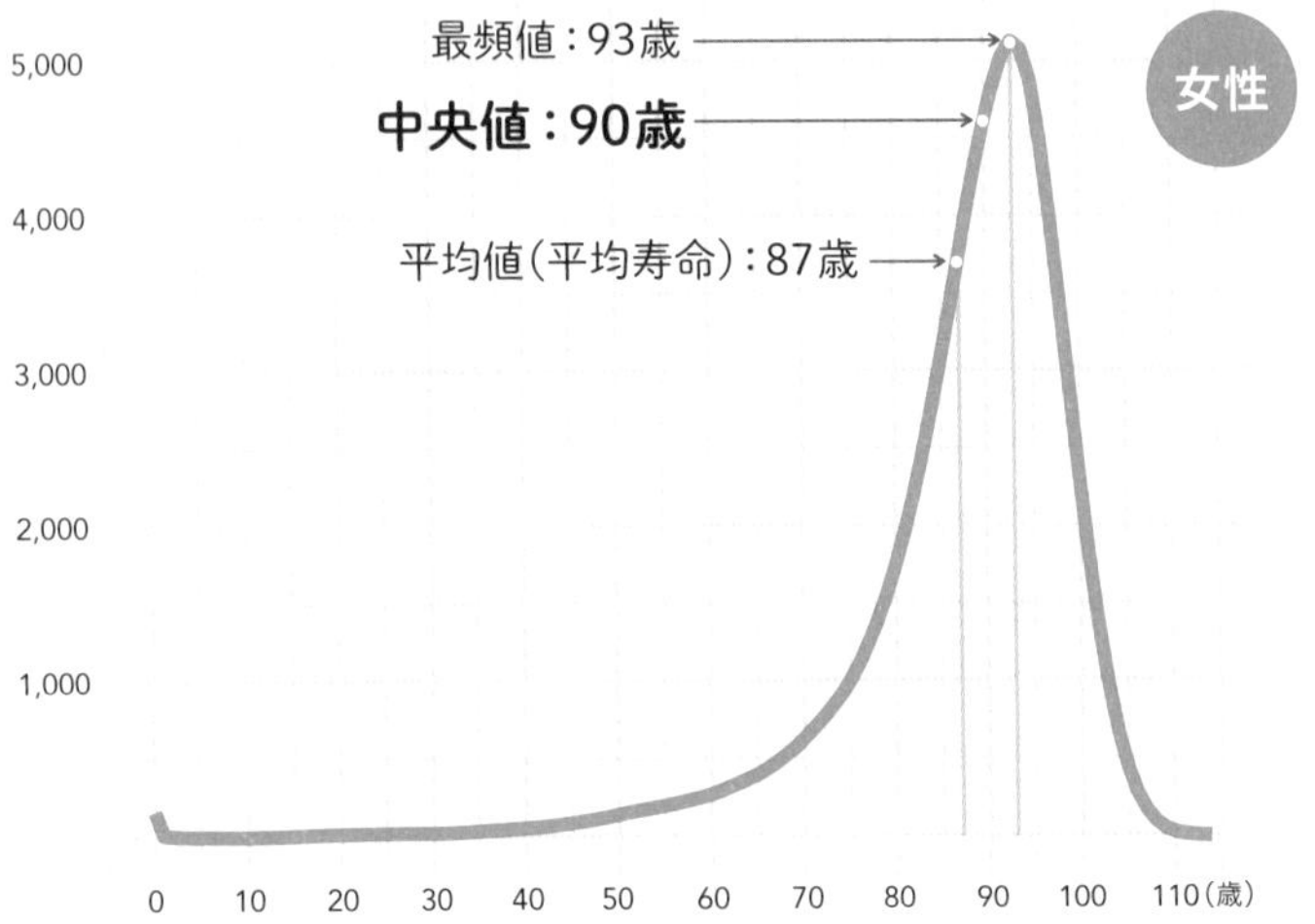

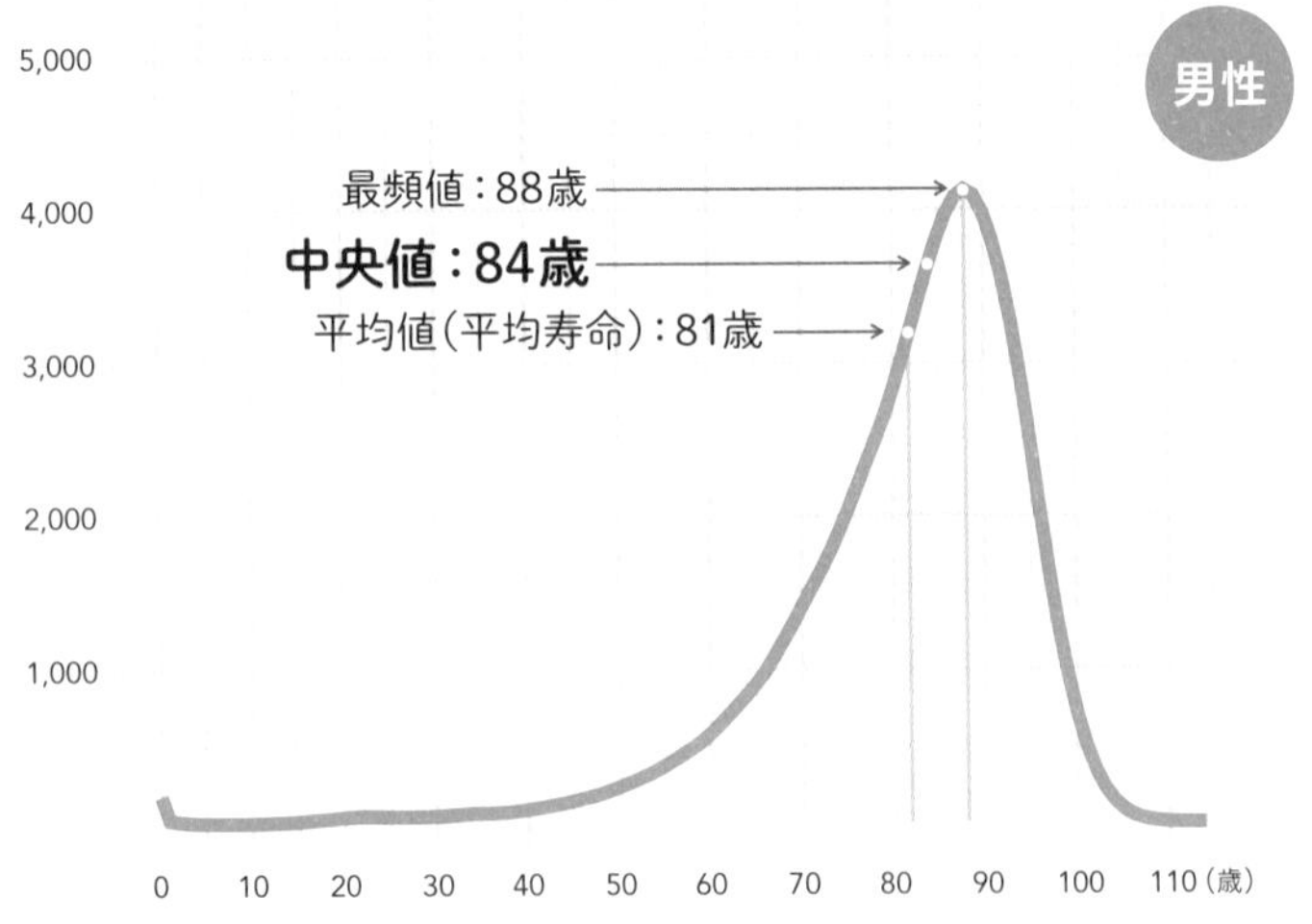

年齢別死者数（2020年）
図表5（上）：女性、図表6（下）：男性

合は、もっとも多くの人が亡くなる年齢は88歳で、平均寿命の81歳より7歳も上です。なぜこんなことが起きるのでしょうか。

これは平均値という指標の性質によるものです。仮に10人の集団があって、100歳で亡くなった人が9人、0歳で亡くなった人が1人いたとします。10人が生きた年数の総計は、100×9で900年、これを10人という人数で割れば、平均寿命は90歳と求められます。もっとも多くの人が亡くなった年齢は100歳なのに、1人でも0歳の人がいれば、平均値は10歳も下がってしまうわけです。平均値を最頻値に一致させるならば、たとえば、100歳まで生きた9人のうち1人が200歳まで生きなければなりません。そのようなことは現実的ではないので、死亡年齢分布の平均値は、どうしても最頻値よりも小さな値になってしまうのです。

中央値を使って考えるとイメージが湧きやすい

寿命の平均値、すなわち平均寿命は、もともと個人がそれに基づいて自分の寿命を考える際の参考値として算出されているものではありません。0歳の時点での平均余命が平均寿命なので、60歳の人が平均寿命から60を引いて、あと何年生きるかを計算してみるのは、意味がありません。

そもそも平均値というのは、「ある集団の特性」を表す指標です。

集団的な事象に対して平均値を用いる例としては、平均寿命のほかに、学力テストのクラス別平均点が挙げられます。試験の平均点が高いクラスは低いクラスよりも先生の教え方が上手なのか、生徒の理解度が高いのでしょう。このように、クラスという集団の特徴を把握するうえで、平均点という指標は役に立ちます。平均寿命は、国全体で一つの値を求めるので、国別の比較が可能となります。平均寿命の高い国は、低い国に比べて国民の健康状態、医療水準、衛生環境などが優れていると判断してよいはずです。このように、集団と集団の間の比較をするうえで、平均値という指標はきわめて有効です。

しかし、その集団の中で、自分がどの位置にいるのかを知ろうとする場合には、あまり役に立ちません。自分は平均値だろうと仮定しても、それが真ん中の順位（中央値）である保証はないからです。集団の中で、個人が自分の位置づけを推し量り、そこから将来を見通そうとするときには、むしろ中央値のほうが有用です。

中央値は、集団の中の真ん中の順位を表す指標です。年齢別死者数の場合、100人の人が順々に亡くなっていくときに、50人目あるいは51人目の人が亡くなる年齢を意味します。ちなみに図表5と図表6に記載したとおり、二〇二〇年国勢調査の結果に基づく生命表によれば、日本人の寿命の中央値は、男性84歳、女性90歳です。つまり、女性はすでに半数が90歳に到達する時代になっているということです。

■とどまる気配のない長寿化

自分の余命を考える場合には、平均寿命よりも寿命の中央値を参照するのが望ましいことは、すでに述べたとおりです。しかし、現代日本の場合には、それだけではまだ過少見積もりになる可能性が残っています。その理由は長寿化です。

長寿化とは「遅く生まれた人ほど長生きする」状態であると述べました。そのことを表す実データの一つが図表7と図表8です。図表7は、60歳の人が100人いたとして、そのうち何人が80歳まで生きたのかを集計したものです。図表8は同じく90歳までの到達率です。データは、国勢調査の各年版からとりました（厳密に言えば、この方法には多少の問題があるのですが、大きな傾向をつかむためには有用です）。

「生まれ年」は、長生きできるかどうかに大きな影響を与えます。たとえば、一九二〇年生まれの人たちは、日中戦争から太平洋戦争の時代に20歳前後で、否応なく徴兵され、多くの人が亡くなっています。他の世代にも、それぞれの事情があります。こうした影響を取り除くうえで、「一九二〇年生まれの人が『60歳になった後』、90歳まで生きた確率はどれくらいだったの

還暦を迎えた人が、その後80歳、90歳に到達する率は、年々高まっている

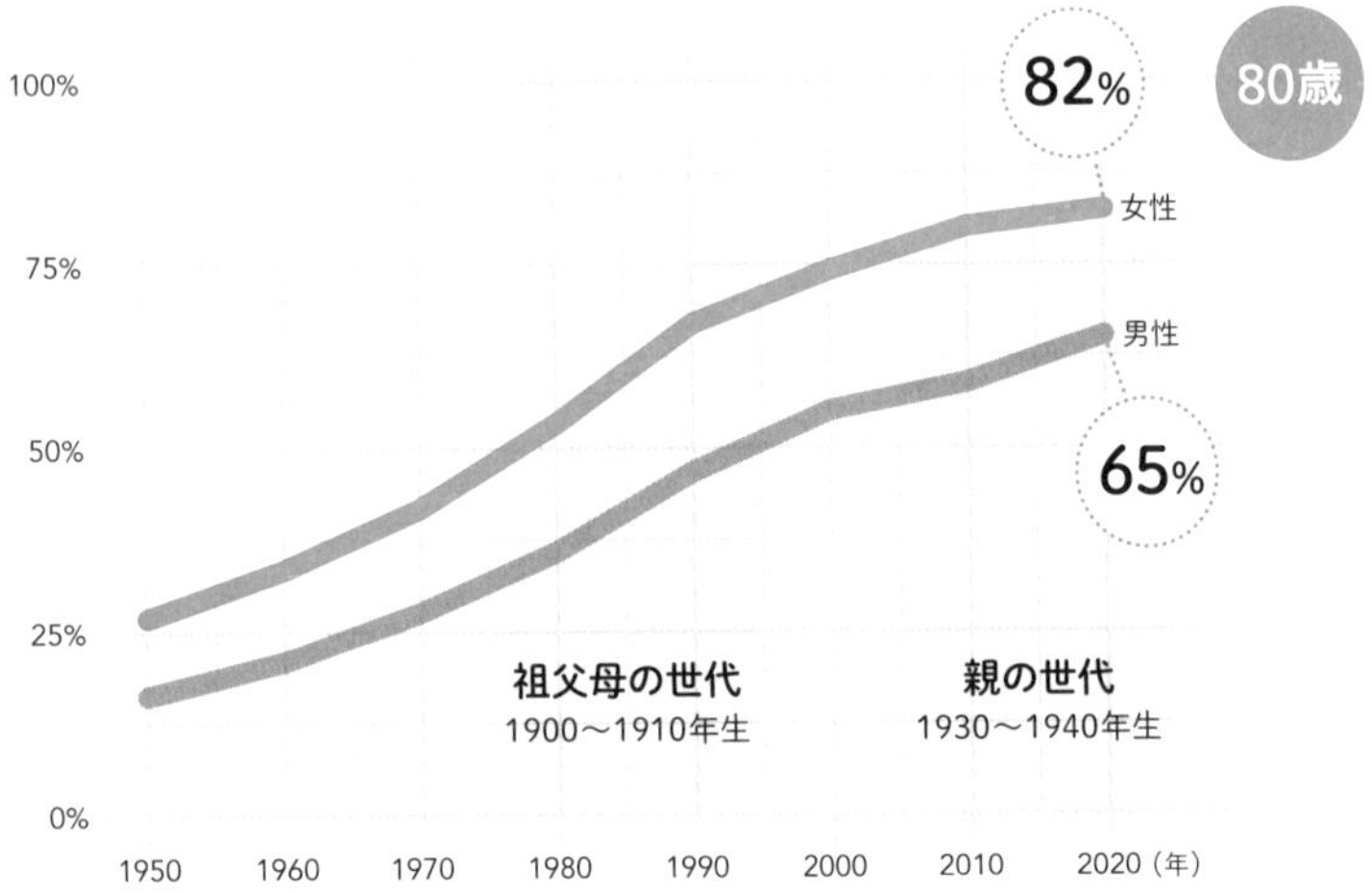

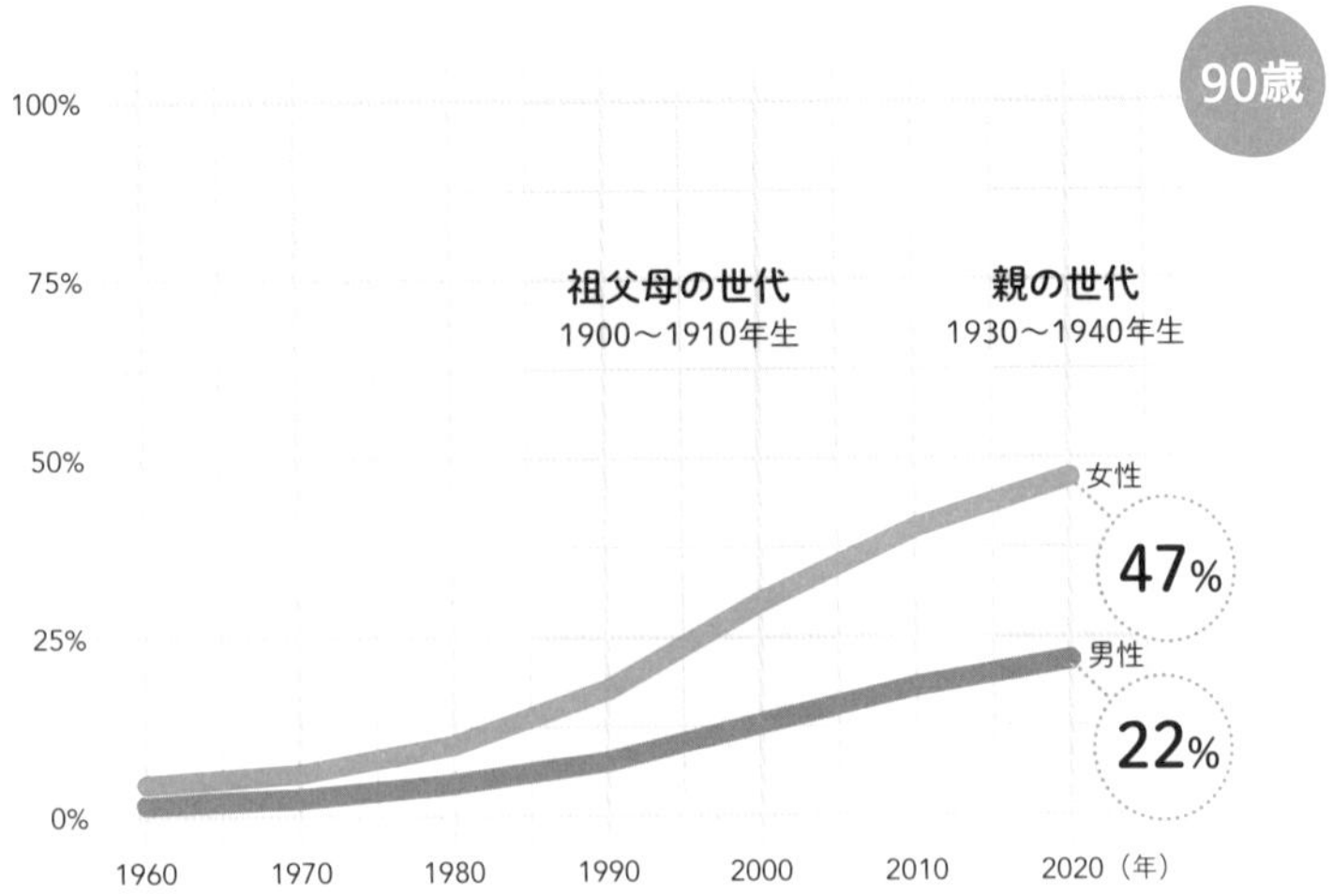

還暦者の80歳、90歳到達率の推移（当該年齢の「総人口」を追跡）
図表7（上）：還暦者の80歳到達率の推移
図表8（下）：還暦者の90歳到達率の推移

か」という条件設定は、他の年代の人たちとの比較のうえで有効です。

なお、国勢調査のデータは、日本国内に居住する「総人口」と、国籍によって区分した「日本人」という二つの集計値があります。60歳を超えて国際的な居住地の移動は少ないでしょうし、日本国で生活している60歳以上の人たちは、国籍が違っても、おそらく全体として同じような傾向を示すだろうという考えから、本書では、「総人口」をデータとして選定して分析を行っています。

図表7を見ると、二〇二〇年に80歳に到達した人は女性8割、男性は7割弱です。これは、20年前の二〇〇〇年に還暦になった人たちのうち、女性は8割、男性は7割弱が80歳に到達したということを表しています。図表8は、30年前の一九九〇年に還暦になった人のうち、女性の47%、男性の22%が90歳に到達したことを表しています。女性の60歳人口が90歳に到達する比率は5割に迫っています。男性はやや遅れていますが、それでも、グラフが明らかに長寿化傾向を示していることは注目に値します。

これらのグラフを見ると、ここ数年の喪中欠礼はがきに感じた「90代を超えて生きる人が急速に増えている」「80代前半で亡くなる人については、『まだ若いのに』と感じるようになった」「これは20年前、30年前とはずいぶん違う」という肌感覚が、データによって裏付けられたといえます。

■これからの寿命の予測

本節の狙いは、いま還暦前後の人が何歳まで生きるのかを検討することです。これまでの記述の要点は、

① 寿命を見通す基礎データは「生命表」である
② 平均寿命（平均値）より中央値を用いるほうが分かりやすい
③ 長寿化の影響を考慮すべき

ということでした。

ここからいよいよ推計に入ります。まず初めに、長寿化の全体的な動きを見ます。参照指標としては、中央値を用います。ただし、母集団は60歳以上の人口とします。還暦世代の人口が半分になる年齢に注目するのです。つまり、還暦の時の人口の「半減期」を見てみるということです。

二〇二〇年の国立社会保障・人口問題研究所の生命表を例にとれば、10万人の男児出生があ

った場合に、60歳時の生存数は9万3263人。それが半減するのは86歳（4万4378人）です。80代半ばを過ぎると、同い年の人たちが亡くなるペースが速まるのが現状だと考えられます。女性の中央値は91歳です。したがって、自分の寿命が同世代の真ん中あたりだろうと思うならば、余命は男性26年、女性31年です。

ここで、長寿化の影響を反映させましょう。以下では、60歳の人口が半分になる年齢に注目します。これは「還暦者死亡年齢中央値」とでも呼ぶべき指標になりますが、以下では簡単に、これを「H60」と表記することにします。H60は、還暦の人たちの半数がそれまでに亡くなる、逆に言えば、半数近くの人が必ず到達する年齢です。H60の長期的な動向は、生命表の時系列分析で見ることができます。

幸い、国立社会保障・人口問題研究所は、昭和二二年から令和二年までのデータをウェブサイトで公開しています（二〇二二年一〇月現在）。これは大変有用なデータです。

このデータセットを用いて、「H60」の長期的な動向を表したのが次頁の図表9と図表10です。驚くべき結果が得られました。

女性のH60は、一九四七年には76歳、それが二〇二〇年には91歳なので、73年間で15年も伸びています。およそ5年で1歳の上昇です。そして、その上昇率は直線的であり、二〇三〇年代には95歳を上回りそうな勢いです。男性のH60は、一九四七年の73歳から二〇二〇年の86歳

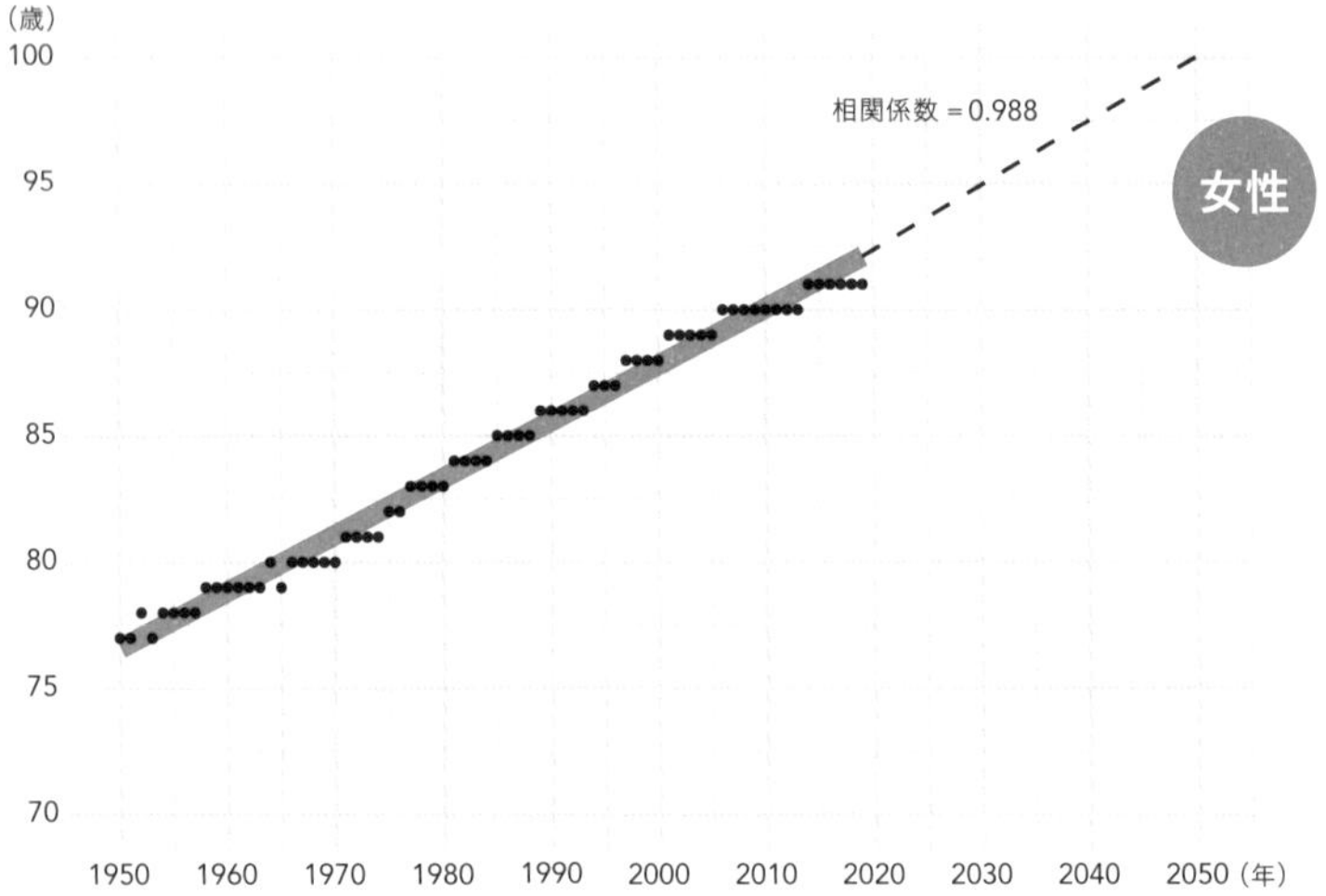

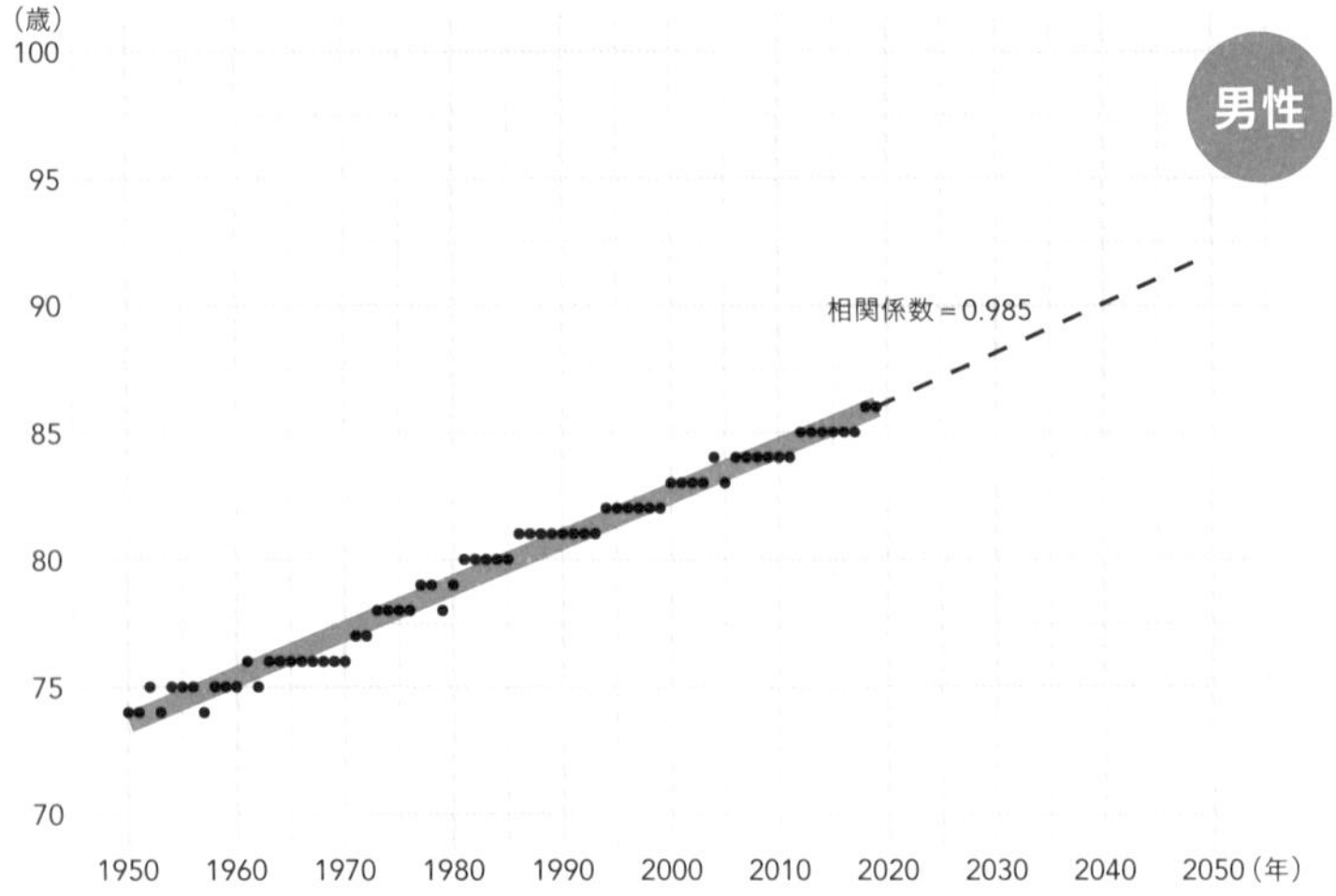

還暦者の半数が到達する年齢の推移
図表9(上)：女性、図表10(下)：男性

まで、これも5〜6年で1歳ずつ上昇していて、その上昇率も直線的です。二〇四〇年前後には90歳を超える可能性があります。つまり、いまの勢いでH60が伸び続ければ、20年後には還暦男性の半数が90歳を超えて生きる時代になるのです。

H60は、年齢を表す指標なので、無限に増えていくことはありません。したがって、その動向を直線で近似することは、本来は正しくないのです。しかし、昭和二二年から令和二年までのデータはきれいに直線上に乗っています。近似直線との適合度合いを表す相関係数が男性0・985、女性0・988ときわめて高いので、いずれは減速するにせよ、当面はこの上昇傾向が継続するものと思われます。

すなわち、やはり「人生100年時代」は始まっており、いま還暦の世代は、男女とも半数が90歳を超えて生きる可能性がきわめて高いことが、以上の推計から示唆されるのです。

なぜH60は上昇し続けているのか

還暦者の人数が半減する年齢を本書では「H60」と名付けて、その動向を見ました。そして、それが過去70年以上、ほぼ直線的に伸びてきていることが分かりました。

これはひじょうに驚きであるとともに奇妙にも感じられます。人間には生物的な限界の年齢

死亡年齢は、高齢化、集中化の傾向

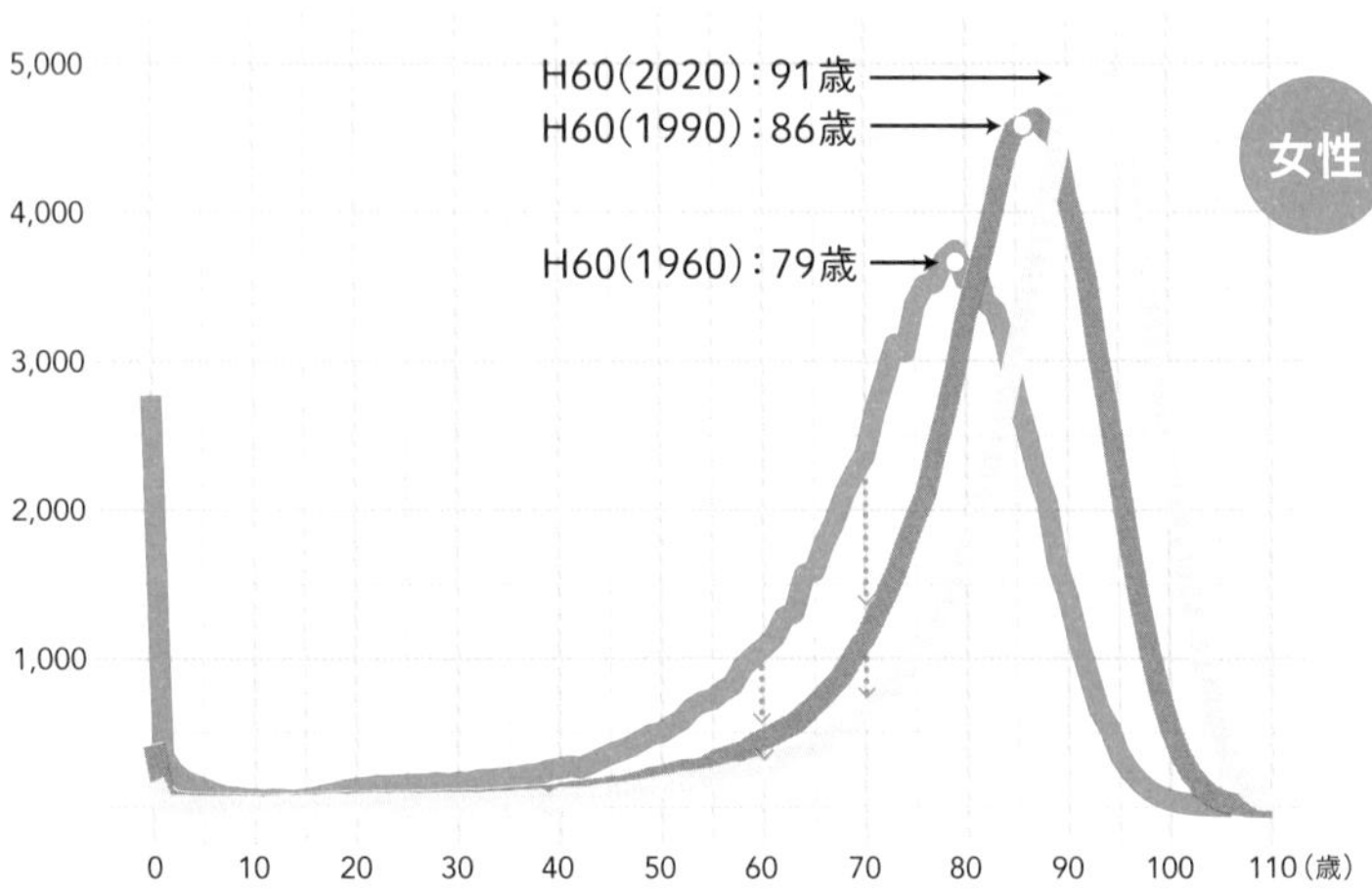

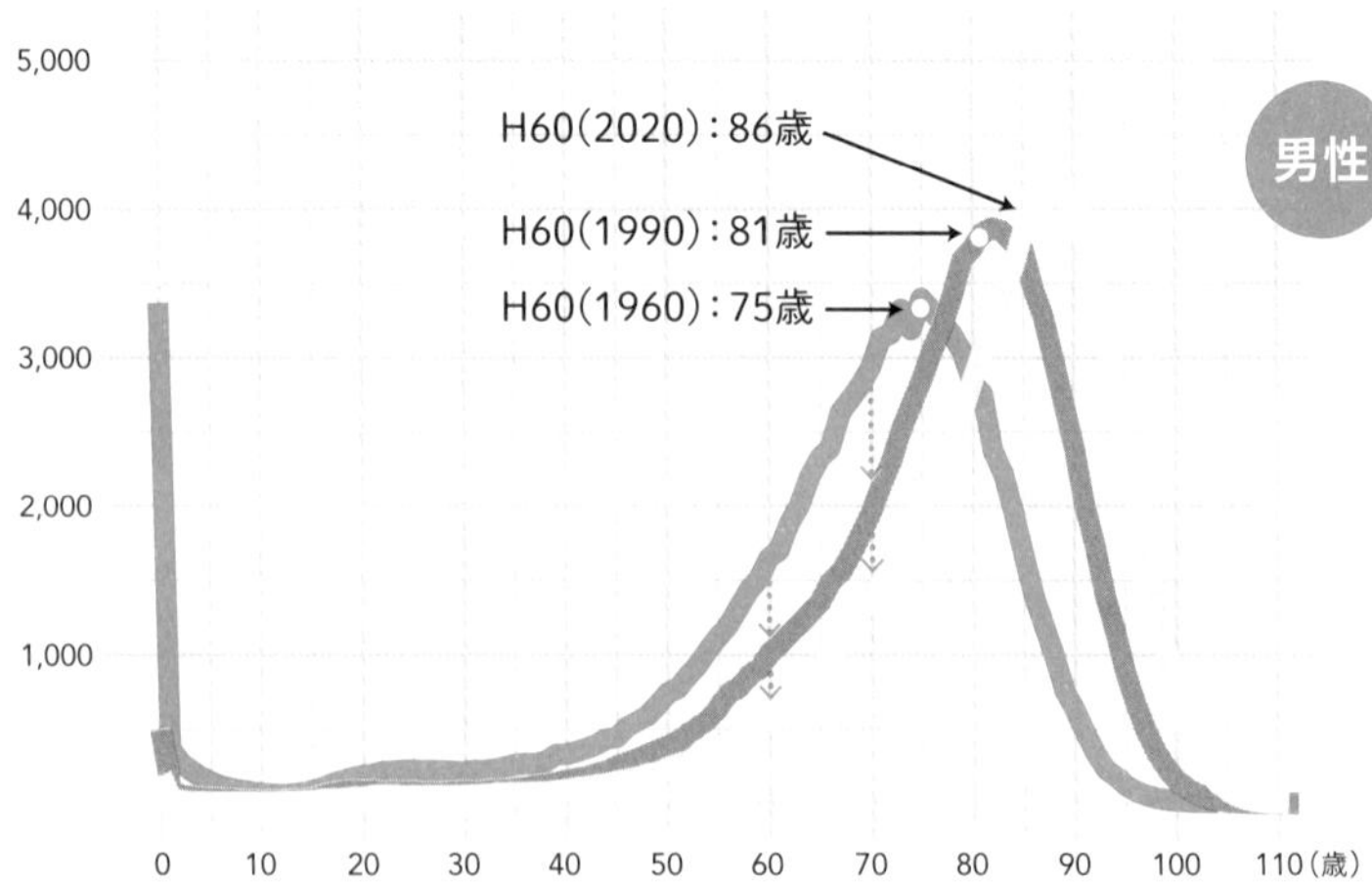

年齢別死者数の推移
図表11(上):女性、図表12(下):男性

があることは明らかですから、たとえば、平均寿命がどんなに延びても、いずれは伸び率が低下して、最後には、一定の値を保つか下降するはずです。H60は年齢を表す指標ですから、これまた必ず上限に達するはずで、その推移は、緩やかにでも伸び率が低下する曲線になるはずです。それが、過去70年余のデータが、ほぼ直線に並んでいるのは、なぜなのでしょうか。

その背景には年齢別死者数のグラフ波形の変化があります。前頁の図表11には一九六〇年、一九九〇年、二〇二〇年の3時点における女性の年齢別死者数を示しました。まるで葛飾北斎の冨嶽三十六景「神奈川沖浪裏」のように、左の沖合から右に向かって波が進んできています。図中にはH60もポイントしました。

H60が直線的に上昇し続けているということは、60代〜70代で亡くなる人の数が劇的に減っているということです。グラフの60歳、70歳、80歳周辺で3本の波形の上下関係に注目すると、たしかに著しく下がっています。一方で、年齢には上限があるので、60代〜80代で減少した死者数は、押し出されるように右側に移動し、波形の山のピークを高めています。これは、図表12に示した男性の場合も同様です。

簡単に言うと、日本人は60代〜80代で亡くなることが少なくなっている半面、90歳を超えると、多くの人が同じような年齢で一気に亡くなる傾向が高まっているのです。還暦世代は、いまそのような大きな人口動態の中に存在しているのだと言えます。

実際に、各年代での死者数の推移も見てみました。次頁の図表13は60代、70代、80代で亡くなった女性の人数を一九六〇年、一九九〇年、二〇二〇年の3時点で比較したものです。60代、70代は劇的に減っています。80代は一九九〇年にいったん増えましたが、グラフの波形ピークが90代に上がった二〇二〇年には下降に転じています。

男性で同じグラフを作ったのが図表14です。60代、70代は減り続けています。80代は、一九九〇～二〇二〇年の間に足踏みしていますが、女性の例を参考にすれば、波形のピーク（最頻値：二〇二〇年は88歳）が90代に移行すれば下降傾向が顕著になるでしょう。

■いまの還暦世代のH60を推計する

以上の分析を基礎にして、最後に一九六〇年生まれの世代を対象にH60（還暦を迎えた人の半数近くが必ず到達する年齢）を推計してみたいと思います。

すでに、H60の長期的な動向（図表9、図表10）から、二〇三〇年には女性94歳、男性88歳くらいになる可能性が高いことが分かっています。ただし、断っておかなければならないのは、この二つの図表が表している数値は、生命表に基づいて算出されたものであり、その意味では、日本人全体の傾向値であって、一九六〇年生まれの人に限定した推計値ではないということ

日本人は、60代、70代で亡くなる人が少なくなってきた

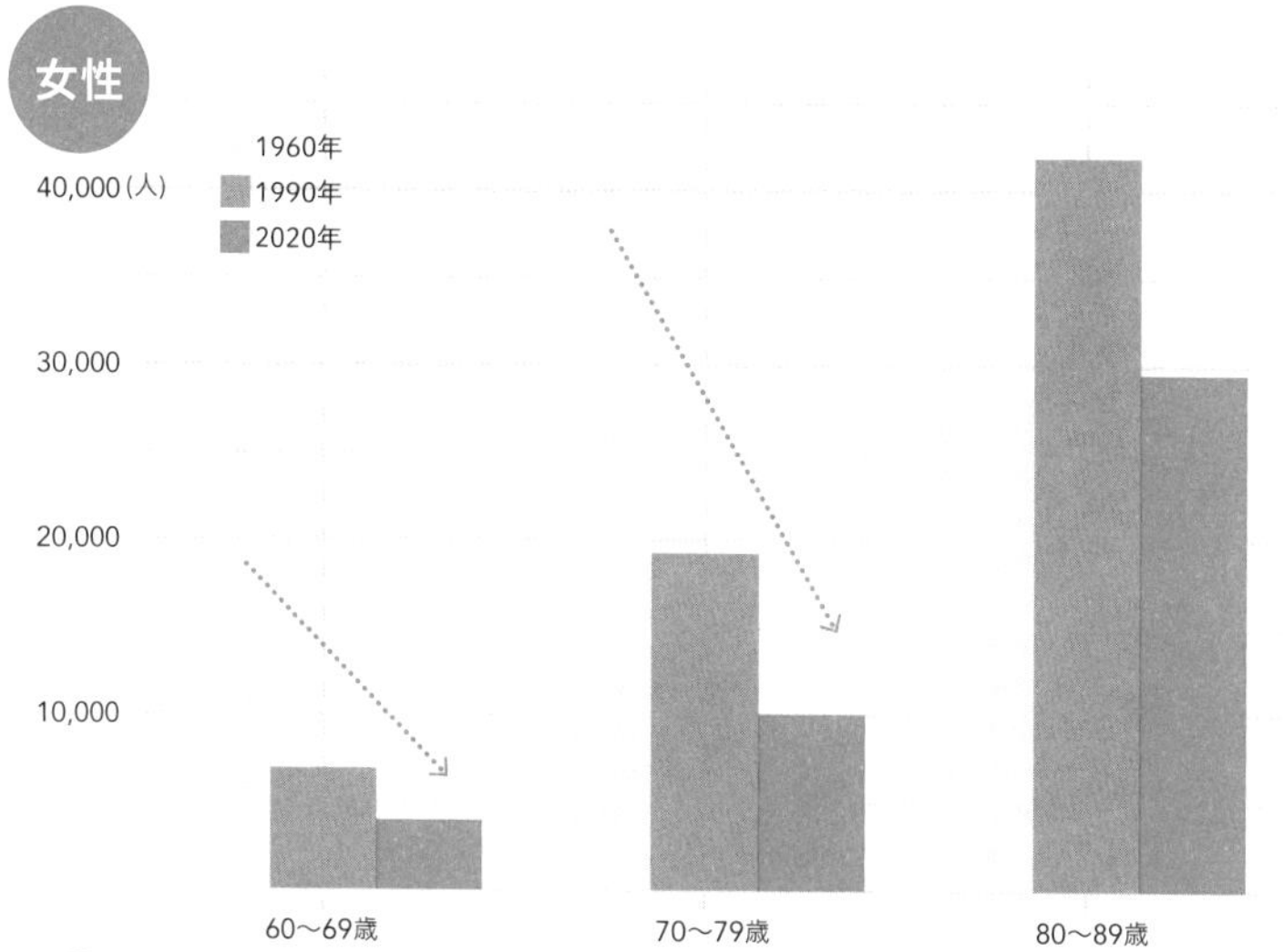

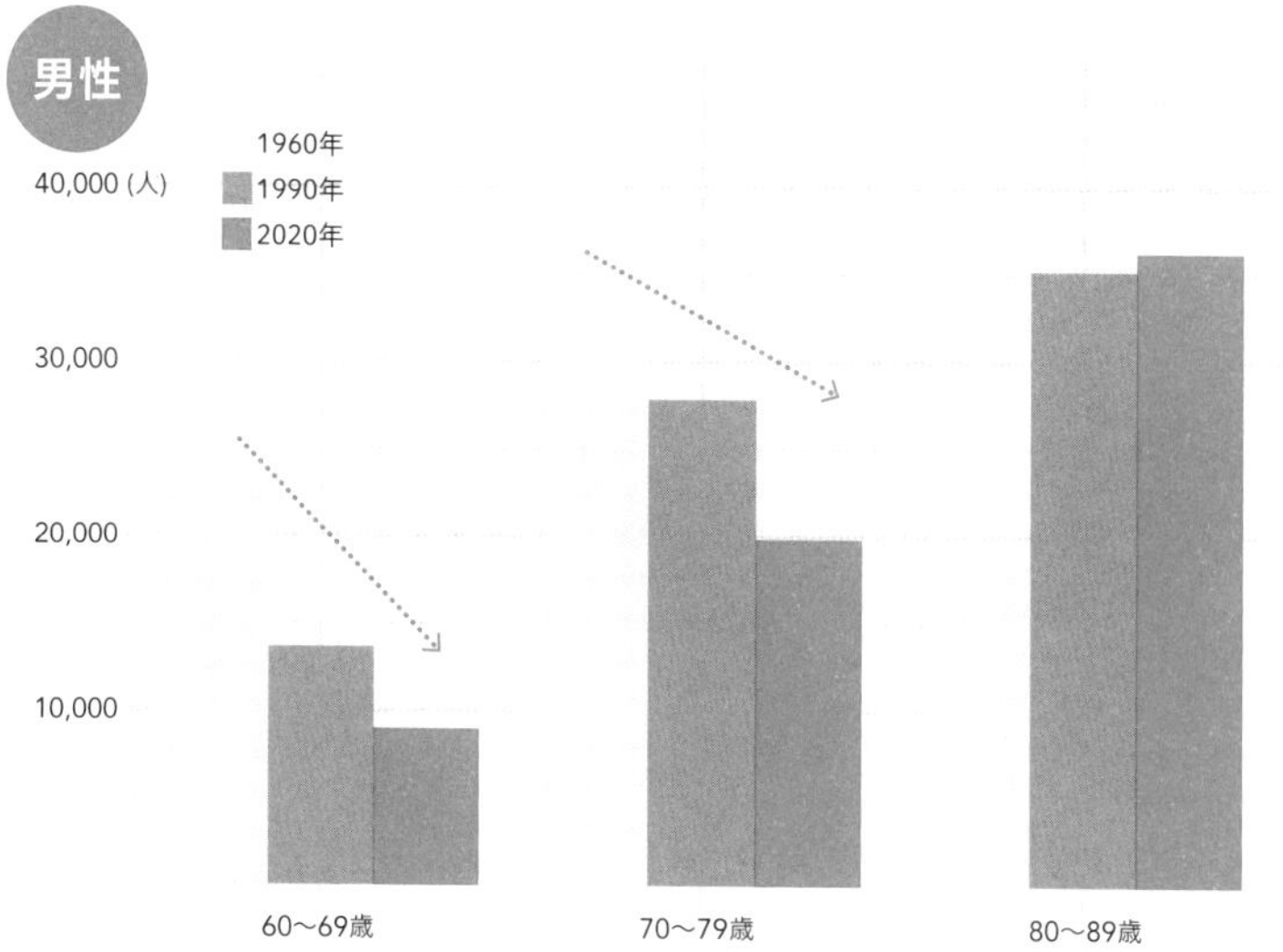

年齢階級別死者数の推移
図表13（上）：女性、図表14（下）：男性

です。

また、生命表は、国勢調査の結果など、一時点の情報に基づいて作られます。したがって、一つの生命表の中に長寿化の影響は、織り込まれていません。一方で、生命表の「年齢別死者数」を取り出してグラフ化すると、年次の新しいものほど右側に片寄っていくことは、図表11、図表12で見たとおりです。長寿化の影響はこのように、複数の生命表の間の数値の変化という形で現れるのです。

ここで重要なのは、生命表の値は常に動いているということです。長寿化の傾向が続いている限り、現在の生命表で算出したH60（理論値）は、結果的には必ず上振れすることになります。つまり、実績が結果として得られた際には、その値は、当初算定したH60（理論値）よりも何年か遅くなっているはずなのです。

この性質を利用して、特定世代のH60を推計することが考えられます。対象としては前述のとおり、一九六〇年生まれの世代を取り上げます。

まず見てみたいのは、過去の前例で、実績値と理論値はどの程度乖離していたかです。H60が計算できるのは、データ制約上、現時点で90歳以上に到達している一九三〇年生まれの世代までです。本書では、これに加えて一九二〇年生まれなど5世代の時系列データを利用しました。図表15に結果をまとめてあります。

	生年	H60		
		理論値	実績値	遅れ
男性	1890年（明治23年）	74歳	74歳	0年
	1900年（明治33年）	75歳	76歳	1年
	1910年（明治43年）	76歳	79歳	3年
	1920年（大正9年）	79歳	81歳	2年
	1930年（昭和5年）	81歳	82歳	1年
	平均			1.7年
女性	1890年（明治23年）	77歳	78歳	1年
	1900年（明治33年）	79歳	81歳	2年
	1910年（明治43年）	80歳	85歳	5年
	1920年（大正9年）	83歳	87歳	4年
	1930年（昭和5年）	86歳	89歳	3年
	平均			3.0年

図表15　H60の理論値と実績値のズレ
※理論値とは、当該世代が還暦の時点での生命表に基づくH60。
実績値とは当該世代の人口が還暦時人口の半数になった年齢。

事例的に説明すると、一九〇〇年生まれの女性は一九六〇年に還暦を迎えましたが、この年に計算された生命表に基づけばH60（理論値）は79歳でした。その後に何十年かが経過し、結果としてのH60（実績値）を求めたところ、81歳だったのです。このようなズレが生じる理由は、繰り返しになりますが、一九六〇年に作成された生命表は一九六一年以降の情報を織り込むことができないので、長寿化が進んでいる限り、実績値は理論値を上回ってしまうからです。

図表15によれば男性の場合のズレは0～3年、女性は1～5年です。

二〇二〇年の生命表で表された一九六〇年生まれの男性のH60（理論値）は86歳ですから、上記のズレを加味すればおそらく86～89歳になるでしょう。女性のH60（理論値）は91歳なので、実際には92～96歳に達すると予想されます。これらのことから、一九六〇年生まれの男女は、ほぼ半数が90歳に到達することになると本書では考えています。

■本節のまとめ

以上、いろいろと述べてきましたが要点をまとめれば以下のとおりです。

①還暦後の余命を推し量るには生命表を用いて中央値に着目すること。

②二〇二〇年の生命表で還暦者の半数が到達する年齢（H60）は、男86歳、女91歳。
③H60は、男女とも過去70年余にわたり5〜6年に1歳ずつ上昇していて、その勢いは衰えていない。
④この動きは当面継続すると考えられ、二〇三〇年代半ばに、H60は、男性は90歳に近づき、女性は95歳を超える見通しである。
⑤現在の還暦世代は男女とも半数以上が90歳に到達する可能性が高い。

ヒトは120歳まで生きられる

ところで、そもそも人間の寿命の限界は何歳なのでしょうか。

生年月日が特定できる人の中で、これまで歴史上、もっとも長く生きた人はフランス人のジャンヌ・カルマンさんという女性で、一八七五年（日本では明治八年）に生まれ、一九九七年（平成九年）に122歳で亡くなりました。本人の語った長生きの秘訣は、「オリーブオイル、ワイン、たばこ、チョコレート」だったそうです。

高齢者を研究する人たちの国際的な団体である「ジェロントロジー・リサーチ・グループ（Gerontology Research Group：略称GRG）」は、110歳以上に達した世界中の人の追跡調査を継続しています。その結果によれば、確認できる限り、これまで115歳以上まで長生きした人は歴史上53人のみ。男性は3人、女性が50人です。国別には、アメリカが20人、日本は12人、イタリア4人、フランス4人、イギリス2人となっています。日本の12人のうち、11人は女性ですが、唯一の男性である木村次郎右衛門《きむらじろうえもん》さんは、記録上、男性長寿の世界最高記録を残しています。それが116歳です。

いままで何百億人かの人がこの地球上で暮らしたでしょうが、その中でたった50人ほどしか到達できない115歳という年齢は、ヒトの寿命の限界点にかなり近いのではないかと思わせられます。

大阪大学の権藤恭之《ごんどうやすゆき》教授は、東京都老人総合研究所に在籍していたとき、100歳以上で亡くなった日本人の寿命データを解析して、死亡率が確実に100％になる年齢を割り出しました。その結果は、女性122歳、男性115歳というものでした。これは統計的な理論値と言うべきものですが、世界最長寿者である女性のジャンヌ・カルマンさんが122歳で亡くなり、男性の木村次郎右衛門さんが116歳で亡くなっていることと照らし合わせれば、かなりの説得力があると言えます。

一方で、データはともかくとして、そういった限界的な年齢がなぜ存在するのかを解明しようとする研究者もいます。二〇一六年に権威ある学術誌『ネイチャー』(Nature) に掲載されたアメリカの学者らの論文で出された仮説は、生物の年齢限界はDNAにプログラムされているというものです。著者の1人は、ある種の鳥は3年で死に、別の種の鳥は30年生きる。同じような環境の下で生きていてこれほどの違いが生じるということは、生物種ごとに限界的寿命がDNAに組み込まれていると考えざるを得ない、と主張します。このような考え方に基づく彼らの推計では、ヒトが125歳を超えて生きる確率はひじょうに低くい、つまり、地球が1万個存在したとして、そのうちの1個で1人見つかるような現象だということです。

こうしたことから考えると、私たちが120歳まで生きる確率は、現状ではほとんどなさそうだ、と考えるのが正しいように思われます。もちろん、将来は分かりませんが。

平均寿命は下がることがある

平均寿命は、上がり続けて当たり前と、日本人である私たちは受け止めています。生まれてから、平均寿命が下がったことなどない、というのが私たちの経験です。しかし、すでに見たように、ヒトの生物学的な寿命には限界がありそうなので、どこかでこの延びはストップすると考えられます。それはいつなのでしょうか。

世界には、実際に平均寿命の延びが止まったり、低下に転じる国があります。最近では、ヨーロッパの長寿国フランスで、女性の平均寿命が二〇一八年に85・3歳となり、これは、前年比0・1歳のマイナスなので、そろそろ限界かと言われました。しかし、もっと驚くべき事例が、大国で起きています。

最近、アメリカ合衆国の平均寿命が低下し始めました。二〇一四年の78・8歳をピークに

アメリカ、ロシアでは平均寿命の低下が起きている

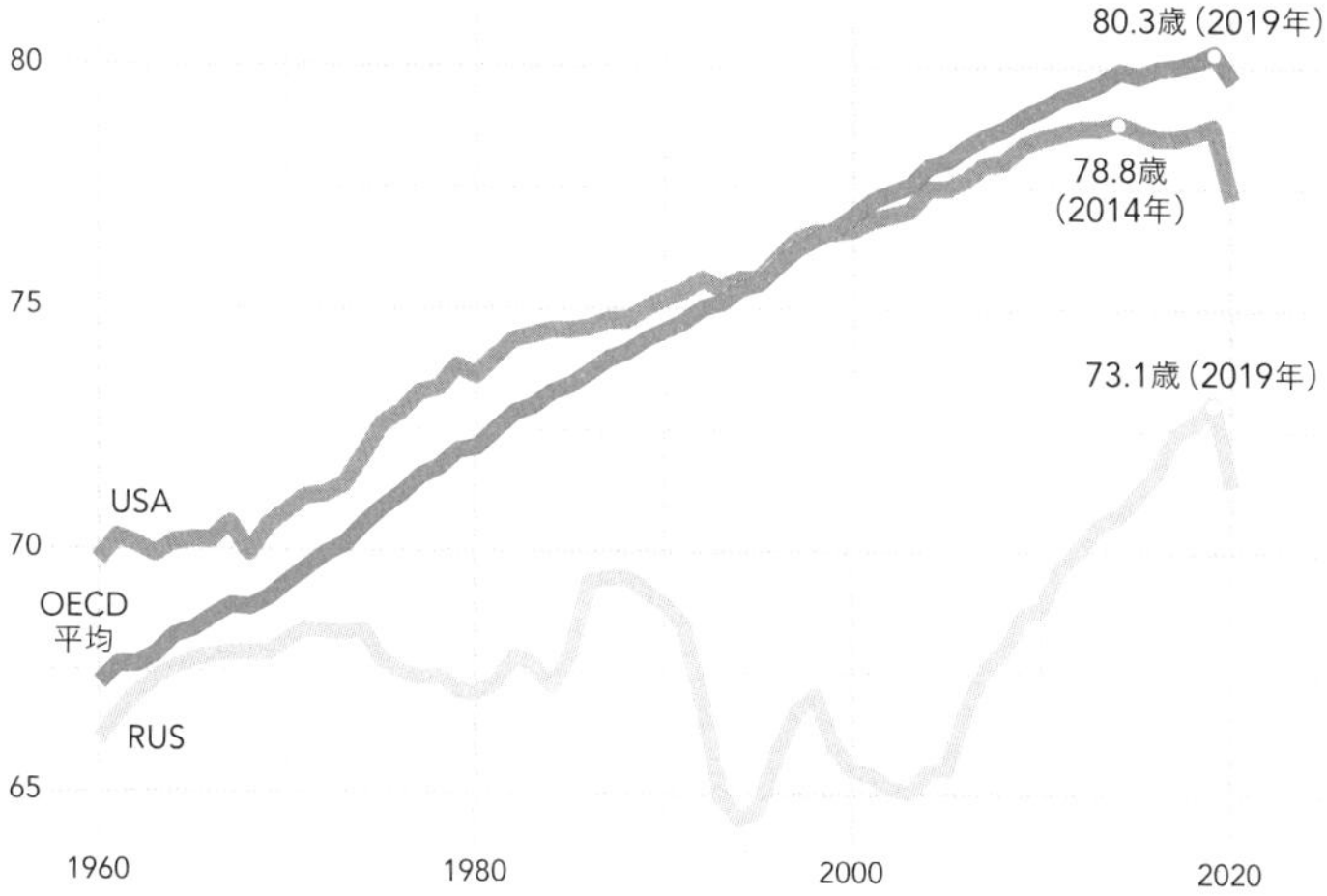

図表16　アメリカ、OECD平均、ロシアの平均寿命の推移（1960～2020）

3年連続で低下し、二〇一七年には76・1歳にまで下がりました。

米国医師会雑誌に掲載された研究報告によれば、この間、とりわけ25～64歳のいわゆる労働力人口に分類される年齢層における死亡率が上昇しており、その最大の原因は、一九九〇年代以降の薬物過剰摂取、そしてアルコール過剰摂取と自殺の増加にあります。とりわけ薬物過剰摂取を原因とする25～64歳の死者数は、20年間で5倍と著しい増加です。その背景には、リーマンショック以降の、製造業などでの大量の雇用消失、中産階級の縮小、所得水準の悪化があります。こうしたことから、トランプ政権は薬物対策を進め、二〇一八年には薬物中毒死を前年比4％減に抑え込んだ結果、同年の平均寿命は4年ぶりに対前年で上昇に転じたとされています。

より深刻だったのはロシアです。旧ソ連時代からのロシアの平均寿命を見ると、一九八〇年代後半まで、60歳台の後半で行きつ戻りつしながらも少しずつ上昇が見られていました。それが、一九九〇年代の前半で一気に低下し、なんと4～5年で5歳近く下がってしまったのです。

一九九〇年前後のロシアには何があったのでしょうか？　ソ連の崩壊、ロシアの成立が一九九一年です。大きな政治的混乱のあった時代です。国連開発計画（UNDP）は、当時の状況を、もともとアルコール消費量の多い国であったが、当時の社会的混乱、医療・社会保障制度の崩壊、治安の低下などによりアルコール摂取量がさらに増大、並行して心血管疾患の発生率、自殺率、殺人の増加、薬物や感染症の蔓延が起きたと分析しました。そして、死亡率の上昇は低所得者層で顕著だった、と報告しています。

このような事実を知ると、寿命とは、たんに個人の肉体的な条件とか、健康に気を付けていればどうにかなるというものではなく、その時代の社会状況から深刻な影響を受けることが実感されます。日本が長期にわたって平均寿命を延ばし続けていられるのは、大きな社会的混乱がなく、また雇用や社会保障制度、医療サービスなどがある程度、安定的に保たれていることによるのでしょう。

疑問②
2人に1人はがんになるのか？

■長寿の憂鬱

前節で、一九六〇年前後に生まれた現在の還暦世代は、男女ともが90歳を超えて生きる可能性が高くなるという予測をしました。

最近は、必ずしも長寿を喜ばない人も増えていると言います。認知症になって周囲に迷惑を掛けたり、身体が動かなくなって寝たきりになってしまったり、生活費がもたなくなってしまうことをおそれ、長寿を心配する方も少なくありません。

以下では、そのような主要な心配事について、データに基づいて一つずつ見ていきます。

最初に扱うのは「がん」です。長寿になるのはよいが、2人に1人はがんになるといわれます。しかし、実際のところはどうなのか、ということです。

「2人に1人ががんになる」とはどういうことか

国立がん研究センターのまとめによれば、生涯でがんに罹患する累積の確率は、男性63・9％、女性42・6％となっており、「2人に1人がかかる」どころか「男性は3人に2人がかかる」のが現状となります（二〇一八年の公表値）。次頁の図表17は、人が生涯のうちにがんに罹患する確率です。

もう少し詳しく見ると、60歳の男性が70歳までの10年間にがんと診断される確率は15・1％です。100人中15人ですから、1年平均で考えれば1・5人です。同様に、女性は9・5％ですので、1年間で見れば100人に1人です。

年齢が上がると罹患率も上昇する傾向があり、70代後半の男性は、毎年100人のうち3・4人、70代後半の女性は100人に1・5人ががんと診断されます。このように、同世代の人たちががんに罹患する確率は、1年間で見るとひじょうに低いものです。ところが、還暦世代の平均余命は、すでに30年近くに延びていますし、高齢になるほどがん罹患率は高まる傾向があるので、その年数が積み重なると、結果的に、一生のうちには2人に1人ががんにかかるという計算結果になってしまうのです。長寿化が進めば進むほど、とくに80代以降の高いがん罹患率が上増しされて、生涯がん罹患率はさらに上昇することになるでしょう。

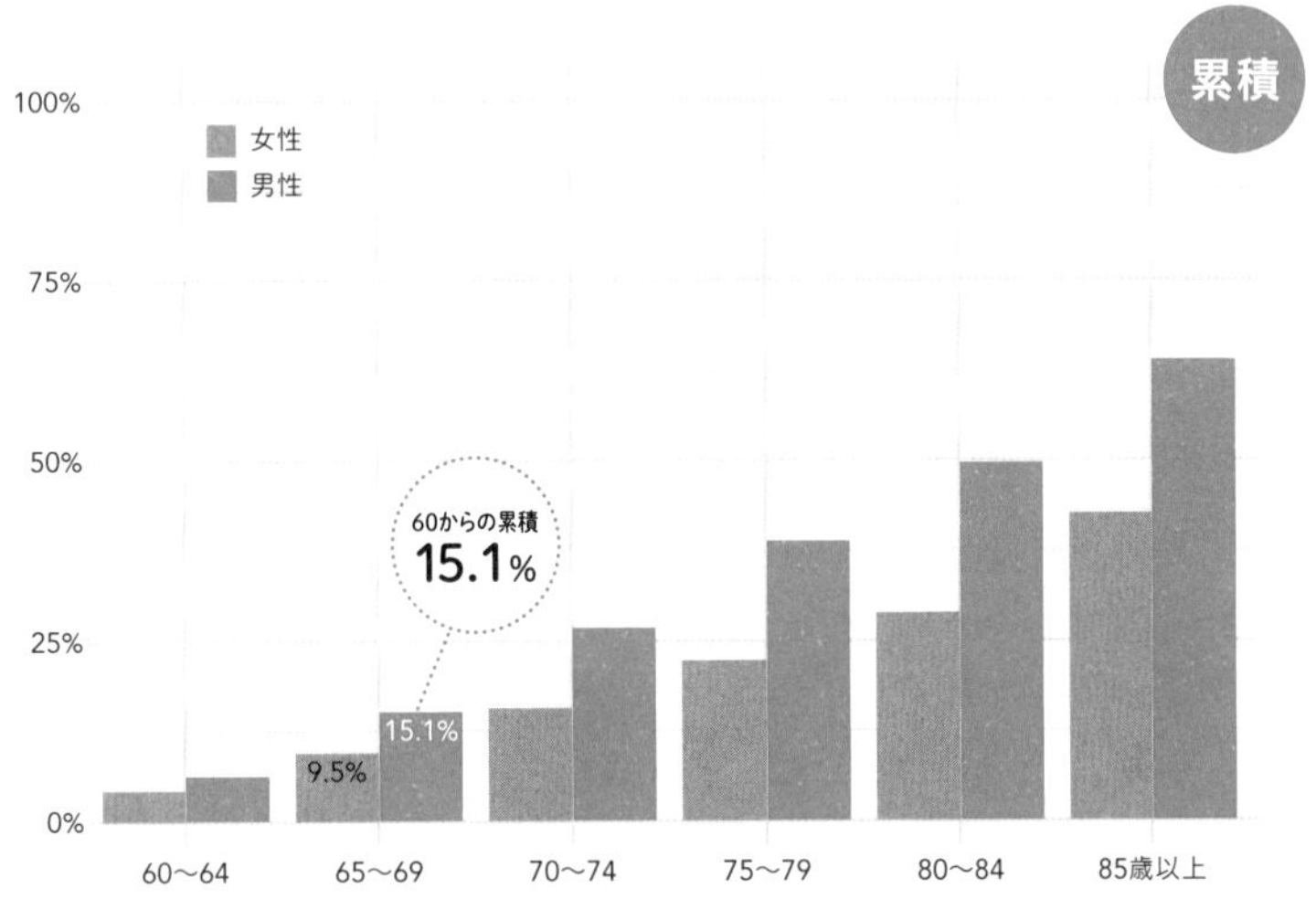

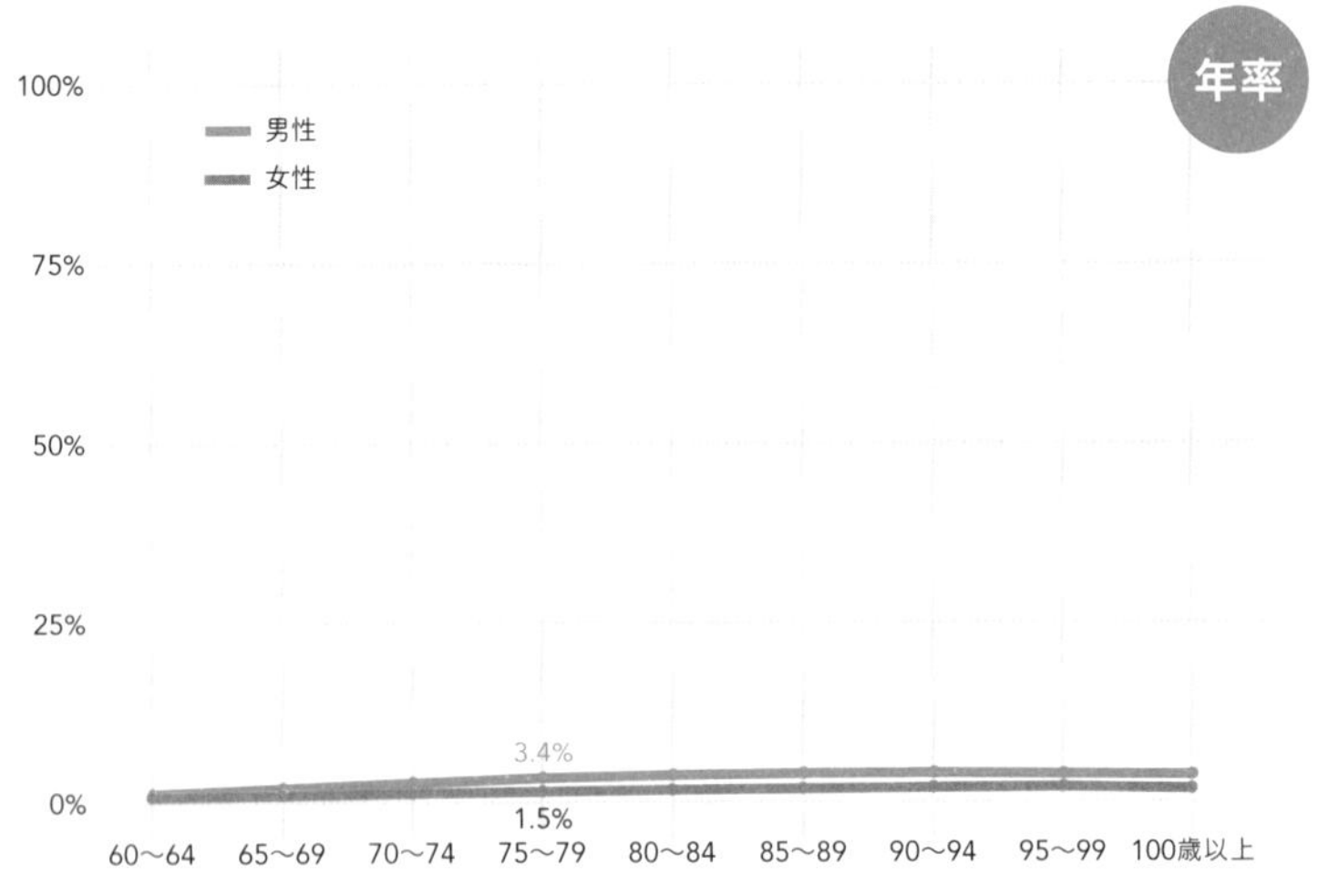

図表17（上）：60歳からの累積がん罹患率（男女）
図表18（下）：1年間のがん罹患率

なぜ高齢者はがんに罹りやすくなるのか

そもそも、なぜ高齢者になるとがんに罹りやすくなるのでしょうか。

私たちの身体は、約60兆個の細胞でできていると言われています。毎日1％程度の6000億個の細胞が死に、細胞分裂が起きて新たな細胞が生まれます。細胞分裂の時にDNAが複製されるのですが、この複製の際にミスが起きて、細胞が突然変異をすることがあります。突然変異をした細胞は、多くの場合死滅しますが、時に分裂を繰り返す「がん細胞」になることがあります。

このがん細胞は、健康な人でも1日に5000個くらいできるという学説があります。がん細胞ができると免疫細胞が働いて死滅させますが、たまに生き残ってしまうものがあります。この生き残ったがん細胞は、年月が経つにつれて分裂を繰り返し、増えていきます。このため、長生きをすると、がん細胞が増えるのは当然のことと言えるのです。

がんは恐怖すべき死因なのか

いまの還暦世代が幼児だったころの映画「愛と死を見つめて」では、ヒロインが軟骨肉腫

（一種のがん）のため21歳で生涯を閉じました。また10代のころには、テレビドラマ「赤い」シリーズで山口百恵《やまぐちももえ》さん演ずる高校生が白血病（血液のがん）を患い、亡くなった最終回の視聴率は30％を超えたと言われます。最近でも、プロ野球の星野仙一《ほしのせんいち》元監督、芸能界では田中好子《たなかよしこ》さんや川島《かわしま》なお美《み》さんなど、いまの還暦世代がテレビなどで親しんできた有名人ががんで亡くなる報道も相次ぎ、不治の病としてのがんのイメージを呼び起こしています。

このような「不治の病」のイメージに、「2人に1人ががんになる」のキャッチコピーが重なれば、「自分も不治の病に近接している」という恐怖心を強く掻き立てられる人が増えることも致し方ないものと考えられます。

しかし一方で、私たちの周囲では、がんが発見されて手術や治療を行い、普通に社会復帰している人も急増しています。著者らの身近にも、そのような例はきわめて多く存在します。同じように感じている人も多いと思います。

がんを恐怖と感じるのは、それにより死が数か月後ないし数年後に迫りくるような思い込みがあるからです。この点について、本書が焦点を当てている、60歳以降のデータで見てみましょう。

厚生労働省の「人口動態調査」は、日本国内で亡くなった人の年齢と死因をすべて集計しています。ただし、死因別の死者数は、実数のほか「人口10万人当たり」の値で示されています。

また、年齢区分の公表は、1歳刻みではなく5歳刻みです。

最新の二〇一九年版に記載されたデータを図表19〜22でグラフ化してみました。

図表19は、女性の死亡率と死因です。61歳の人が65歳になるまでに死亡する確率は1・6％、うち悪性新生物、つまり、がんが死因となっているのは0・9％と読みます。同様にして80代後半の5年間では、死亡確率は19・3％、そのうち、がんが死因となっているのは3・7％です。高齢になるほど、がんへの罹患率が高まることはたしかですが、死因の中に占める比率は、むしろ減少していくことがデータから読み取れます。

図表21は男性で、傾向は女性と同様ですが、数値は若干高めです。たとえば、80代後半の5年間について見ると、死亡確率21・6％、うち、がんが原因となっているのは5・3％です。

ちなみに「それ以外」の死因とは、この年代では、心疾患、脳血管疾患、肺炎、老衰などです。

こうしてみると、60代以降においては、がんを特別視しておそれるよりも、健康全般に気を配ることのほうが、より重要と考えるべきです。

90歳までのがんによる死亡はそれほど多くない

図表19と21は、あくまで死亡者に焦点を当ててその内訳を見たものですが、私たちが本当に

60代以降は、「がん以外」で亡くなる確率が高まっていく

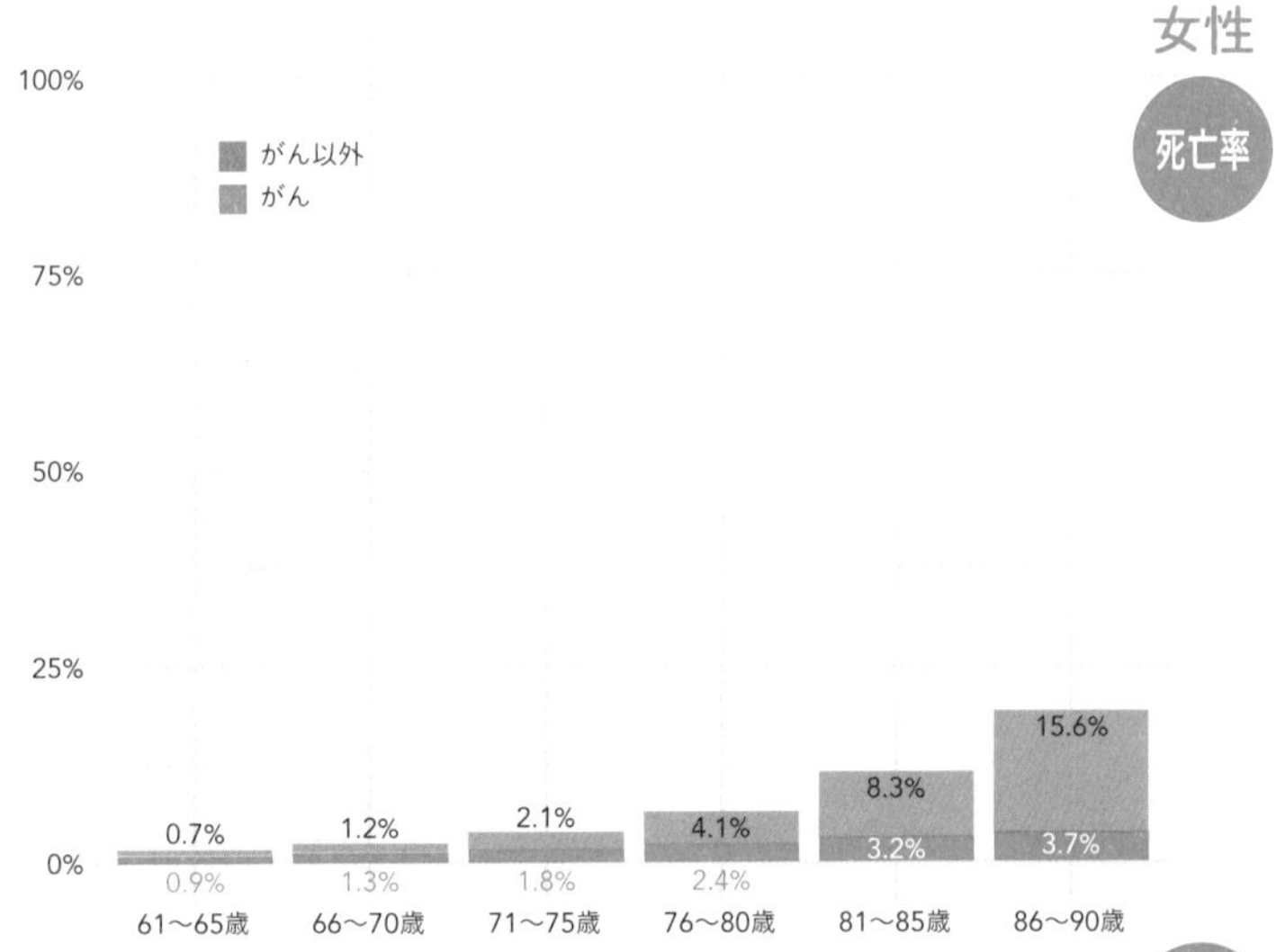

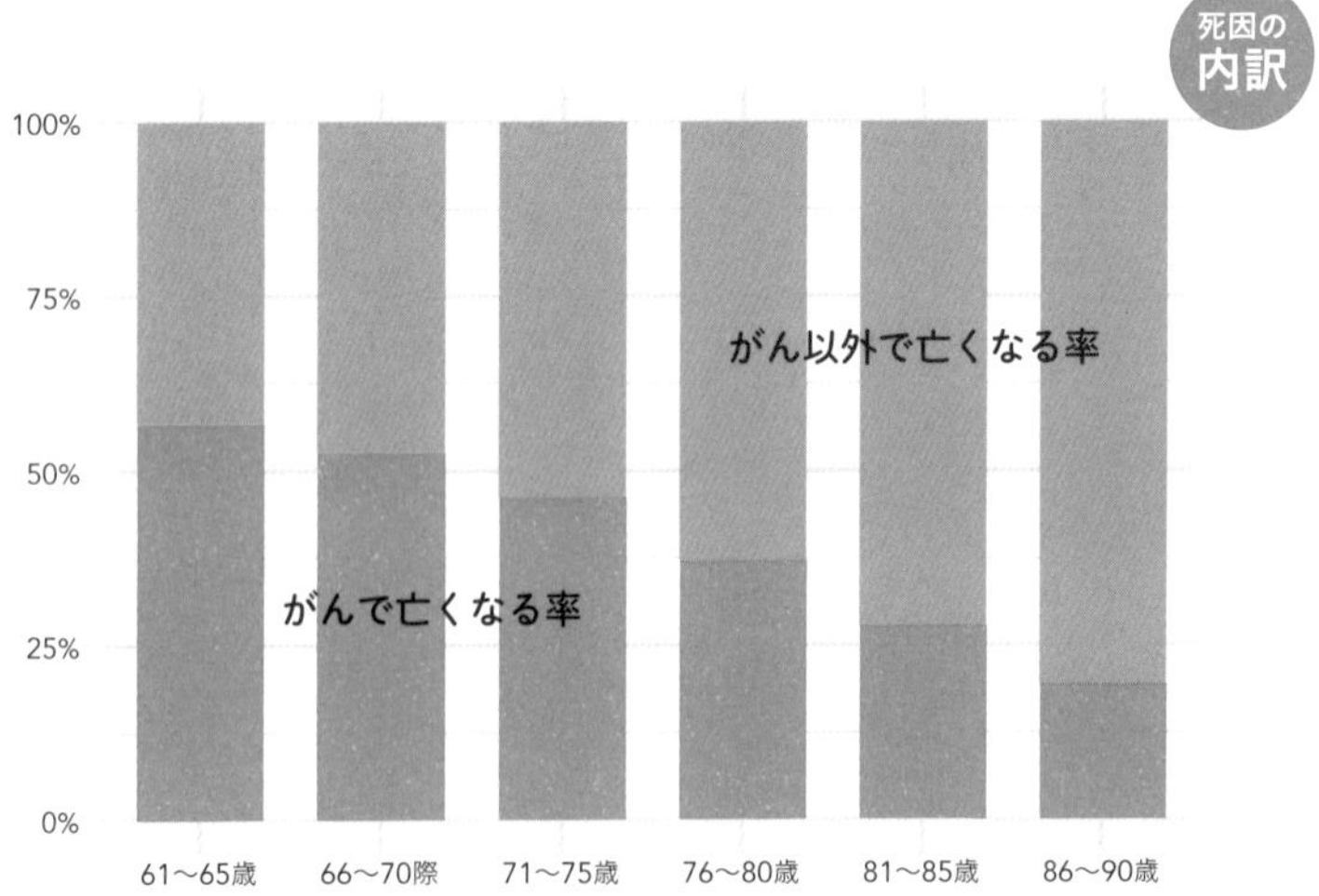

図表19（上）：年齢階級別の年間死亡率（女性）
図表20（下）：上記の人々の死因比率（がん、および、がん以外）

男性

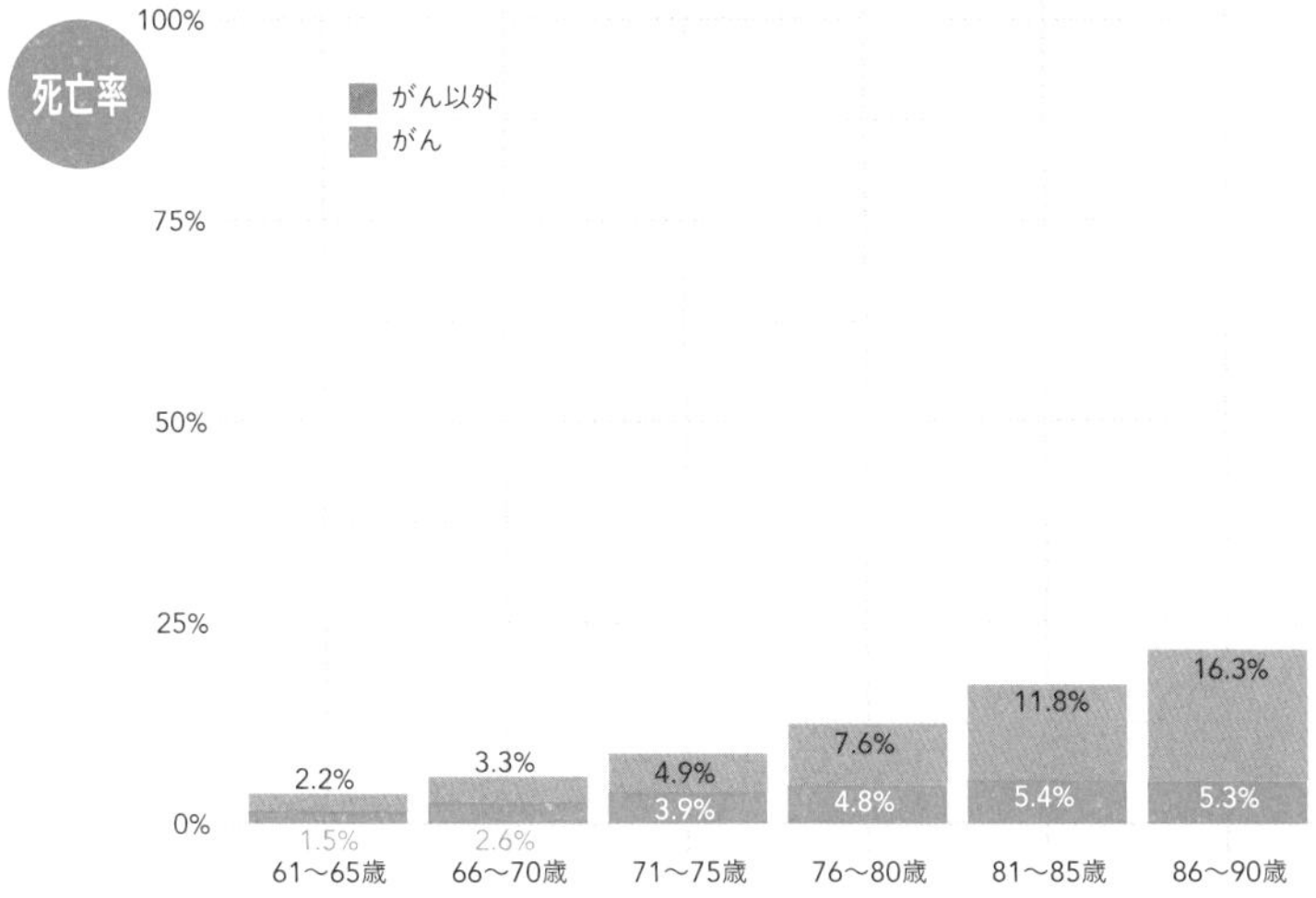

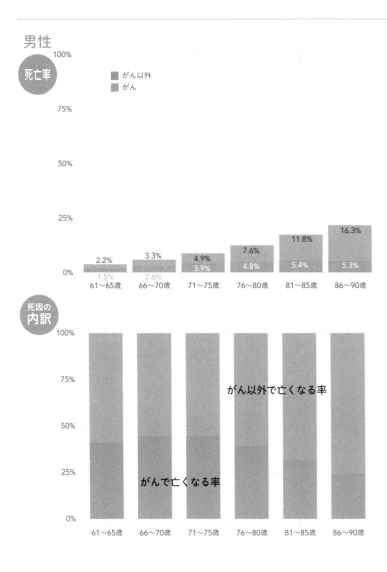

図表21（上）：年齢階級別の年間死亡率（男性）
図表22（下）：上記の人々の死因比率（がん、および、がん以外）

関心を持っているのは、たとえば、本書の観点から言えば「60歳から90歳まで健康に過ごしたいと考えているが、その間に、がんで亡くなってしまう確率はどの程度あるのか」ということです。

先に見たとおり、生命表に基づけば、今の60歳前後の世代が90歳まで生存する確率は女性5割強、男性3割強になります。この数値を基に、現状の生存率曲線を参照しつつ、将来の人口推移を仮定した曲線を作成しました。この曲線に、図表19と21で用いた各期間における死因の内訳を比率で適用したものが図表23と24です。

全体感としては、90歳までの人生を考えたときに、いまやがんによって同世代がどんどん亡くなっていくという状況にないことは明白です。健康面では心疾患、脳血管疾患、肺炎なども視野に入れて留意することが必要であり、そんな中で、がんだけを特別視しておそれる時代は過ぎ去りつつあります。前節で見たように、そもそも長寿化が進んで還暦人口の90歳への到達率がすでに4割に達していることが現実としてあるわけですから。

かつての結核のように、ある時代までは不治の病としておそれられていた病気が、医療などの進歩によって、いわば普通の病気になってきました。がんも、そのような過程を経ている最中と見ることができるでしょう。

実際に、がん罹患者の生存率は、中長期的に向上し続けています。このことを図表25と26に

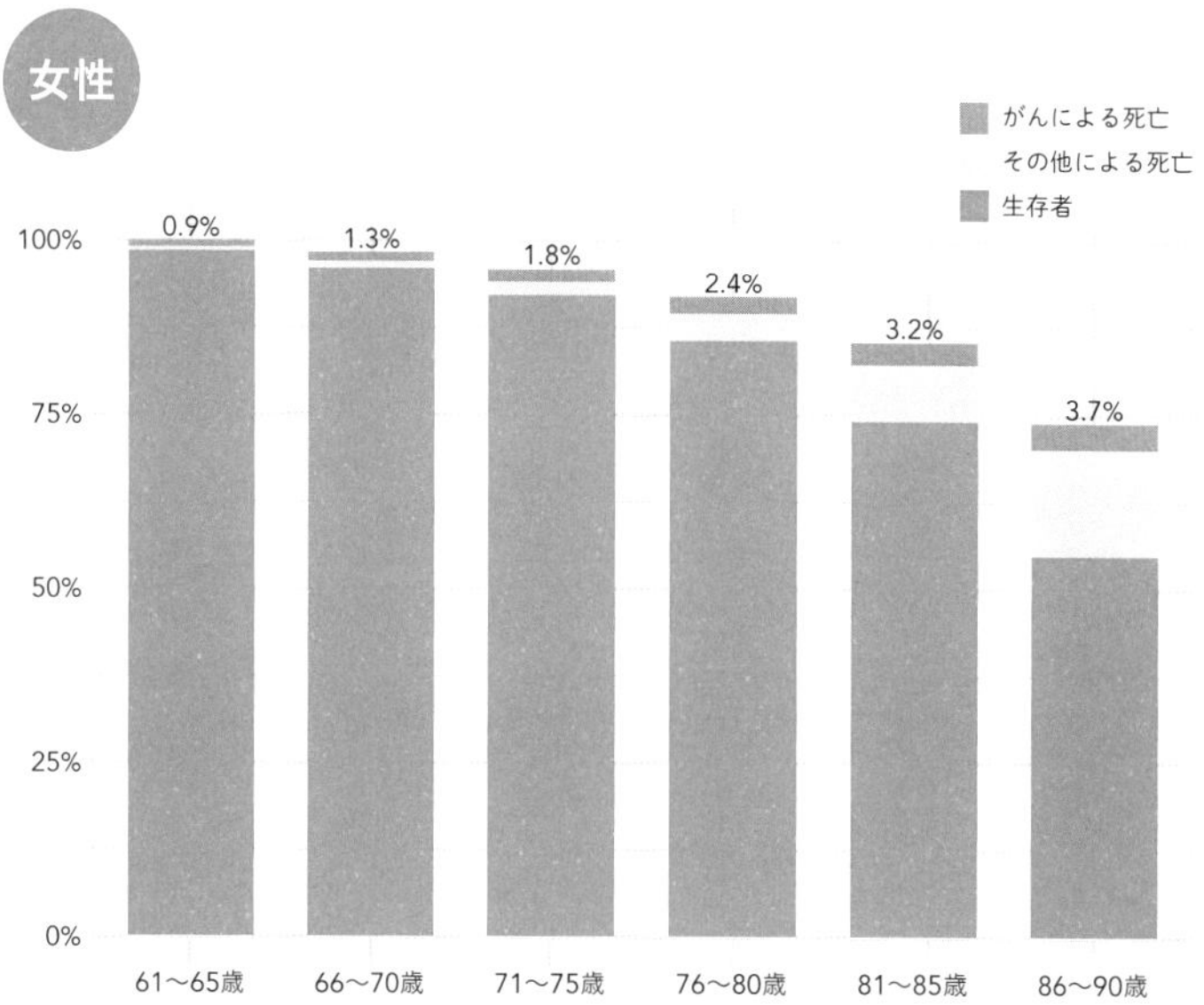

60歳の女性が100人いたとして、65歳までに1人が悪性新生物（がん）が原因で亡くなります。60代後半の5年間でも1人です。その後、75歳までの5年間、80歳までの5年間、85歳までの5年間、90歳までの5年間のすべてにおいて、死亡者数こそ増えるものの、悪性新生物が原因で亡くなる人は、それぞれ2～3人と予測されるのです。ちなみに、60歳人口の90歳到達率は、生命表によれば54.6％ですから、30年間で100人のうち45人が亡くなるのですが、その中で悪性新生物が原因の死亡者は13人ということになります。

図表23：60歳から90歳までの生存率と死因（女性）

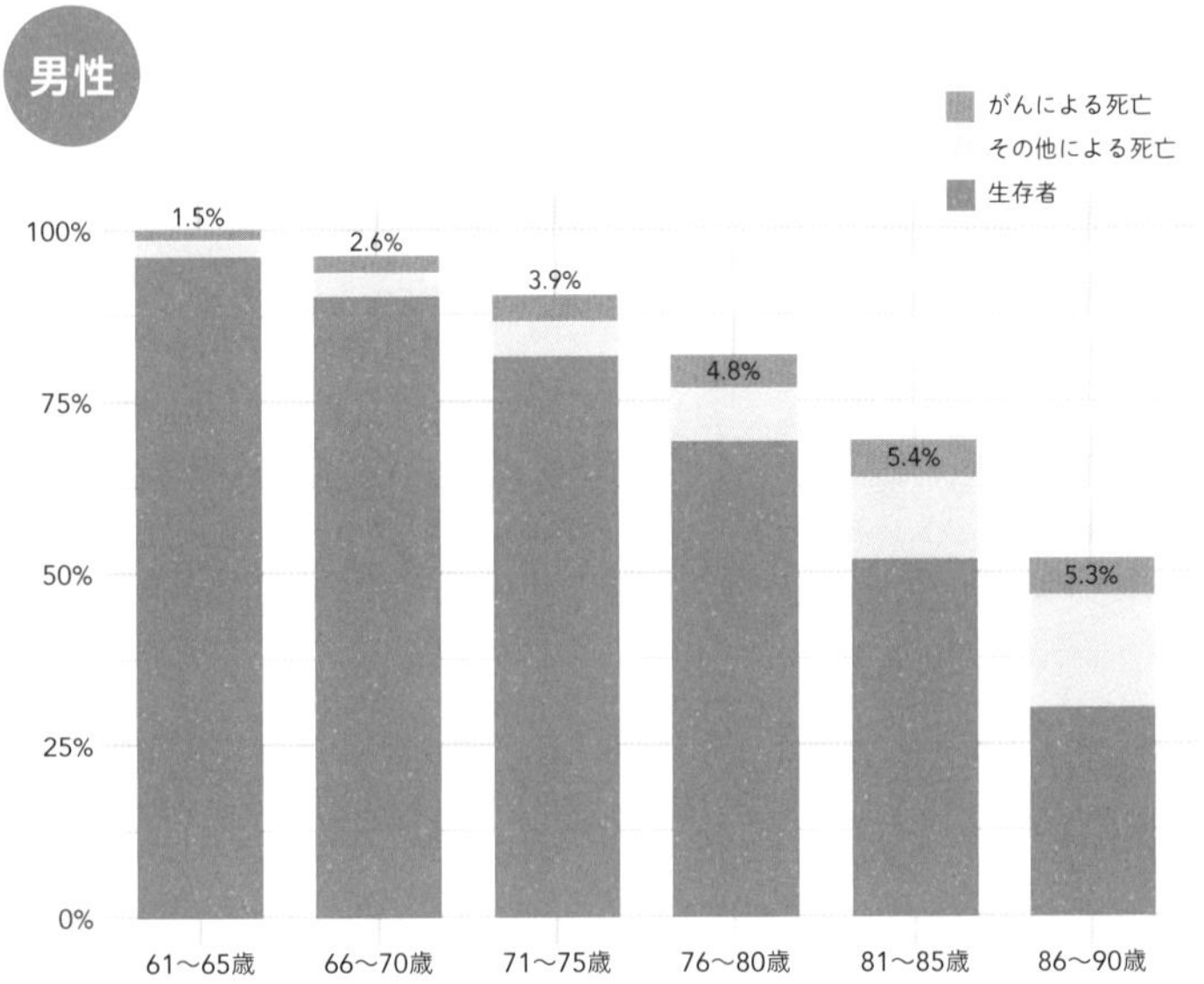

本書では、最新の生命表から男性60歳人口の90歳到達率を30.4%と置きました。60歳から90歳までの30年間における死亡者数は100人のうち70人です。そのうち、悪性新生物を原因とするものは毎年2〜5人ほど、30年間の累積で24人となります。これは少ないながらも、やはり無視できない数値であり、男性の余命が女性に劣後している一因になっています。

図表24：60歳から90歳までの生存率と死因（男性）

示します。

ここでは、がん罹患率と死亡率が高い、男性から見ていきます。男性に多いがんは、「前立腺がん」「胃がん」「肺がん」ですが、5年後の生存率を見ると、前立腺がんはほぼ100%、胃がんは6割になっています。

一方、女性に多いのは、「乳がん」「結腸がん」「肺がん」ですが、乳がんの生存率は9割を超え、結腸がんは7割です。

■肺と肝臓のがんは生活習慣でリスクを減らす

がんの中で、相対的に生存率が低いのは、図で見られるとおり、男女とも肝臓がんと肺がんです。5年生存率は、肝臓がんの場合、男性36%、女性35%です。肺がんは男性30%、女性47%となっており、いずれも生存率は、これまでかなり向上してきてはいますが、まだ50%には達していません。肝臓がんでは初期症状があまり出ないことや、肺がんでも咳などの初期症状が出ないことが、早期発見を難しくしていると言われています。ただし、この2種のがんは罹患率が低く、また80代以降の高齢になってから罹患率が高まってくるという特徴をもっています（図表27、28）。

がんに罹っても、生存率は長期的に高まっている

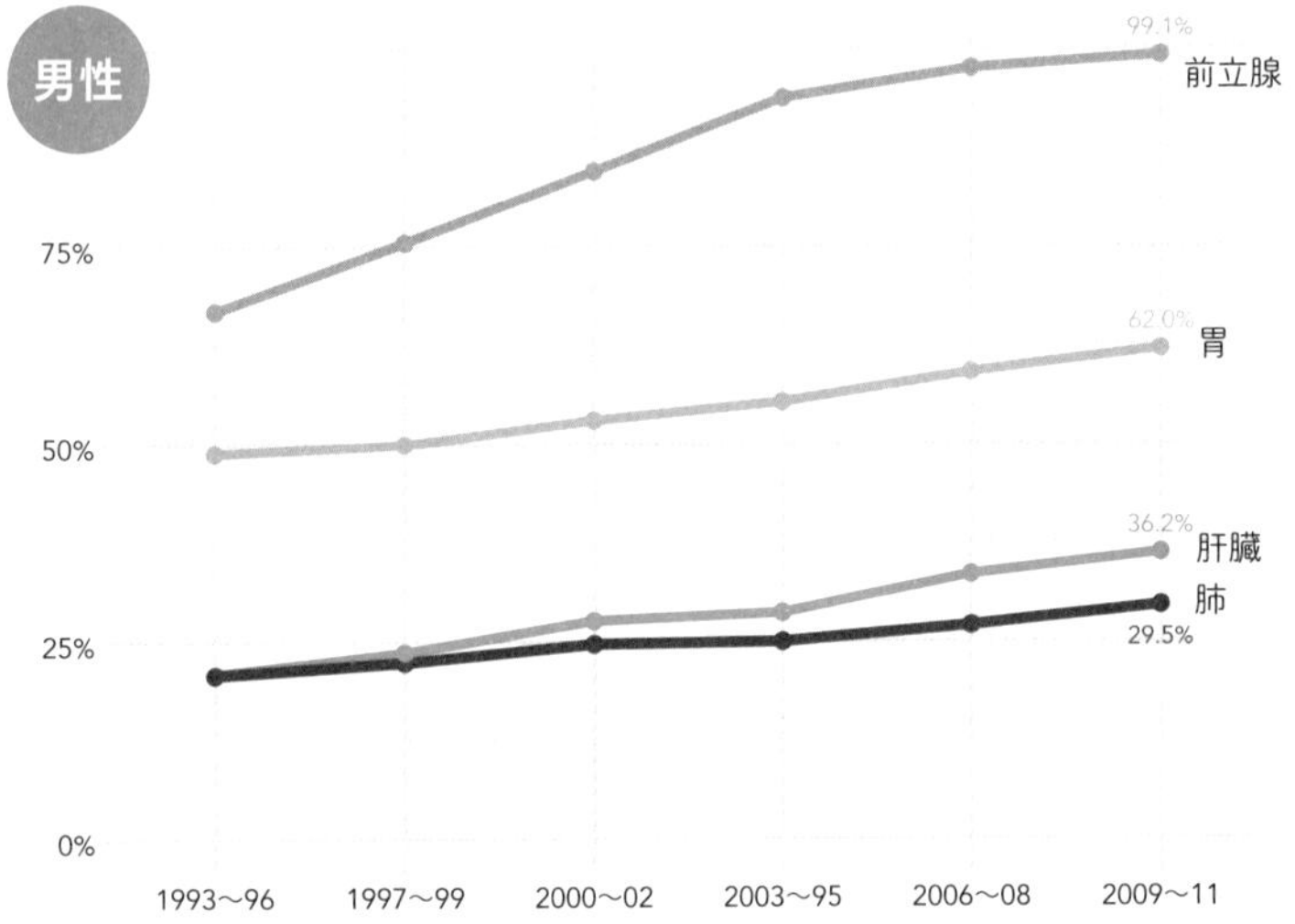

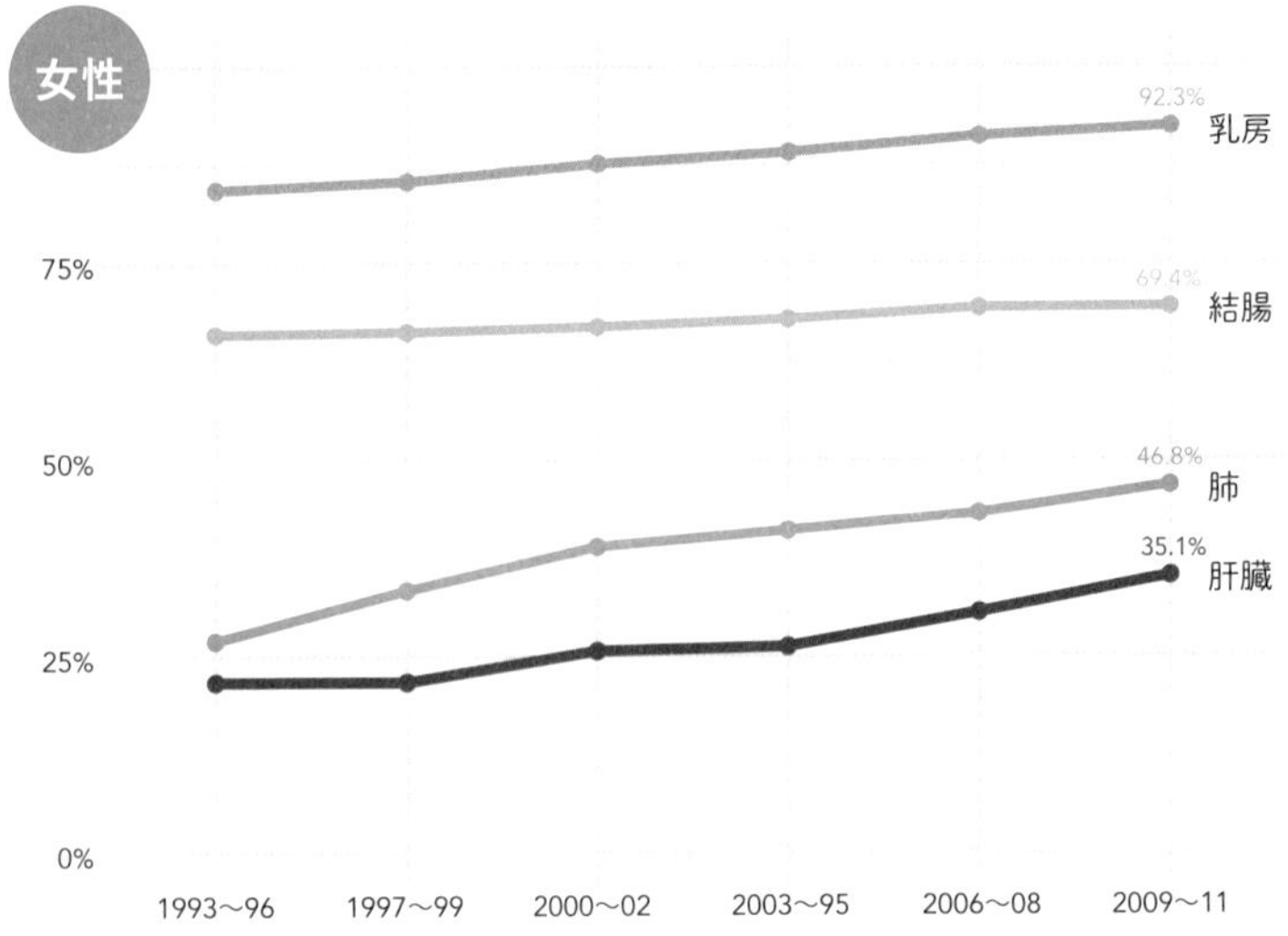

がんの部位別5年生存率
図表25（上）：男性、図表26（下）：女性

肝臓がんの原因は、主にB型肝炎ウイルスあるいはC型肝炎ウイルスの持続感染（長期間、体内にウイルスがとどまる感染）です。ウイルス感染以外の要因としては、多量飲酒、喫煙、肥満、糖尿病などが知られています。つまり、生活習慣の改善によってリスクを減らせる可能性があります。肺がんの罹患率は男女差が大きく、この男女差は、おそらく喫煙率の高低に依存するものと推測されます。肺がんの罹患率は、喫煙する人が喫煙しない人に比べて、男性は4・5倍、女性は4・2倍も高くなります。さらに、喫煙を始めてからの年数が長い人や、1日の喫煙本数が多い人ほど、肺がんの罹患率が高くなることが分かっています。

以上に見られるように、5年生存率が低位にとどまっている2種のがん（肝臓、肺）に関しては、生活習慣を変える、あるいは早期発見のための検査によって、生存率を向上させられる余地があることになります。すでに上位世代よりもかなり健康的になっている現在の還暦世代ですから、今後、多くのがんの生存率はさらに継続的に上昇し、健康長寿が広く実現されていくと考えてよいでしょう。

早期発見の効果

がんの生存率が高まっている背景には、医療技術の進歩とともに、早期発見の効果があると

生存率が低い肺がん、肝臓がんに罹る人は、じつは少ない

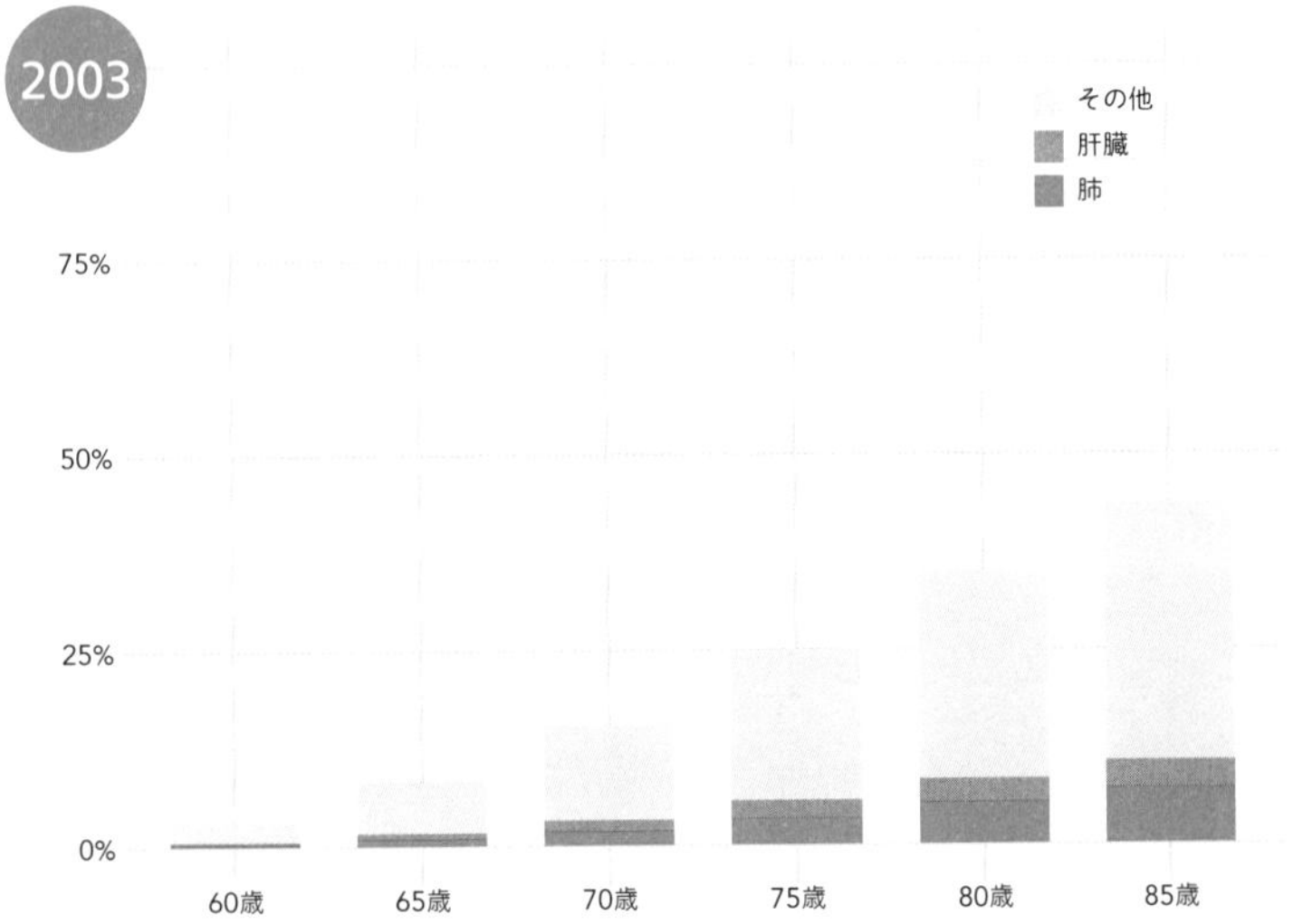

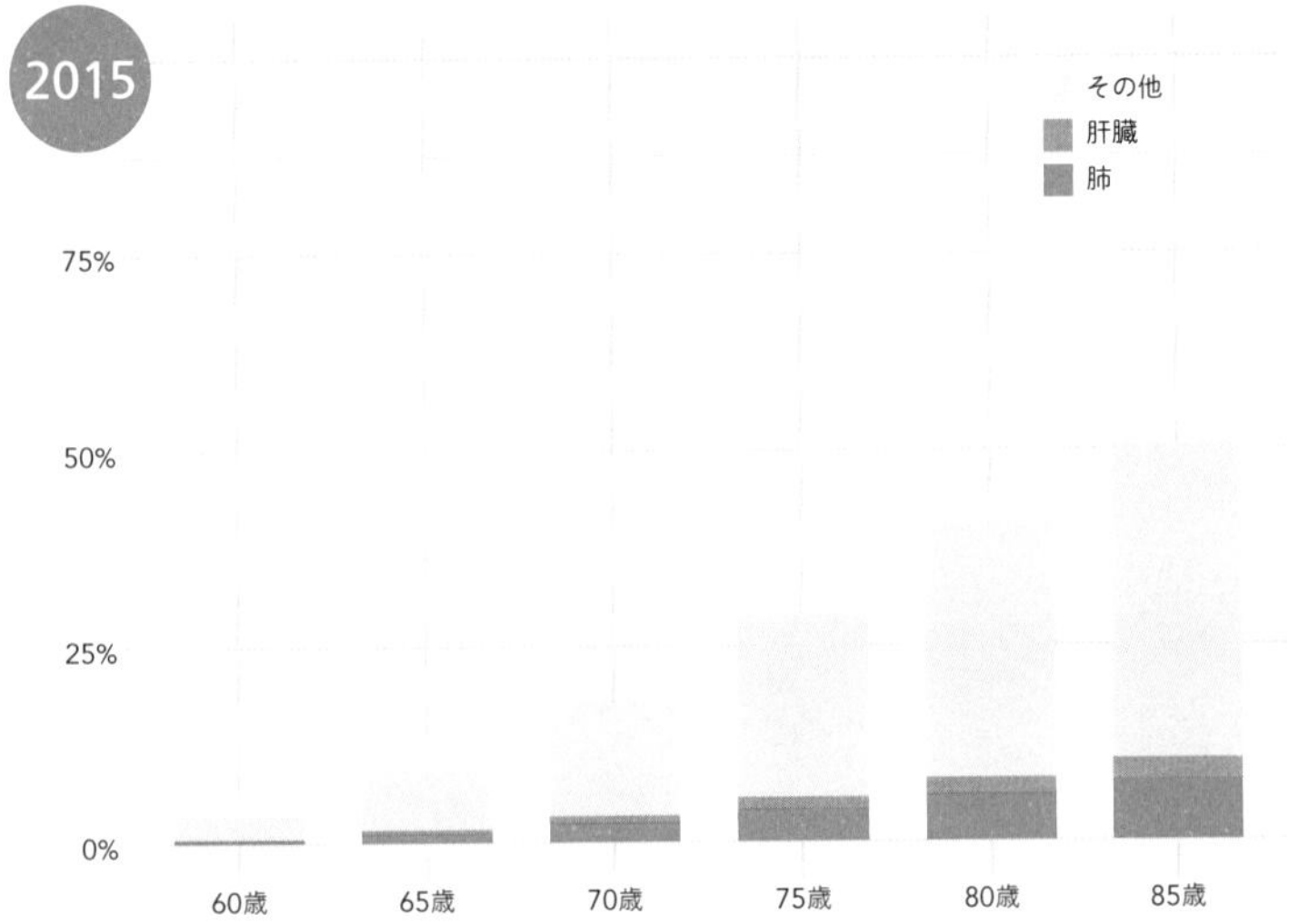

肺がんと肝臓がんの加齢による累積罹患率推移
図表27（上）：2003年に55歳の男性
図表28（下）：2015年に55歳の男性

推察されます。よく知られているとおり、がんには四つのステージがあり、ステージⅣがもっとも進行してしまった状況を指します。当然ながら、早いステージで発見されたほうが治療効果が高く、生存率も高くなります。

具体的なデータは次見開きの図表29〜32に示しました。

がんが発見された患者の、以後5年間に生存する確率を「実測生存率」といいます。ただし、がん以外で亡くなる人もいますから、がん以外で亡くなった人の生存率と比較して高低を評価しなければなりません。そこで導入されたのが「相対生存率」という概念です。ようするに、がんに罹らなかった人と比べて生存率が何割低いかを表す数値です。たとえば、胃がんがステージⅠで発見された場合、5年間の実測生存率は約80%ですが、相対生存率は約95%に達しています（図表29）。このことは、胃がんが原因で亡くなった人の比率は、相対生存率が100%から95%まで減少した分に限られる、つまり5%であることを表しています。

前立腺がんのように、第Ⅳステージと第Ⅰステージとの5年生存率の差が大きくないものもありますが、私たちが前項で注目した肺がんと肝臓がんに関しては、第Ⅰステージでの早期発見が5年生存率に大きな影響を及ぼすことは一目瞭然です。現代の還暦世代は、生活習慣の改善が進んでいますし、がんは、早期発見が重要との認識も普及してきましたから、がんの脅威は、今後はますます小さくなっていくと思われます。

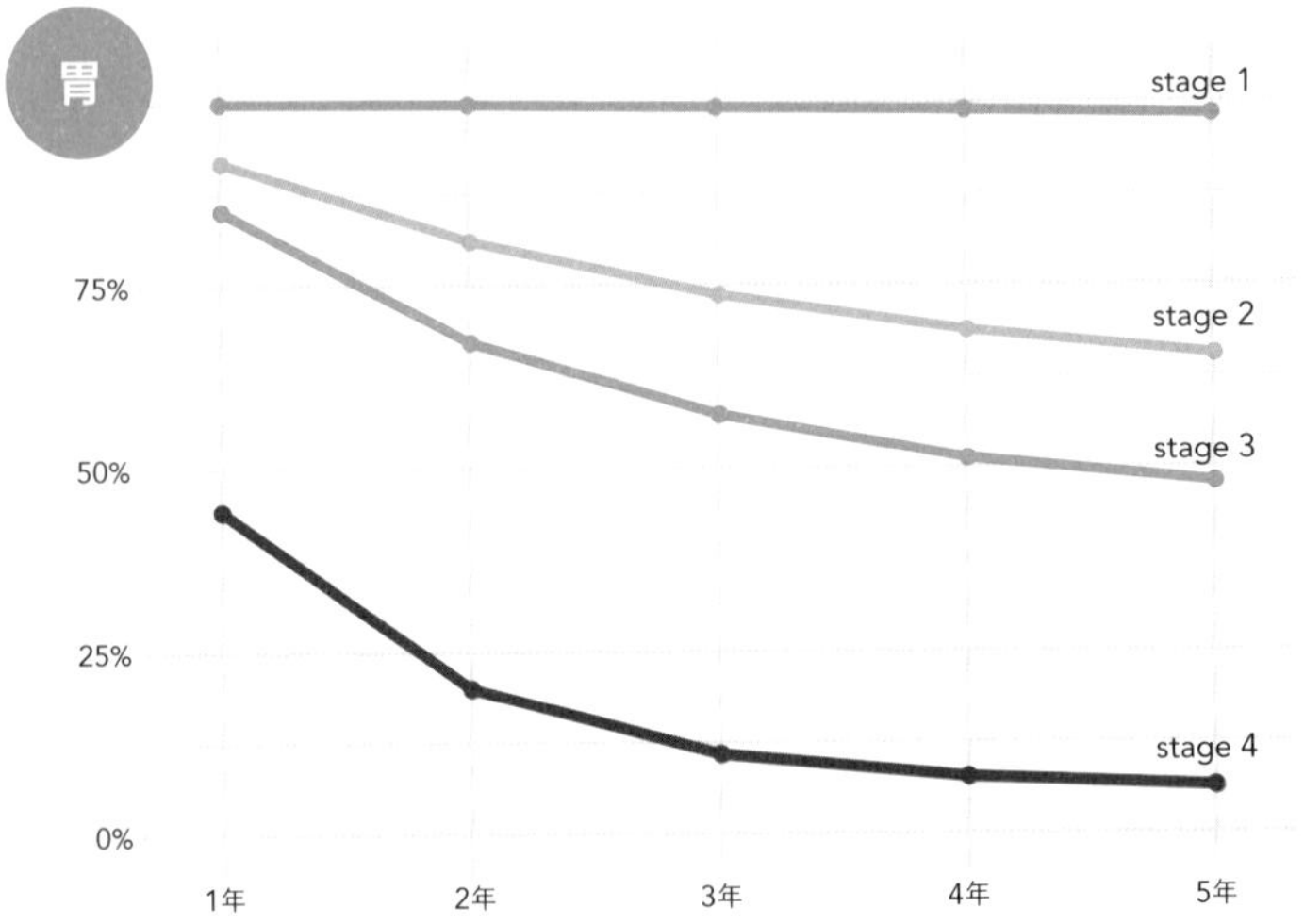

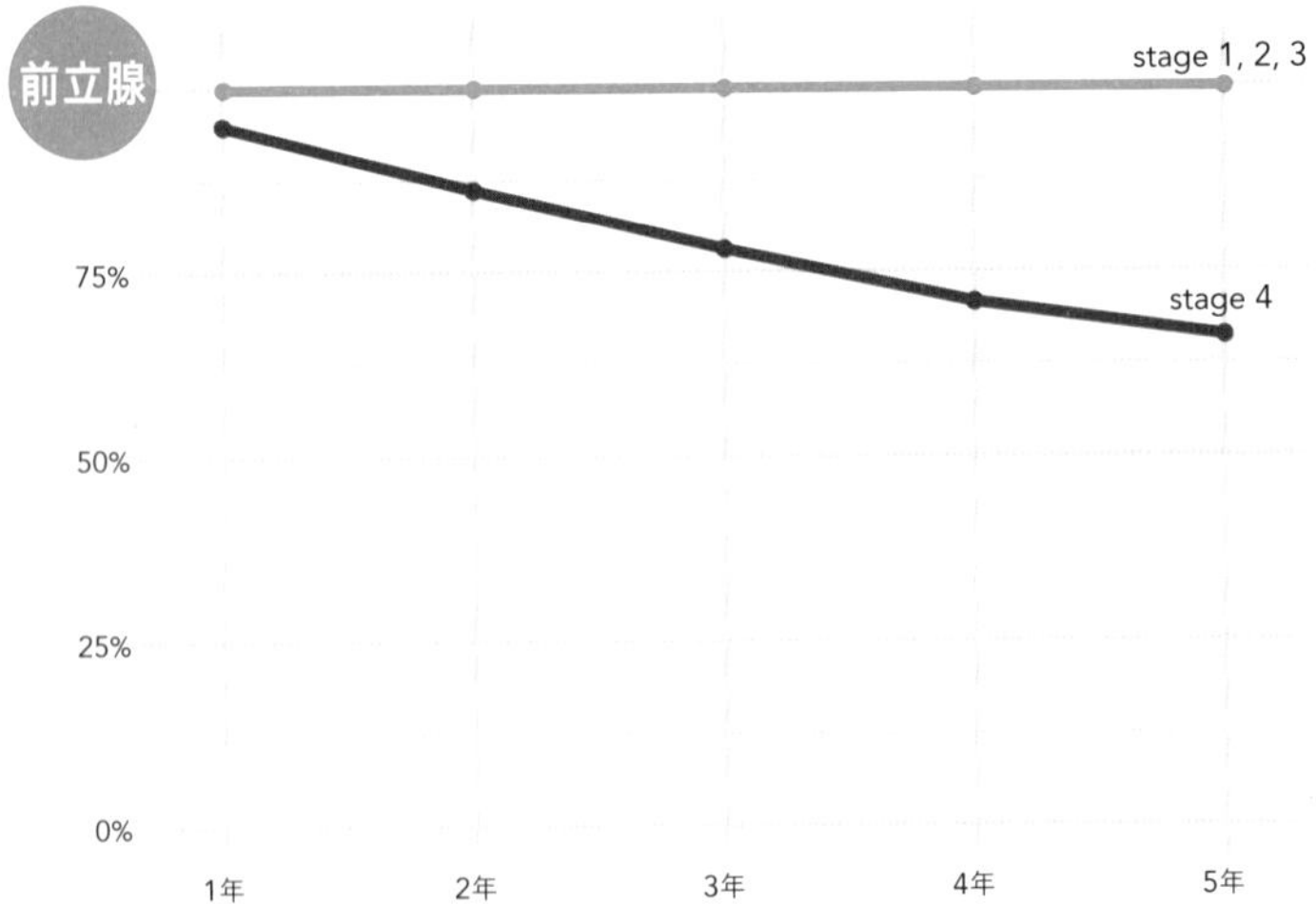

部位別がん5年相対生存率（男性）
図表29（上）：胃がん、図表30（下）：前立腺がん

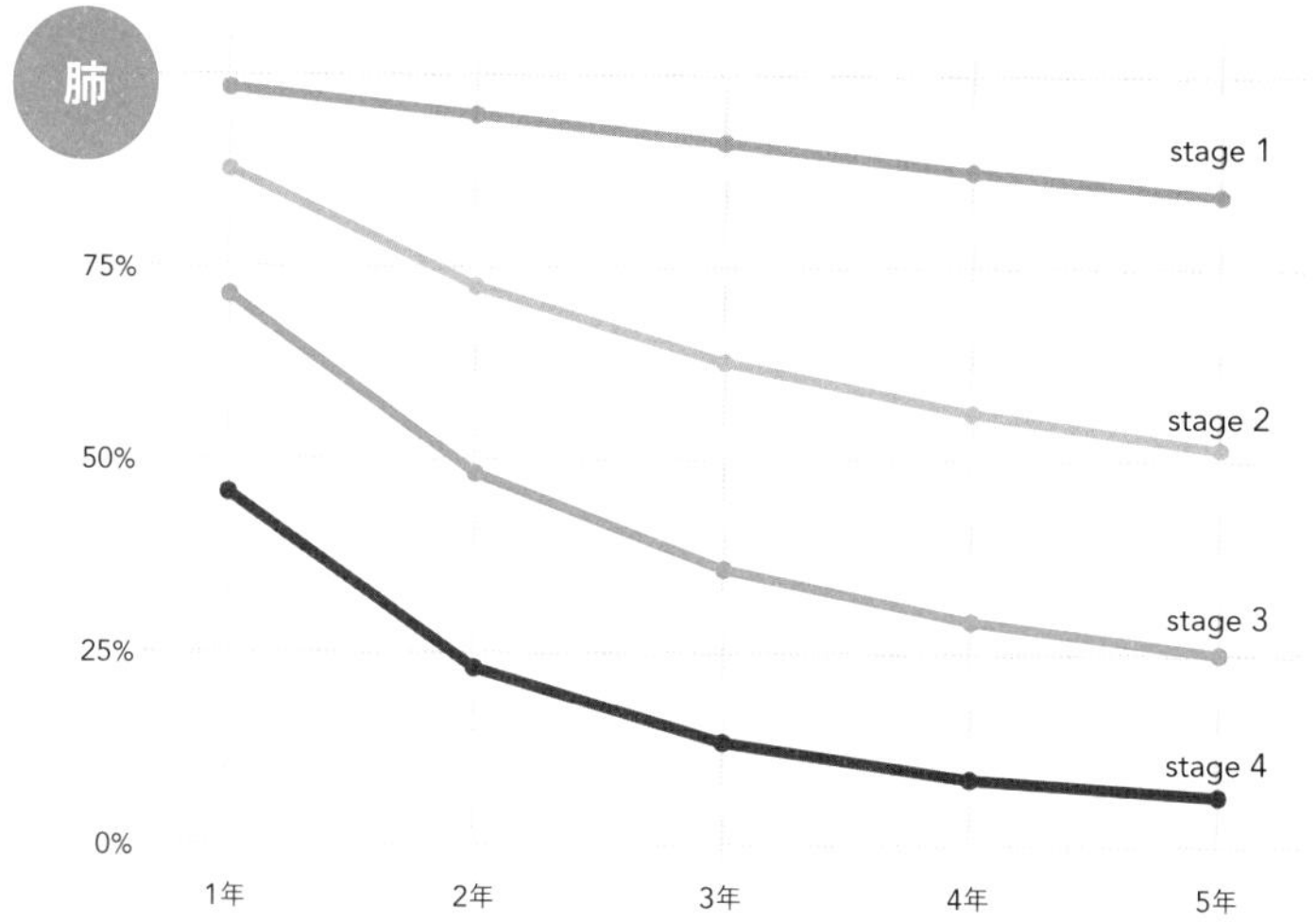

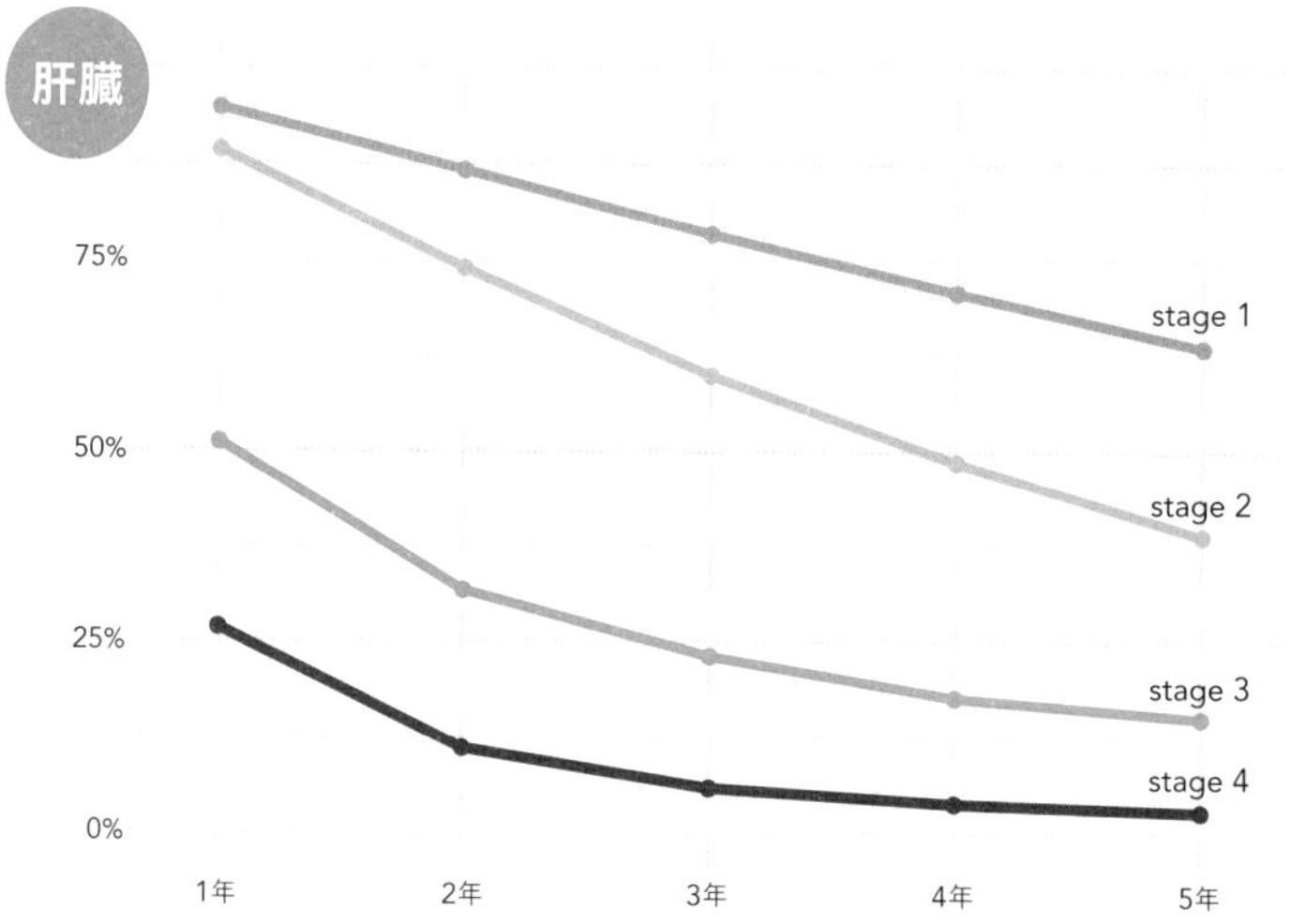

部位別がん5年相対生存率(男性」)
図表31(上):肺がん、図表32(下)肝臓がん

■本節のまとめ

以上、いろいろと述べてきましたが要点をまとめれば以下のとおりです。

①一生のうちに、がんに罹患する確率は女性42・6％、男性63・9％。

②60歳から90歳までにがんで亡くなる確率は女性13％、男性24％。

③実際には他の死因が多く、がんは以前ほど「不治の病」ではなくなっている。

④がん罹患者の5年生存率は長期的に向上している。

⑤5年生存率が低いのは肺がんと肝臓がんだが、罹患率は低い。
生活習慣の影響が大きい。

⑥多くのがんは早期発見によりリスク低減の可能性が大きい。

疑問③

健康寿命を過ぎたら寝たきりの生活が待っているのか？

日本人の健康寿命は世界一

最近、よく「健康寿命」という言葉を聞くようになりました。「健康寿命」を二〇〇〇年から提唱し、世界各国にこの概念の普及を推進しているのは、WHO（世界保健機関）です。健康寿命は、英語ではHealthy Life Expectancyであり、略してHALEと記されることがあります。

WHOによる健康寿命の定義は、「病気やけがなどで完全な健康状態に満たない年数を考慮した、『完全な健康状態』で生活することが期待できる平均年数」です。完全な健康状態は、加齢により損なわれていくことが一般的であるため、ある年齢から健康が損なわれて、「完全な健康状態が（一部でも）失われる」年齢までの年数を「健康余命」と呼んでいます。0歳時の健康余命を「健康寿命」と呼ぶことは、平均余命や平均寿命の考え方と一緒です。

WHOは、世界180余国を対象に毎年その値を把握し、年次の「世界保健統計」でランキングを発表しています。その二〇二一年版によれば、日本の健康寿命は、男女とも世界一です。各国のデータは、二〇一九年のものを用いているとあります。

■日本人は60歳以降の「健康余命」も世界一

同統計には、60歳以降の健康「余命」も記載されています。こちらでも、日本は、男女とも世界一です。この結果によれば、還暦の日本人男性は79歳まで健康に過ごせることになります。女性は82歳までです。この数値が、図表33に示された健康寿命より5〜6年長いのは、図表には、若くして健康を損なったり亡くなったりする人が含まれているためと考えられます。

なお、日本の60歳以上の健康余命はどんどん長くなっています。WHOが初めてデータを計算して公表した二〇〇〇年には、男性16・7年、女性20・5年でしたから、この20年間で、男性は約2年、女性は1年半弱延びたことになります。

健康寿命世界一は、まことに慶賀すべき事柄です。男女とも80歳前後まで健康余命があることの、本当の意味での凄さは後述します。しかし、前節で、これから先30年生きると知った日

還暦日本人の「健康余命」は約20年、これも世界トップ

健康寿命

順位	男女平均	男性	女性
1位	日本 (74.1歳)	日本 (72.6歳)	日本 (75.5歳)
2位	シンガポール (73.6歳)	シンガポール (72.4歳)	韓国 (74.7歳)
3位	韓国 (73.1歳)	スイス (72.2歳)	シンガポール (74.7歳)
4位	スイス (72.5歳)	イスラエル (72.0歳)	フランス (73.1歳)
5位	キプロス (72.4歳)	キプロス (71.8歳)	キプロス (73.0歳)

60歳からの健康余命

順位	男女平均	男性	女性
1位	日本 (20.39年)	日本 (18.82年)	日本 (21.85年)
2位	シンガポール (19.95年)	スイス (18.82年)	韓国 (21.20年)
3位	韓国 (19.81年)	シンガポール (18.81年)	シンガポール (21.05年)
4位	フランス (19.70年)	イスラエル (18.73年)	フランス (20.85年)
5位	スイス (19.52年)	アイスランド (18.62年)	スペイン (20.33年)

図表33(上)健康寿命の国別ランキング(2019年)
図表34(下) 60歳以降の健康余命の国別ランキング(2019年)

本の還暦世代は、健康余命が20年前後しかないとなると、気になるのではないでしょうか。あと10年はいったいどんな状態で過ごすのか。ようするに、80代の姿をもっと明らかにしなければならないわけです。

■健康寿命の算出方法

ところで、何気なく使っているこの「健康寿命」とは、いったいどのように計算されるものなのでしょうか。

少し専門的になりますが、世界的に採用され、現在の健康寿命算定の標準的な手法となっている「サリバン法」を説明します。わが国の「健康日本21」という政策でも使われています。

最初に、平均寿命の計算方法をおさらいします。仮に10万人が生まれたとして、ある年の年齢別死亡率を用いて、1歳まで生き残る人数（これを1歳の「定常人口」と呼びます。以下同様）、2歳まで生き残る人数……と計算を続け、すべての人が死亡するまで計算を続けます。

次に、各年齢まで生きた人の人数（これを「年齢別の定常人口」といいます）を、その年齢と掛け算して足し合わせることにより、生まれた10万人の寿命の総和が求められます。この値を、最初の10万人で割り戻すと、平均の命の長さ（＝平均寿命）が計算できます。

「健康寿命」の計算方法は、基本的にこの平均寿命の計算方法と同じです。先ほど計算した各年齢の定常人口に、その年齢の「日常生活に制限のない人」の割合を掛け算して、定常人口における健康な人を計算します。その総和を、10万人で割り戻した年数を健康寿命とするのです。

■「健康寿命」の定義はひじょうに厳しい

ＷＨＯが、健康寿命を「完全な健康状態」と定義していることは、すでに記しました。日本政府も、この定義を踏まえて「健康寿命」を「日常生活に制限のない期間」を指すとしており、実際に健康寿命の計算はその方針で行われています。

「『日常生活に制限のない』期間」とは、ひじょうに厳しい定義です。健康寿命を把握するためのデータを取得する政府調査（「国民生活基礎調査」）のアンケート票には、「あなたは現在、健康上の問題で日常生活に何か影響がありますか」という質問項目があり、これに対して「ある」と回答した人は「日常生活に制限あり」に分類され、ただちに「不健康」に分類されてしまいます。その回答は、回答者自身の判断に委ねられています。

「日常生活への影響」には、日常生活動作だけでなく、運動や外出、仕事、家事、学業等への影響も含まれています。加齢によって、日常生活はともかく、運動や仕事に何らかの影響が生じるのは普通のことでしょう。肩や膝が痛くてゴルフの回数が減ったとか、細かい字が見えにくくて新聞が読みづらくなった、などをアンケートで回答する人がいれば、その人は「日常生活に制限あり」と分類されて健康寿命から除外されるのです。このような例は、80代にもなれば、相当の確率で出てくるものと思われます。これが寿命と健康寿命の差の要因に含まれてきます。

上で述べたように、ここでいう「健康な人」は、膝や腰の痛みがなく、目、耳、歯の具合がよく、日常生活に何らの支障もない人のことで、平均寿命より10年ほど短くなるのも、当然といえば当然です。というよりも、日本人の健康寿命は、すでに80歳に達しているわけですから、この年齢まで「日常生活に制限がない」という状態を保っていることのほうが、むしろ驚異的と言ってよいのではないでしょうか。

■健康寿命と自立寿命

前節では、いまの還暦者の半数以上が、だいたい90歳前後まで30年間、あるいはそれ以上、生きるであろうことを、そして前項では還暦者の健康余命が20年前後であるらしいことを見ました。つまり、これから30年生きる中で、だいたい80歳までは完全に健康を保てる「健康余命」、80代からの10年程度は寿命と健康寿命の差分の期間ということになります。「健康寿命」の定義がきわめて厳しいため、平均寿命との差分年数は、10年からなかなか縮りません。そうなると、80代では「健康でない」期間が10年も続くのかという印象が、いたずらにこれから高齢期に向かう人たちを不安に陥れる可能性もあります。

寿命と健康寿命の間の10年間は「日常生活に何も支障がないというわけではない」期間ということになりますが、この間の身体の状態を、もう少し具体的に捉えることはできないでしょうか。

本書では、このことを分析するため、「他人の世話にならずに生活ができるかどうか」という視点を取り入れてみることにしました。すでに定義が明確になっている「健康寿命」に加えて、「自立寿命」というものを考えてみます。

要介護の定義

このとき、参考になるのは、介護の必要性についての指標です。介護保険法で定める「要介護」「要支援」の区分における要介護度の考え方の概要は、図表35にまとめたとおりです。これを参考に、自立的に生きられる期間について考えていきます。

区分	状態像（80% 以上の割合で何らかの低下が見られる日常生活能力）
要支援１	立ち上がり、起き上がり
要支援２	片足での立位、買い物、日常の意思決定
要介護１	同上
要介護２	歩行、洗身、つめ切り、薬の内服、金銭の管理、簡単な調理
要介護３	寝返り、排尿、排便、口腔清潔、上衣の着脱、ズボン等の着脱
要介護４	座位保持、両足での立位、移乗、移動、洗顔、整髪
要介護５	食事摂取、外出頻度、短期記憶等

図表35　要支援・要介護度の目安

「自立寿命」で考える

一つの試みとして、「他人の世話にならずに生活できる人」を、介護保険の「要介護2」まで、もしくは要介護認定を受けていない人と定義して計算するとどうでしょうか。要介護2というのは、杖をついて歩くような状態のイメージです。これを仮に「自立寿命」と呼ぶことにします。

要介護者（要介護認定を受けている人）の発生率は、80～84歳では男性21・5％、女性30・9％、85～89歳では男性38・6％、女性55・0％です。しかし、80代までその中に占める要介護度3以上の割合は低く、80代前半で自立性を失う人（要介護3以上）は1割弱、80代後半でも2割以下です。そして、健康寿命は長期的に延びていますから、いまの還暦世代が80代になった時には、この比率はさらに低下しているでしょう。ようするに、8～9割の人は、80代でも自立して生活できるということです。

還暦前後の読者のみなさんの周囲にも、80代で完全に自立して生活している人が多くいると思います。たとえば、故郷で暮らしている両親などです。このような方々は、決して例外的な存在ではなく、むしろ、いまの日本人の標準的な姿なのです。

要介護・要支援でも、日常生活が自立している人は少なくない

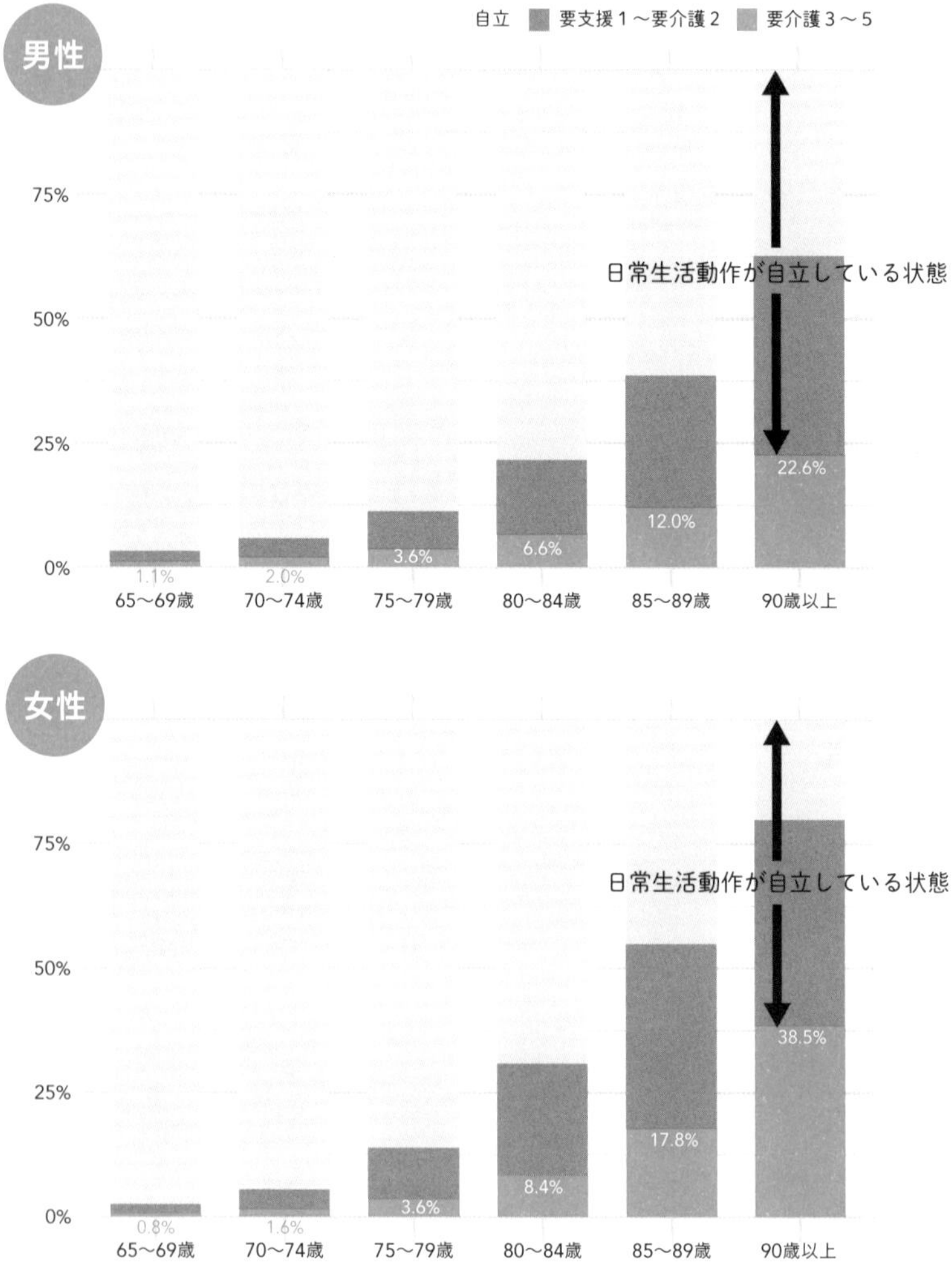

要介護認定率
図表36（上）：男性、図表37（下）：女性

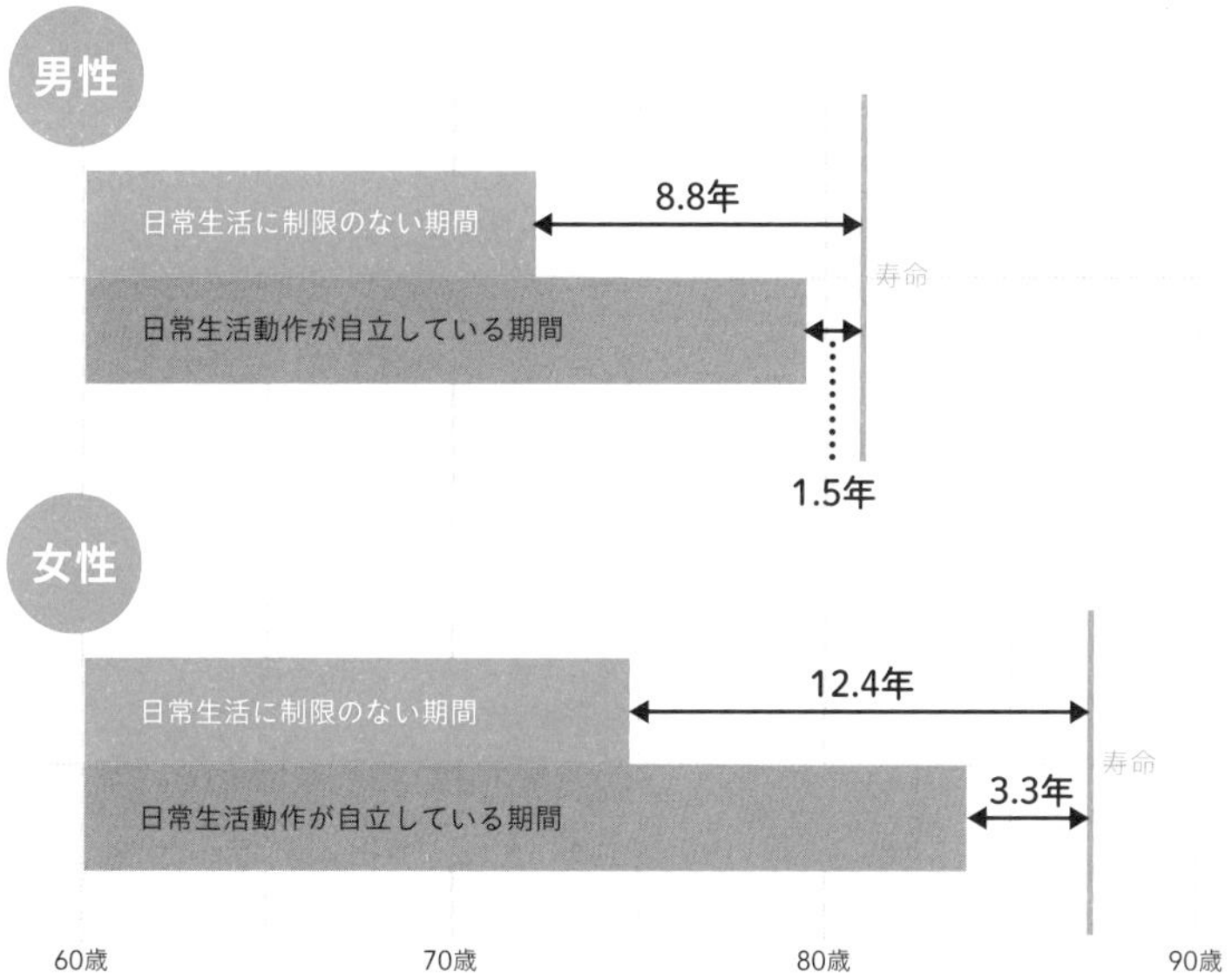

図表38 健康寿命のあり方

このように自立寿命は、男性は80歳台前半、女性は80歳台後半まで延びるので、自立できなくなってから（要介護3以上になってから）亡くなるまでの平均的な期間は、男性1・5年、女性3・3年となります。ようするに、普通の人が他人のお世話にならざるを得ないのは、亡くなる前の1〜3年です。

もちろん、80歳になっても90歳になってもピンピンしている人はたくさんいますし、増えています。身近な方の例を見ても、10年間寝たきりという人はひじょうに少ないはずです。加齢による多少の身体機能の低下は避けられません。厳しく定義された「健康寿命」を過度に気にするよりも、むしろ、自身の「自立寿命」の延びを意識して、前向きに生活していくほうがよいのではないでしょうか。

■「寝たきり」期間は短くなってきた

前項で、私たちが自立して生きられる期間が、じつはひじょうに長いことを述べました。しかし、中には寝たきりになる人もいるということが気になる人もいるでしょう。自分で起き上がれない、お手洗いに行けない、自力でご飯が食べられない、そんな自分の姿を想像するだけで、気持ちが沈んでしまいます。たしかに、高齢者が肺炎や骨折などで1週間寝込んだだけで、いわゆる「寝たきり」になってしまうことが、以前はよくありました。若者に比べて筋肉の衰えが進みやすく、起き上がろうという意欲も減退しやすいからです。

亡くなる前に、どのくらい「寝たきり」期間があるのかも気になるところかと思います。古い事例ですが、亡くなった人の遺族に対して、対象者の生前のADL遂行能力を質問した調査があります。ADLとは、Activities of Daily Living の略で、日常生活を行ううえで必要な基本的動作を意味する用語です。それによれば、食事、排泄、入浴、更衣の4項目のうち、いずれかに介助が必要となった期間は、平均で16・6±45・7か月、中央値は4・5か月でした。つまり、半年以内です。プラスマイナスの幅が大きいことが、この調査結果の特徴で、短い人は本当に短いですが、長い人は60か月超、つまり5年くらいになります。

このように、介助になってからの期間が長い人ももちろんいますが、中央値で見ると、食事や排泄等に介助が必要な期間は半年弱です。言い換えると、亡くなった人100人を介助が必要な期間の短い順で並べた場合、真ん中の50番目の人の介助期間は半年弱ということになります。

食事や排泄等に介助が必要となるのは、介護保険制度では、おおむね「要介護3以上」に該当しますが、これに該当する人数は、じつは、それほど多くありません。

60歳になった男性が100人いたとします。80歳まで生きている人は69人、そのうち「要介護3以上」の介護保険サービス受給者は3人（2・5％）です。同じように60歳になった女性が100

多くの人は、90歳まで日常生活動作が自立

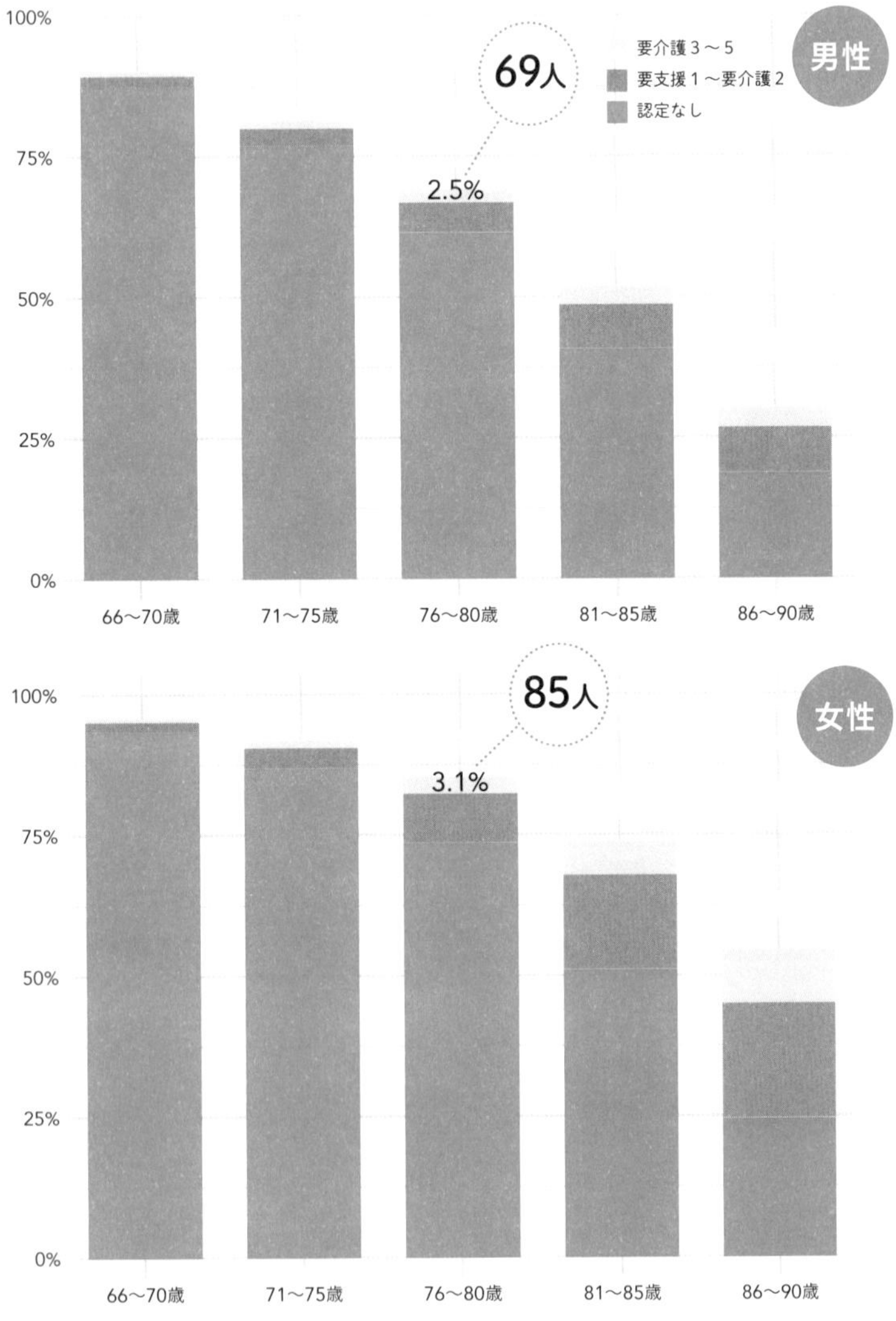

65〜90歳の生存率と要介護認定率
図表39（上）：男性、図表40（下）：女性

人いたら、80歳まで生きている人は85人、そのうち「要介護3以上」は3人（3・1％）です。この数を知っておけば、要介護になることも、当面は、必要以上に怖がる必要はないと思えるのではないでしょうか。

「寝たきり」は人数も減っている

寝たきりの人が少なくなってきた背景には、一九九〇年代以降、「寝たきり」は「寝かせきり」によって作られるという認識が広がり、安静期間をできるだけ短くして、「寝たきりをゼロにしよう」という運動が全国的に進められてきたことがあります。「寝たきり老人ゼロ作戦」と呼ばれるものです。当時、厚労省が作成した「寝たきりゼロへの10か条」の第2条には、

寝たきりは　寝かせきりから　作られる　過度の安静　逆効果

とあります。とても分かりやすいですね。

いままでは、介護施設などでは、自分で起き上がれなくても、職員が車椅子に乗せて食堂に連れて行ってくれたり、高齢者が自分でできることは、時間がかかっても自分で行ってもらうと

いった「手を出しすぎない」介護が当たりまえになっています。この結果、ベッドの上で長期間過ごす「寝たきり」の人は、従来に比べれば、ずいぶん少なくなっていると言えます。

加えて、次の節で記すように、高齢者の運動能力は年々向上していて、いまの還暦世代が90歳になるころには、寝たきりになる可能性は、いまよりさらに低くなると予想されます。

運悪く何らかの病気に罹ったとしましょう。しかし、昔なら入院後、寝たきりになってしまった人でも、近年では適切なリハビリテーションを行うことで、寝たきりを回避することができるようになってきました。急性期リハビリテーションの重要性が明らかになり、可能な限り早期からリハビリテーションが開始されるようになってきたためです。

たとえば、脳卒中等で集中治療室（ICU）に入院した場合、以前であれば、ICU内では絶対安静にすることがほとんどでしたが、最近では、状態が安定して安全が確保されていれば、ICUにいるうちから座位や立位などのリハビリテーションが実施されることもあります。さまざまな研究により、早期に介入したほうが、廃用症候群（ベッドで長期安静にした結果、筋萎縮が起こる等の2次的障害）の予防や合併症の予防、在院日数の短縮などにつながることが明らかになっているためです。

本節のまとめ

以上、いろいろと述べてきましたが要点をまとめれば以下のとおりです。

①ＷＨＯが推計した日本人の60歳の健康余命は、男性19年、女性22年。
②日本人の健康余命は、男女とも10年に1年ほど延伸中。
③健康寿命の定義は「完全な健康」「生活にまったく制限なし」と厳格。
④自立的に生活できる期間ははるかに長く、寿命との差は1〜3年。
⑤要介護3以上になる人は70歳で約1％（男女）、80歳で約3％（男女）、90歳では男性4％、女性10％。
⑥「寝たきり」期間の中央値は半年弱。
⑦寝たきりからのリハビリは90年代以降に進化。効果も顕在化。

疑問④
身体は衰える一方なのか？

■長寿化は「老化の減速」

いま還暦前後の人は、自分が幼児だったころの思い出に残る祖父母が、ずいぶん年老いていたという感覚を持っていると思います。自分が生まれた直後の写真に映っている祖父母を見て、その時の年齢がいまの自分と同じくらいだと知り、驚いた経験はありませんか？

いまの還暦世代の祖父母と言えば、明治の末か大正の初めの生まれ。戦中戦後の厳しい時代を生き抜いてきたことが影響したのかもしれませんが、60代の彼ら彼女らは、いまの私たちとは、やはりずいぶん違いました。それもそのはず、私たちが10歳のころまで、日本人の平均寿命は70歳に過ぎません。ですので、当時の60歳台といえば、余命10年も期待できない、いわば人生の最晩年に差し掛かっていた年代だったのです。それに比べて、いまの還暦世代は、昔の人たちが想像できなかったような「若い」還暦者といえます。

50年前に手塚治虫《てづかおさむ》さんが描いた人の一生の絵を見ると、当時の年齢感覚が分かります。35歳は中年であり、60歳は人生の最晩年だったのです。顔はしわしわで、歯は抜けてしまっています。

一九五〇年ころの東京を舞台とした『サザエさん』も同様です。磯野波平《いそのなみへい》さんは54歳、フネさんは50ン歳の設定ですが、いまの50代像とはあまりにも違っています（ちなみに、サザエさんは24歳設定です）。

この種の話をし始めたら限りがありません。読売巨人軍栄光の9連覇を率いたのは名将川上《かわかみ》哲治《てつはる》監督ですが、9連覇当時の年齢が45歳から53歳までだったと知ると驚きませんか？　アニメ「巨人の星」でも描かれた貫禄十分の老将の姿は、とてもいまの50歳前後の男性には見られないものです。

逆に言えば、いまの還暦世代が、一昔前に比べていかに若々しいかということでしょう。

一九七五（昭和五〇）年には、65～74歳のうち、歯が1本もない人（無《む》歯《し》顎《がく》者）が5割近くいました。これでは、歯の抜けたおちょぼ口を描かれても仕方がないかもしれません。

その後、歯科治療技術の向上や食習慣の変化、歯磨き習慣や歯科検診の定着などにより、口腔の健康状態は著しく改善しました。最近では、歯が1本もない人の割合は、1割以下に低下

が含まれているが、歴史的な意味合いから、ここでは、あえて発表当時の形で掲載している)。『やけっぱちのマリア』(1970年)よりの引用。

© 手塚プロダクション

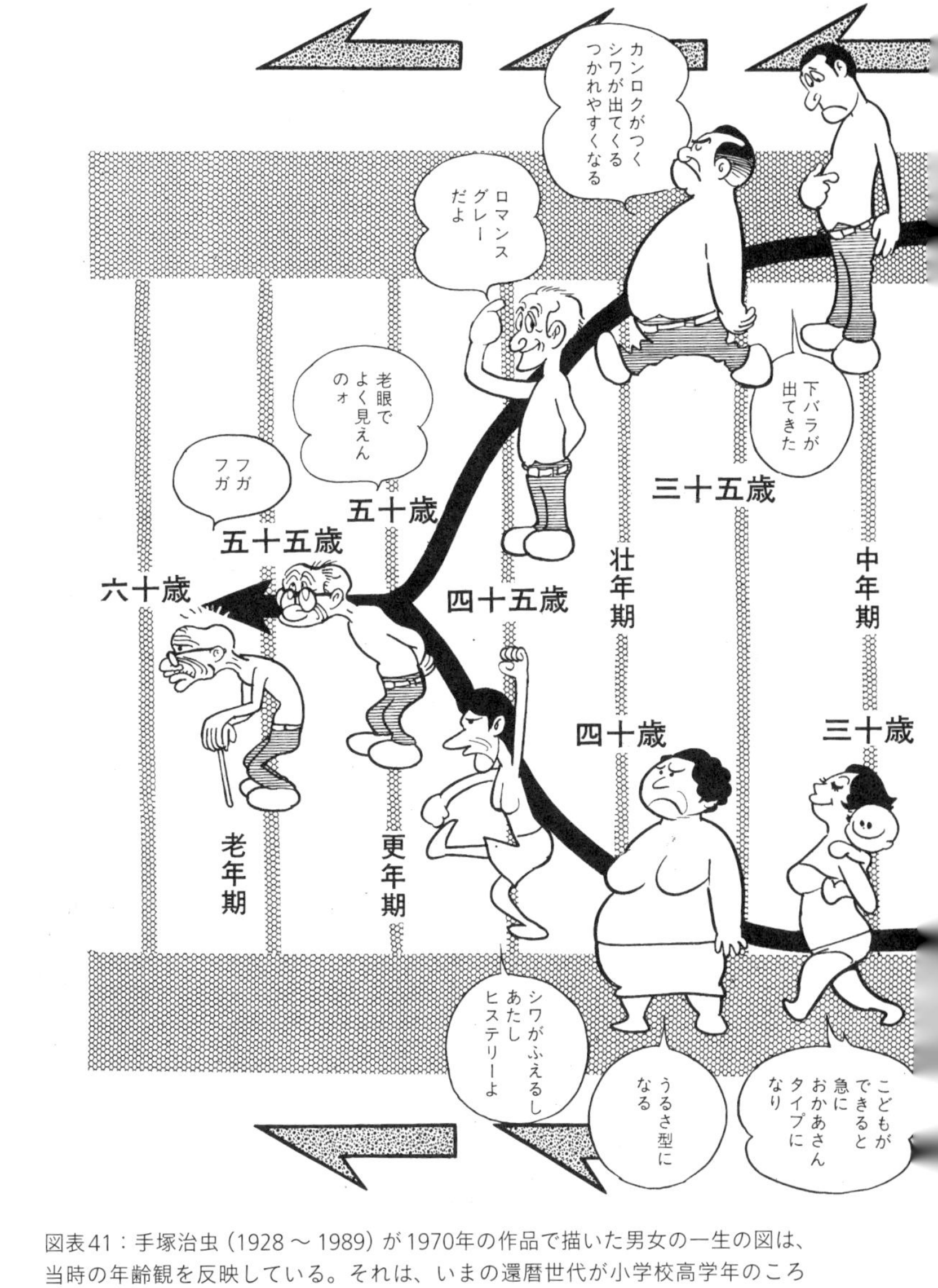

図表41：手塚治虫（1928～1989）が1970年の作品で描いた男女の一生の図は、当時の年齢観を反映している。それは、いまの還暦世代が小学校高学年のころの感覚であり、50年前の60歳は人生の最晩年であった（現在では用いない用語

40年前には、70代後半で半数が総入れ歯

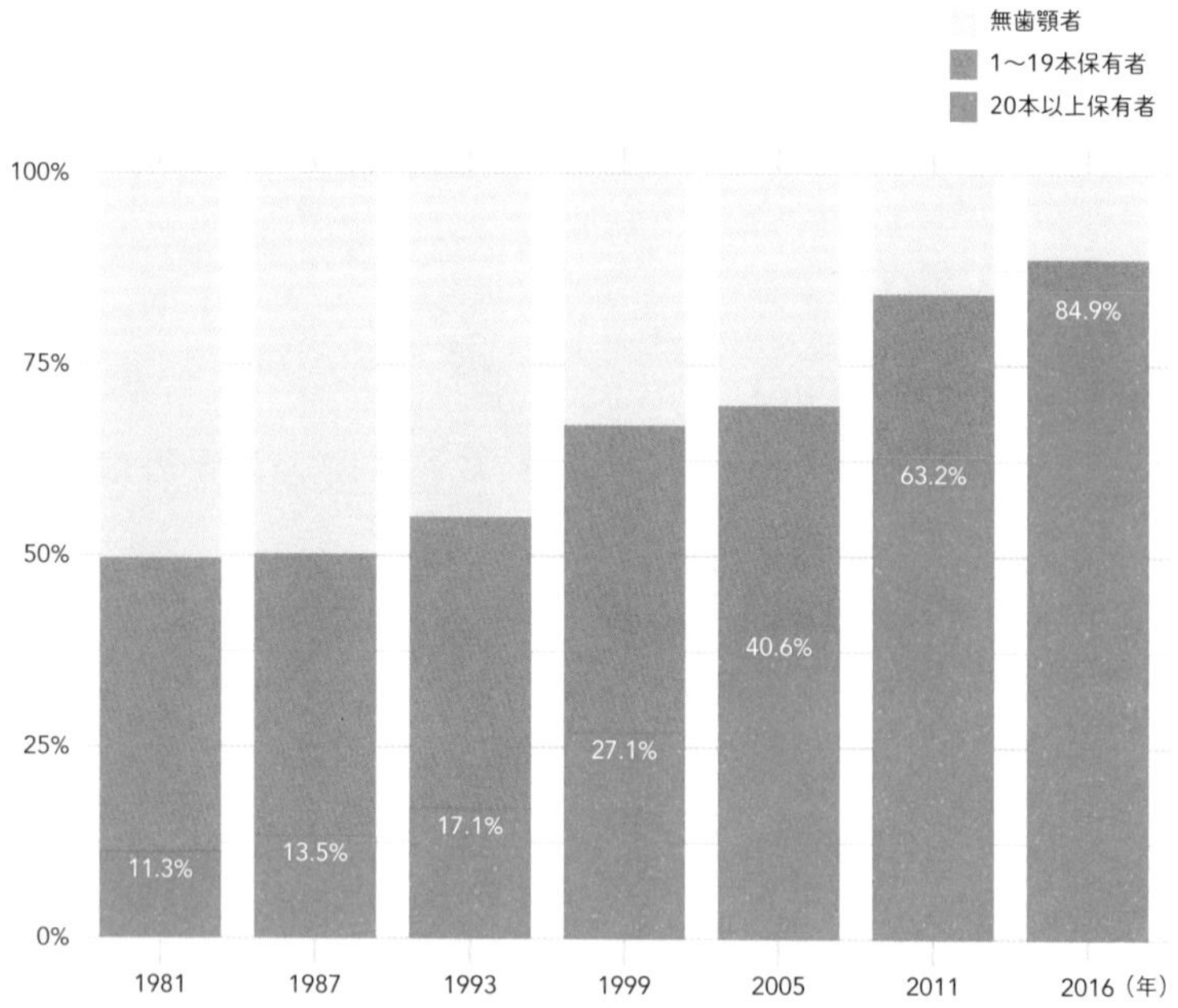

図表42：無歯顎者（75〜84歳）の割合

しています（65～69歳で2・4％、70～74歳で6・3％）。国では、「八〇二〇運動（80歳で20本の歯を保とう）」を進めていますが、運動を始めた一九九〇年当初の達成率は17・1％（一九九三年）、これが二〇一六年には84・9％となっています。この30年間で、口腔の状態は大幅に改善したと言えるでしょう。

本書では、すでに、日本人がいかに長寿化したかを述べてきましたが、日本人の長寿化は肉体が老化した後で過ごす年月が長くなったということではありません。老化現象そのものの進行が遅くなっている、つまり「老化の減速」こそが長寿化の内実だと言えるのです。

還暦世代の体力年齢は20年で10歳若返った

その証拠は、体力年齢の推移で顕著に見られます。私たちの運動能力は、この20年間で10年くらい若返っているのです。一般的な体力テストの1項目である「6分間で歩ける距離」で比較すると、いまの75～79歳の人は20年前の65～69歳の人とほぼ同じ距離を歩けます。歩く速度が速くなっているわけです。

他の運動でも、たとえば、仰向けに寝て上体を起こす回数は、同じく75～79歳の男性が20年前の8・3回から11・3回まで増えました。同年代の女性の開眼片足立ちは、20年前の34・9

60代以降の筋力・スピード・バランス力は向上の一途

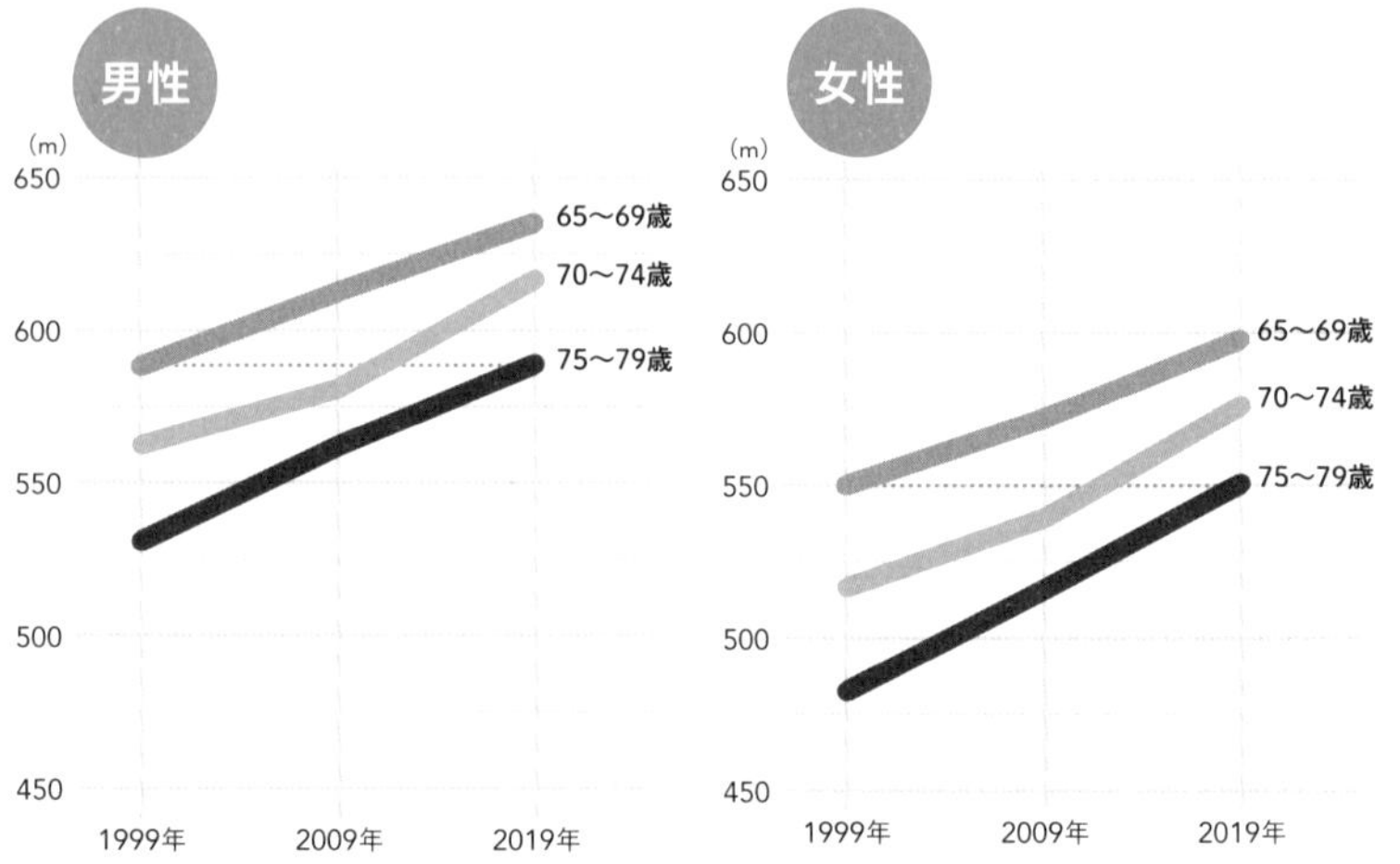

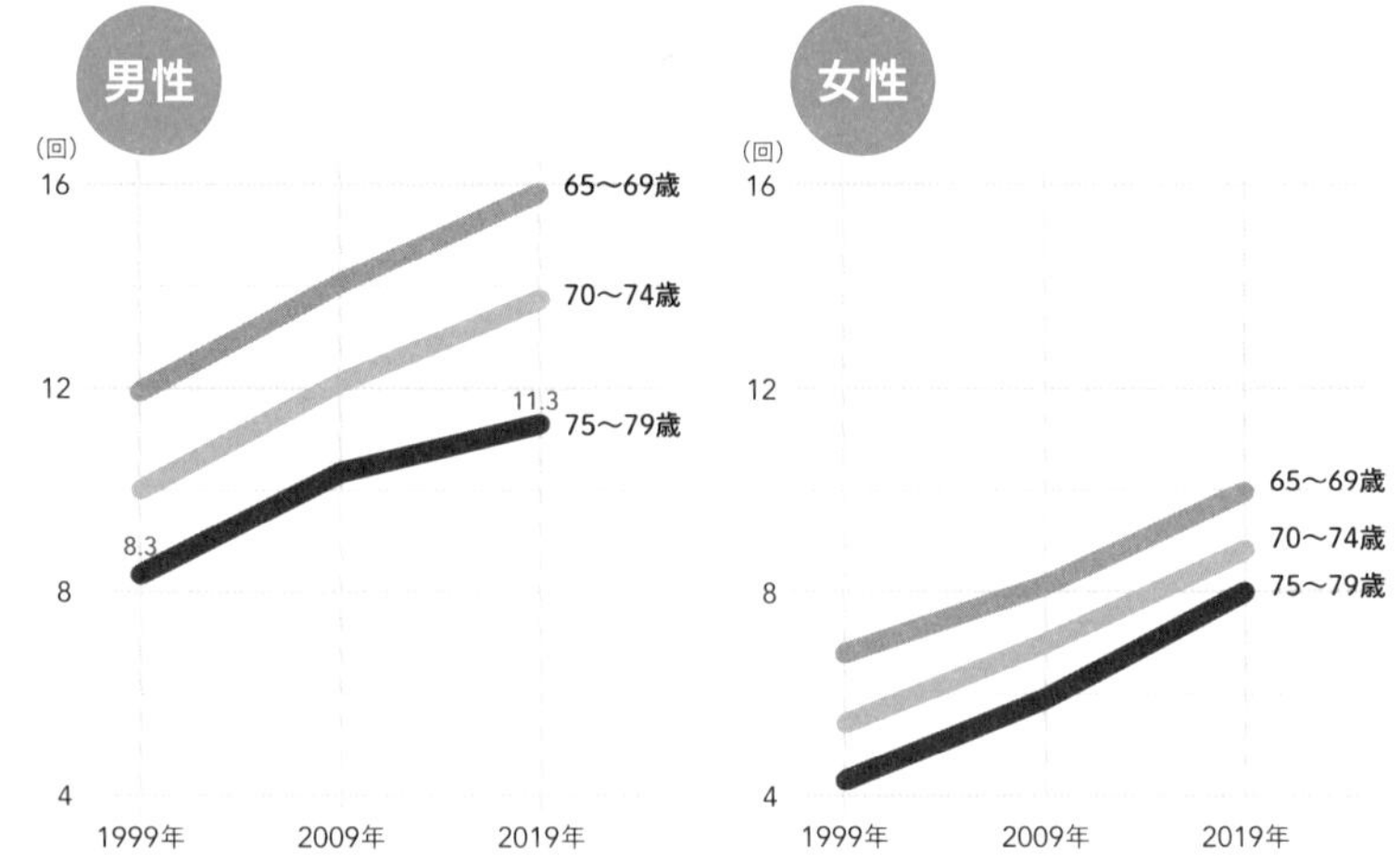

図表43(上): 6分間歩行
図表44(下): 上体起こし

秒が63・4秒まで上がっています。このように、スピードも筋力もバランス力も著しく向上していることが分かります。

運動能力が20年間で10歳若返り続けているとすれば、いまの還暦世代が80歳になる20年後には、いまの70歳と同じ程度の運動能力を持っていることになるかもしれません。

周囲の70歳くらいの人たちを見てみてください。歩くことに苦労している人はほとんどおらず、近所でウォーキングをしている人も多いはずです。いま還暦前後の人は、おそらく20年後、80歳になっても、まだまだハイキングに行って自然を楽しむことができるはずです。

運動能力が若返っていることは、容姿や行動にも影響します。先に触れたマンガ『サザエさん』の磯野波平さんは54歳でした。50年前の作品ですから、体力年齢が20年で10歳若返るとすれば、50年前の54歳はいまの79歳に相当します。周囲の79歳前後の方を思い浮かべてください。だいたい合っているでしょうか？　いまどきの80歳は若いですから、案外「波平です」とか言っても違和感がないかもしれないですね。

運動能力の個人差も縮まっている

こんな話をすると、それは一部の高齢者のことではないのか、あるいは平均値が上がってい

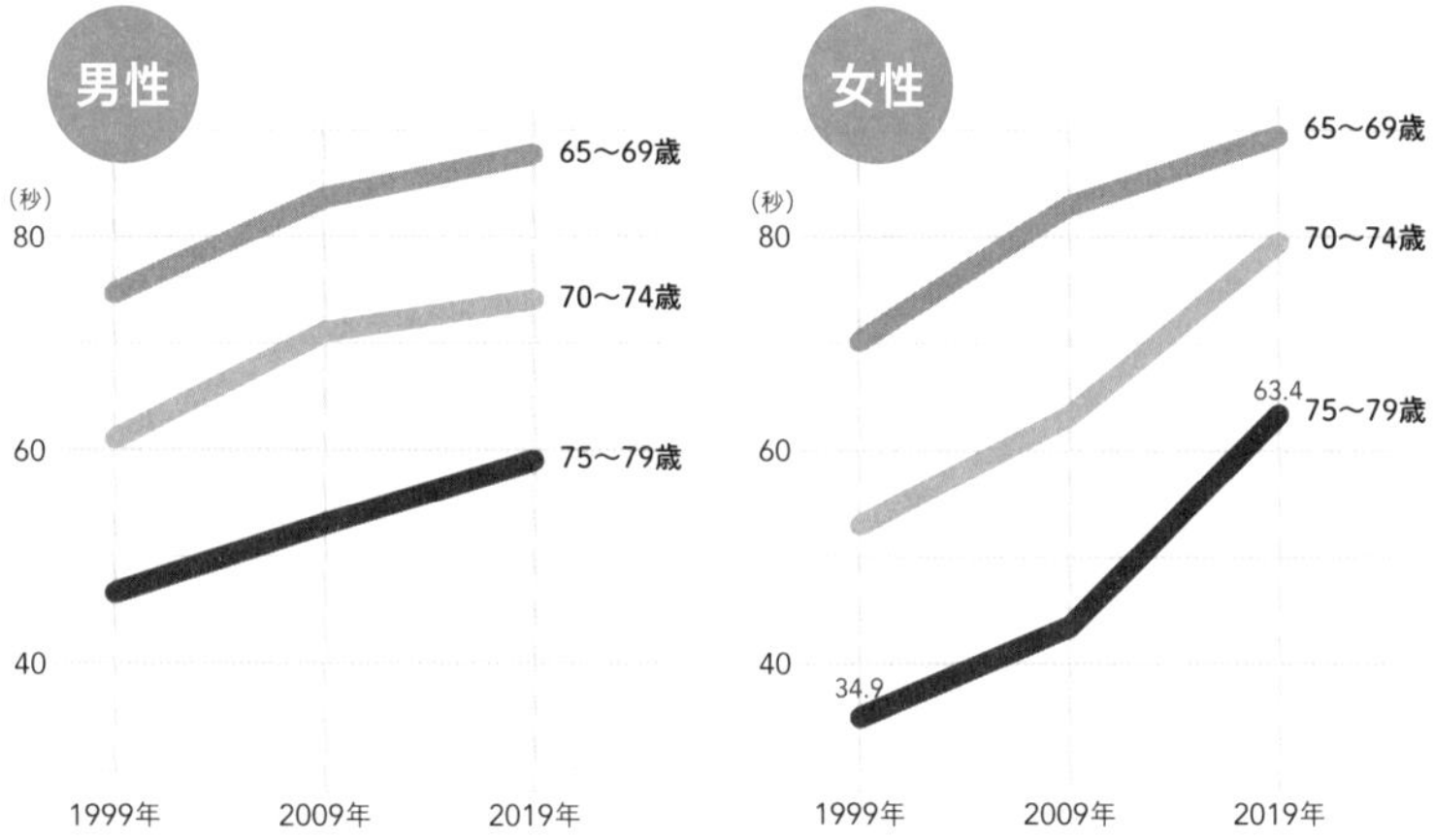
男性
(秒)
80
60
40
65〜69歳
70〜74歳
75〜79歳
1999年
2009年
2019年
女性
(秒)
80
60
40
65〜69歳
70〜74歳
63.4
75〜79歳
34.9
1999年
2009年
2019年

図表45：開眼片足立ち

るにしても、すごく体力がある人と全然ない人との二極分化が進んでいるのではないかという疑問もあり得ます。

しかし、スポーツ庁のデータに基づけば、点数の格差は、むしろ狭まっているのです。この傾向は、男女ともに起きています。

これは平均余命の検討をした時にデータで確認したことと同じ現象です。誰彼が長寿になるならないという次元ではなく、日本人が全体として長寿化したのだというのが疑問①での事実把握でした（59頁参照）。今回把握できたのは、高齢者の誰彼の体力が若返っているという話ではなくて、日本人高齢者全体として肉体年齢が若くなっているということです。

どこの地方に住んでいるか、どんな食事をしているか、どんな運動習慣があるかということも、もちろん肉体年齢の若返りに影響しているとは思われますが、それ以上に、日本全体で「遅く生まれた人ほど長寿化している」「長寿化は老化の減速である」ということが現象として起きているという点が重要です。

物忘れすら起きにくくなっている

日本人の「老化の減速」について驚きのデータを見てきました。しかし、まだまだ終わりません。

老化現象の中で代表的なものと言えば、「腰痛」「物忘れ」「耳が聞こえにくい」「目がかすむ」などがあるでしょう。じつは、これらの症状も、この20年ほどで、どんどんあらわれにくくなっているようなのです。

図表46では、厚生労働省「国民生活基礎調査」のデータを用いて、物忘れするなどの有訴率《ゆうそ》（そういうことがある、と答えた人の割合）の変化を表しています。対象は、75〜84歳の男女、比較年は一九九八年から二〇一九年まで3年刻み、数値は実数ではなく指数表示です。

グラフから明らかなように、「物忘れする」高齢者の比率は、一九九八年から二〇〇七年までの9年間はほぼ変わらなかったのに、二〇一〇年から減少傾向に転じ、二〇一九年には、一九九八年に比較して約2・4割減となりました。「耳が聞こえにくい」「目がかすむ」も同じ傾向を示しています。二〇一〇年に75〜84歳だったのは、一九二六〜一九三五年生まれの人たちです。昭和ヒトケタから終戦直前の生まれ、と言ってもよいでしょう。長寿化が急進展し始めたのもこの世代からでした。おそらく、この世代から、日本全体で何かが変わったのだと思われます。

ただし、「腰痛」に関しては、他の項目と比較して、著しい「若返り現象」は見られず、二〇一九年の指数は、一九九八年に比較して1割弱の減少にとどまっています。視力や聴力の衰

老化が遅くなり、物忘れさえしなくなってきている

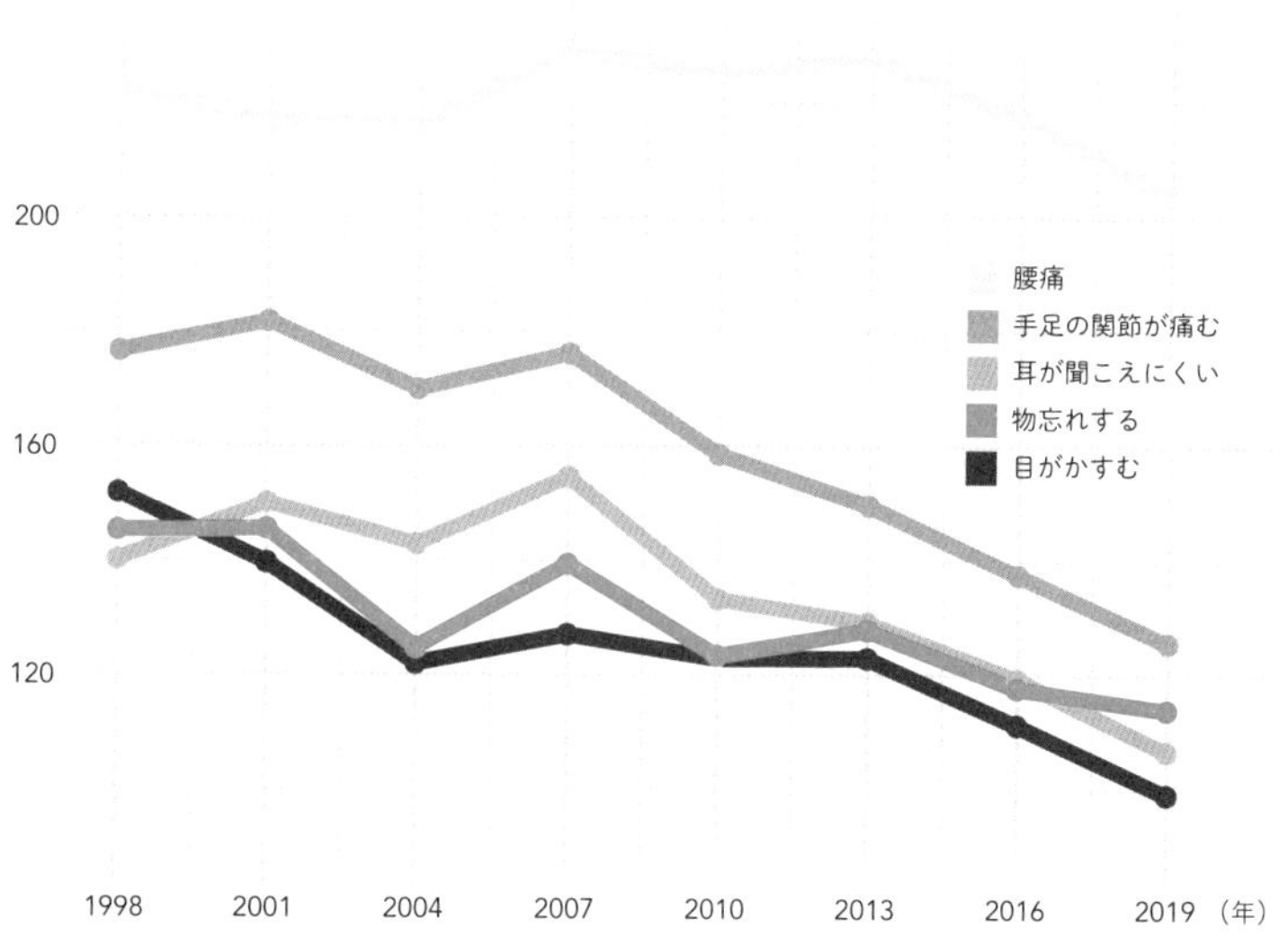

図表46：典型的な老化現象の有訴率の変化（1000人当たり）

えは明らかに老化現象として出てくる部分が大きいですが、腰痛については必ずしもそうとは言えず、若い人の間でも、有訴率がそれなりに高いことも影響しているのかもしれません。

なぜ私たちの身体は若返っているのか？

さて本書では、日本人が全体として長寿化しており、その本質は、加齢による肉体的劣化のスピードが落ちていることにあるのではないかと書いてきました。これは、真剣に考えれば、驚くべきことです。日本全国にはさまざまな気象環境の地域があり、食文化も多彩です。職業もさまざまにあり、職種による肉体的負荷なども、じつに多様であると思われます。にもかかわらず、一九二六〜一九三五年生まれの世代以降、日本人はどんどん長寿化し、肉体的にも若返っています。しかも、その個人間格差は狭まっていて、ようするに、日本人高齢者全体が若返っているのです。

なぜ、こんなことが起きているのでしょうか。

本書では残念ながら、説得的な仮説を持っていません。また、ある程度の調査はしましたが、なぜ高齢者の体力年齢が若返っているのか、入れ歯が減っているのか、物忘れが減っているのかなどについて学問的な結論も出ていないようです。

ですので、ここから先は、あくまでも一つの仮説になります。

人間の肉体を一つの装置とみなせば、その稼働環境やメンテナンスの良否によって、使用期間が長くなるほど損傷具合に大きな差異が生じてくることは容易に想像されます。一九三五年生まれの世代が60歳くらいだった20世紀末から、空調のきいた室内空間で過ごすことが多くなったのではないでしょうか。このことが、肉体に掛ける負担をおおいに減少させていることは想像に難くありません。また、後述のとおり、一九三五年生まれの世代が40歳を超えたころからたばこの害が広く周知され、喫煙可能空間が著しく減少したことも影響している可能性があります。

また、この50年間に日本全体で起きた生活の変化を概観すると、やはりさまざまな電化製品などの普及により、肉体的な負荷が減少してきたことを見逃すことはできません。たとえば洗濯機、また炊飯器、電子レンジ、そして自家用車などです。

さらに、現代では運動を習慣化している人が、以前に比べて増加しています。科学的なエビデンスに基づいた効果的な運動方法が開発され、テレビや雑誌、インターネットを通して、多くの人がそのような合理的、効果的な運動のやり方を知って、それらを実行するようになってきました。

今後も高齢者の運動効果に関する研究はおおいに進むでしょう。また、個人個人に適した運動方法が把握できるようになり、さらに運動能力を維持向上させることが可能になると期待してよいと思われます。

■還暦世代に定着した運動習慣

平日のフィットネスクラブでは、中高年の女性がヨガやピラティスに励む姿をよく見かけます。平日のゴルフ場も近年、リタイアした男性などで賑わいが甦りました。私たちがこうして運動を習慣化していることが、身体能力の若返りにつながっていると言えます。

実際に、運動習慣がある人（二〇一八年「国民健康・栄養調査」：1回30分以上の運動を週2日以上実施し、1年以上継続している者）の割合を見ると、男性70歳以上が約46％、女性70歳以上が約38％となっています。70歳以上で運動を習慣としている人の割合が増加しており、20年ほど前の一九九八年の調査と比べると、男女ともに1・4倍に増加しています。

今の還暦世代が小学生のころ、祖父母がウォーキングやジョギングをしていた記憶は、おそらくないでしょう。「健康のために運動をする」という考え方は、東京オリンピックを一つの契機として日本社会に浸透し始めたと言われています。それまでの時代は、そもそも60代の「お年寄り」は杖を突いて歩くイメージでした。祖父母が急にジョギングを始めたら、家族は

運動を習慣化するシニアが増えている

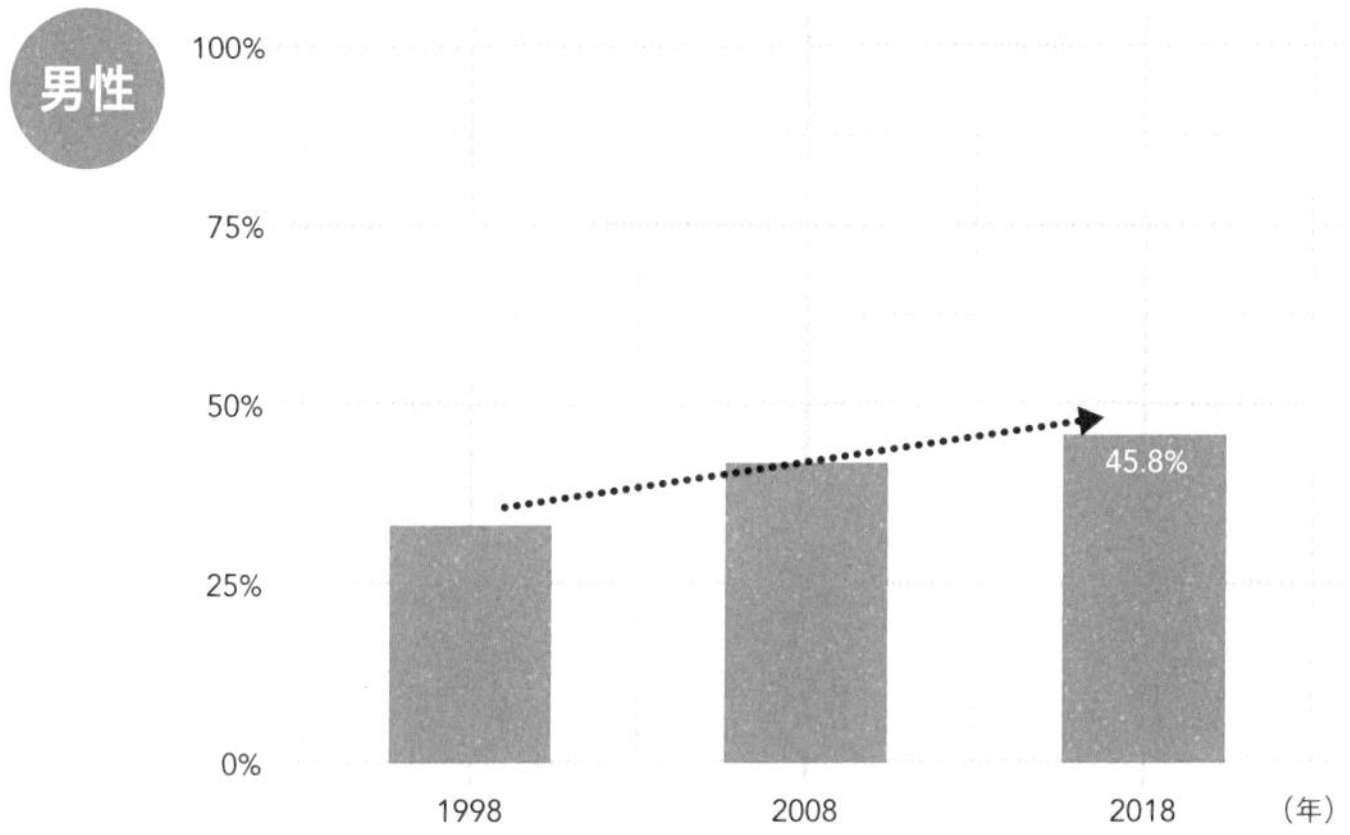

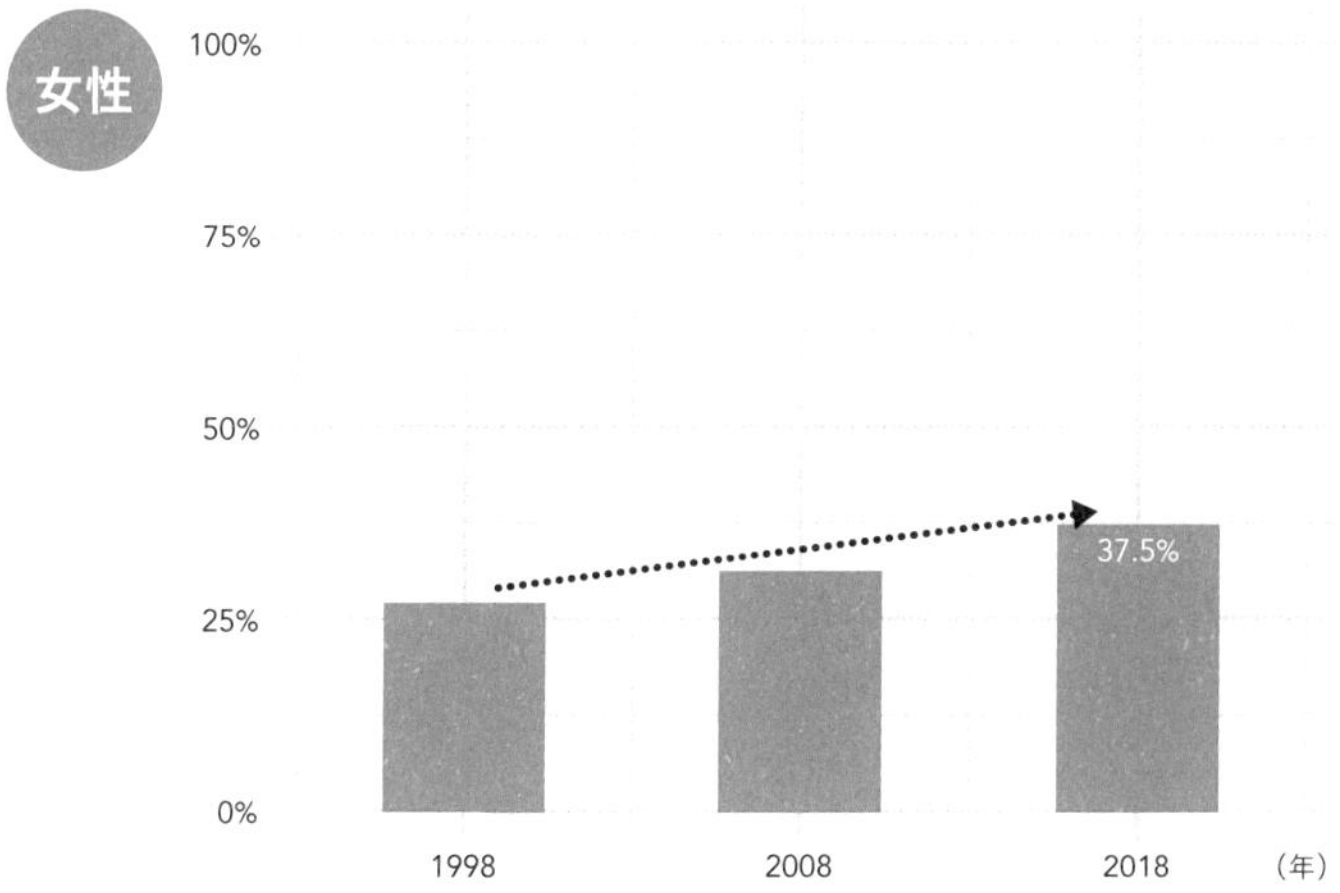

70歳以上の運動習慣者の割合(年次推移)
図表47(上):男性、図表48(下):女性

「危ないから」と止めに入ったかもしれません。いまの60歳台、70歳台はそのころと比べて、日常的に運動しており、運動能力も若返っているのです。

喫煙率の低下

生活習慣の改善は、シニア世代の運動だけではありません。喫煙についても同じことが言えます。たばこを「吸わない」人が、男性60歳台で55％、70歳以上で71％と多数派になっています。いまの還暦世代がテレビや映画に熱中し始めた50年前、ドラマの主人公やミュージシャンの男性は、まず間違いなく喫煙者でした。フランク・シナトラ（82歳没）をはじめとして、デヴィッド・ボウイ（69歳没）やエリック・クラプトン（一九四五年生・現役）は、ステージでかっこよく喫煙していました。いまの還暦世代は、若い時にそういう光景を見ていたはずです。

しかし、その後、喫煙を取り巻く環境は、急速に変化しました。

禁煙の歴史は比較的浅く、新幹線に初めて禁煙車（最初は1両だけでした）が導入されたのは一九七七年、東京で地下鉄の駅構内が禁煙となったのは一九八八年、ＪＡＬとＡＮＡが機内を全面禁煙としたのが一九九九年です。いまではもう、地下鉄の駅や飛行機の中で普通に喫煙できた時代があったなんて信じられないですね。

喫煙習慣を持つシニア男性は激減（女性はもともと少ない）

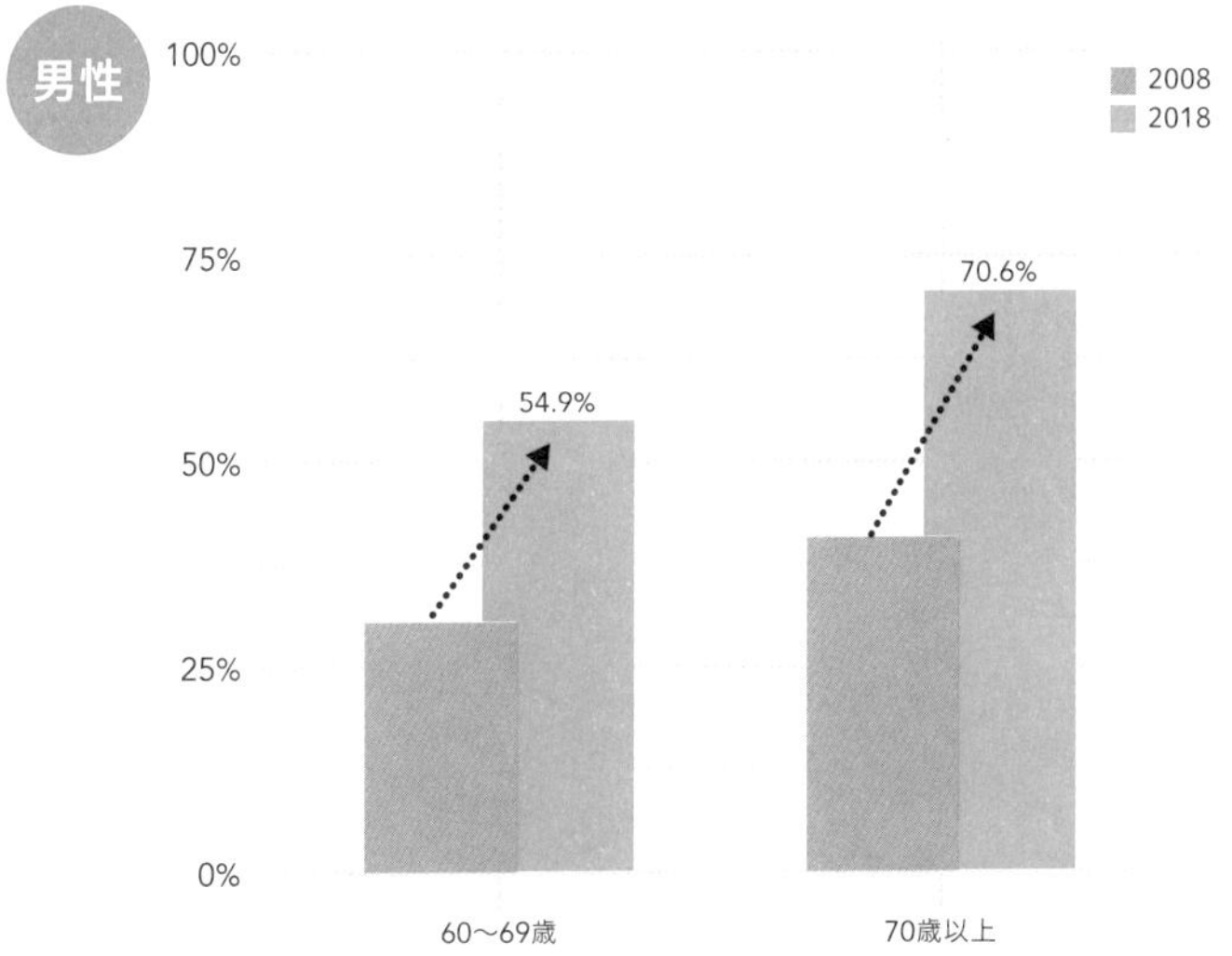

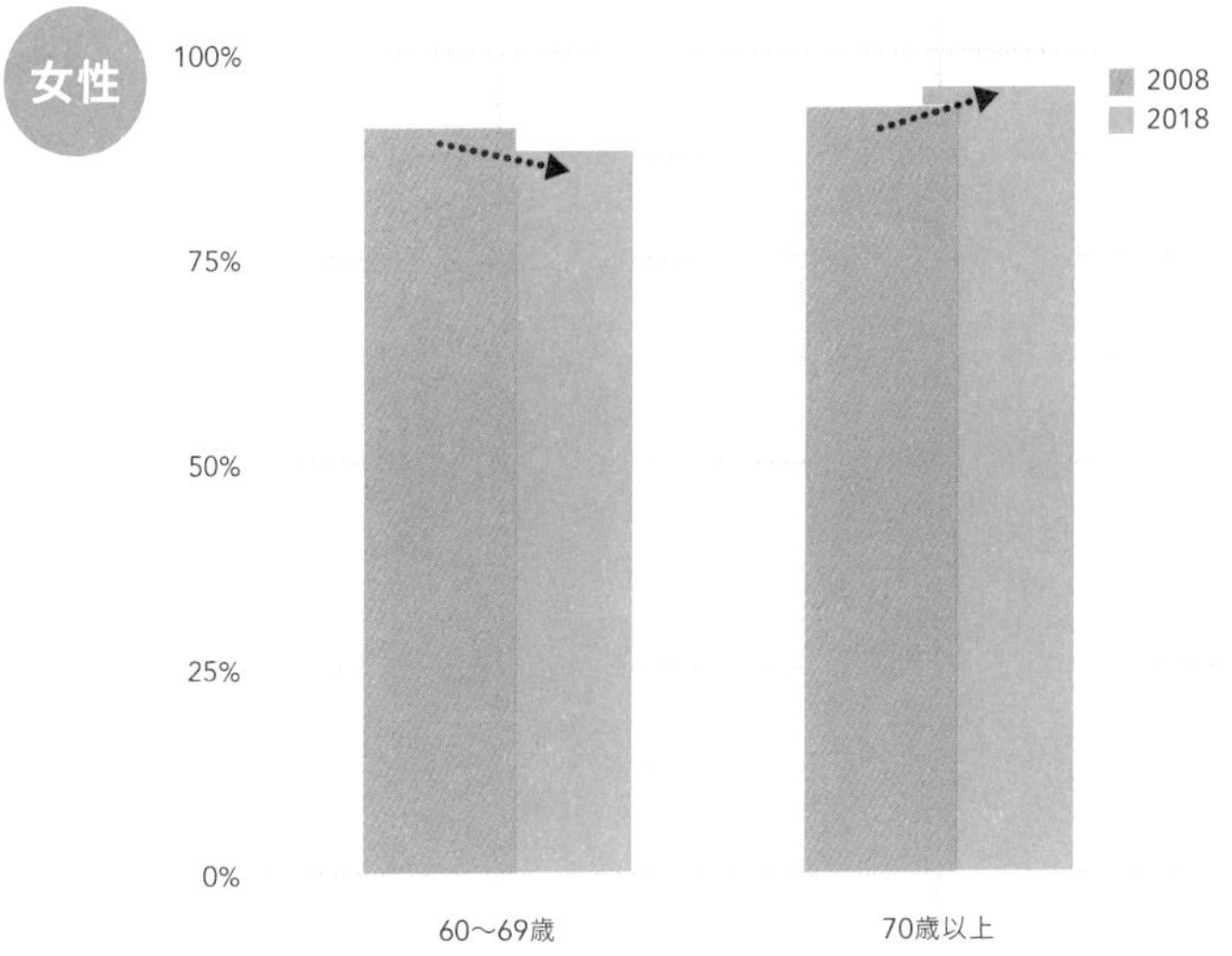

喫煙習慣　「吸わない」と回答した人の割合（60歳台、70歳以上）
図表49（上）：男性、図表50（下）：女性

こうした環境変化に適応しながら、いまの還暦世代は自然に喫煙習慣を持たなくなってきました。10年前は、たばこを「吸う」人が多数派だったのに比べると、私たちの世代の健康への意識は、ひじょうに高くなっています。

睡眠時間の確保

また、歳をとると眠れなくなるという俗説がありますが、実際には、還暦世代は、十分な睡眠をとれているようです。「国民健康・栄養調査」で睡眠の状況を見ると、1日の平均睡眠時間は60歳台、70歳台になると、若い年代より長くなる傾向があります。7時間以上睡眠をとっている人は、男性60歳台で32％、70歳以上では50％、女性60歳台で20％、70歳以上では38％となっています。「睡眠で休養が十分にとれていない」と回答した人の割合も、若い年代に比べて少なく、60歳台になると、睡眠の面でもよい生活習慣を持っていると言えます。

いまの還暦世代が90歳になった時の肉体年齢は？

「老化の減速」は、いまでも進捗しています。その推移は、今後の高齢者体力テストの結果な

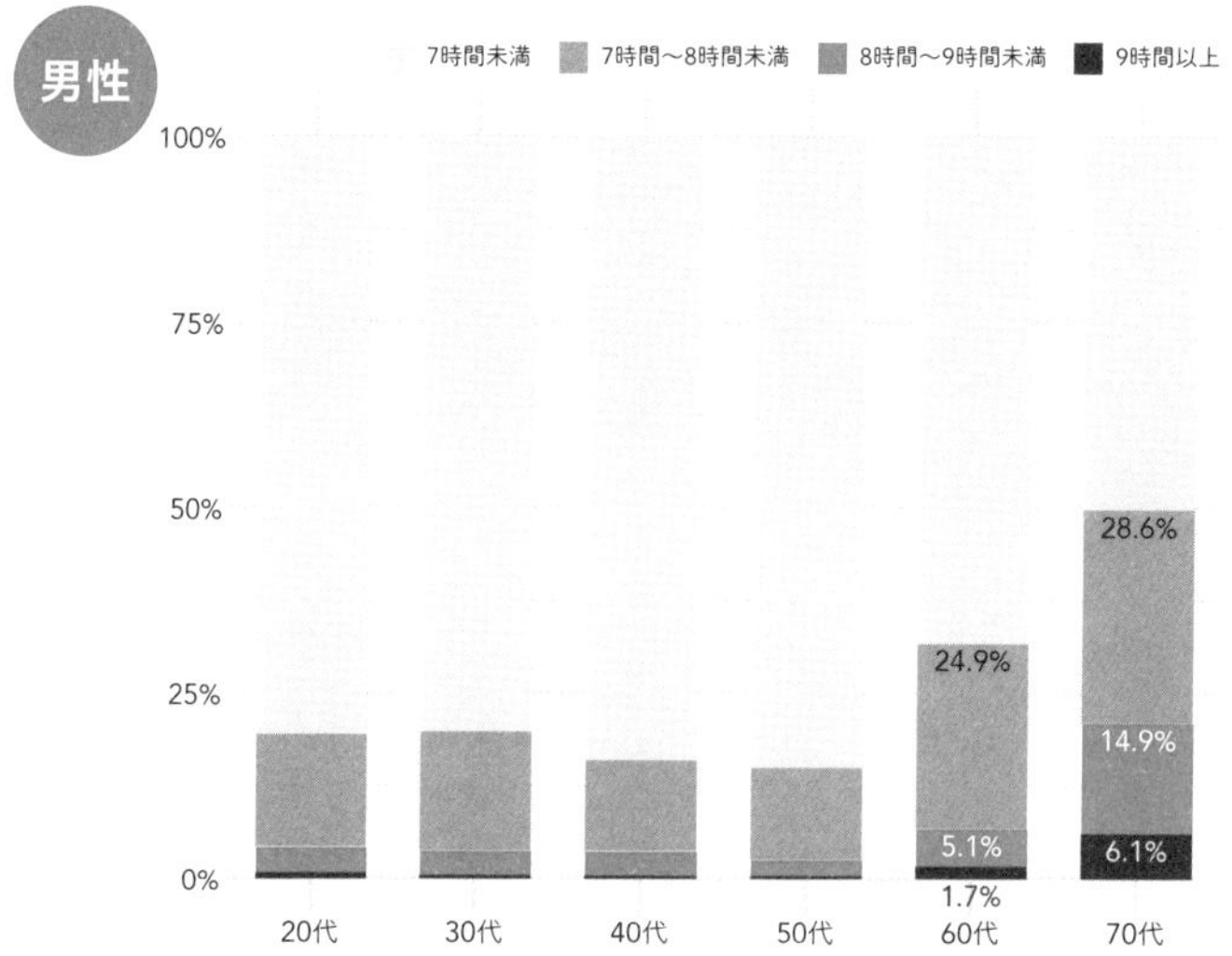

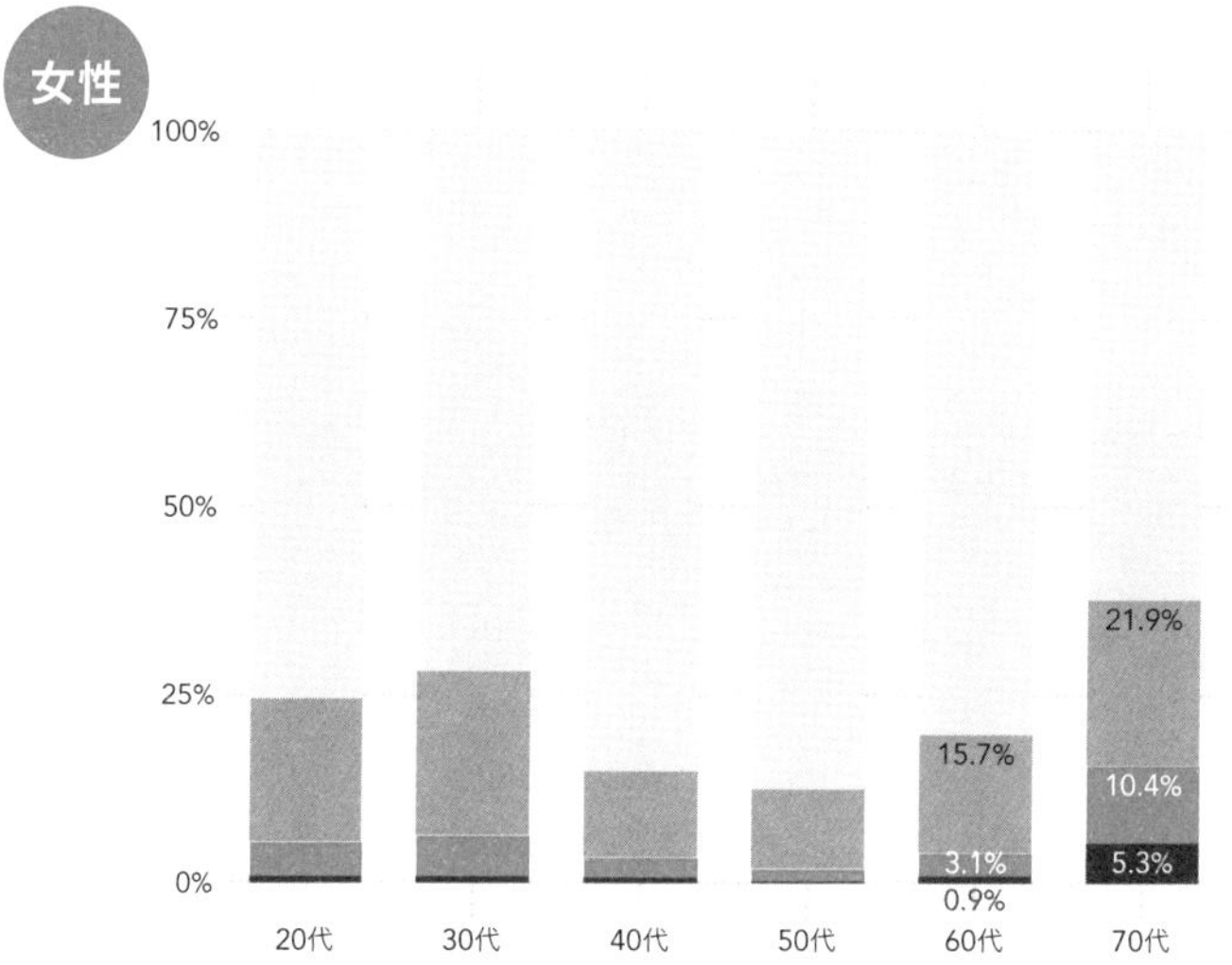

1日の平均睡眠時間
図表51（上）：男性、図表52（下）：女性

どで検証していくことが考えられます。

生命表に基づけば、いまの還暦世代は女性5割強、男性の3割以上が90歳を超えて生きることになりますが、それでは、実際に90歳になった時（二〇五〇年）の肉体年齢は、二〇二〇年現在の高齢者の肉体年齢と比較して、どの程度若返っているのでしょうか。

このことを厳密に予測しようとすれば、肉体年齢が若くなってきた原因を特定し、それを説明変数として今後の成り行きを設定したうえで、ある種のモデル式を解くような形で解を求めることが必要となります。しかし、そのことが現状では困難なことは、現象として起きている「老化の減速」の要因について学問的定説がないことからも明らかです。

そこで考えられるのは、「理由は（現時点では）特定できないが老化の減速が起きている」「明らかなことは遅く生まれた人ほど老化が遅いという事象である」ということを認めて、生年を説明変数として客観年齢（生まれてから何年生きたか）別の肉体年齢を予測する方法です。その場合、「高齢者の肉体年齢はこの20年で10歳若返った」というものしかないので、それ以上の精緻さは期待できません。

ややこしいことを書きましたが、ありうる状況として「A：高齢者の肉体年齢は今後とも20年で10歳ずつ若返る」または「B：高齢者の肉体年齢の若返りは今後ストップする」の二つのシナリオの中間に実績が収まっていくと考えるのが適切ではないかと思われます。

シナリオAの場合、言うまでもありませんが、いまの還暦世代が90歳に到達した時の肉体年齢は、二〇二〇年時点の75歳の人たちと同等ということになります。なぜなら、肉体年齢は20年で10歳、つまり30年で15歳若返る可能性があるからです。

いまの75歳前後の人たちの体力や健康状態を注意して見てみましょう。日常生活への支障はほとんどなさそうですね。加えて、いま75歳で健康状態があまりよくない人たちのことも観察しておくとよいのかもしれません。生まれ持っての身体的健康の差異もあるかもしれませんが、もしも75歳で健康を維持している人とそうでない人との間で生活習慣に違いが見出せたとしたら、それも私たちにとって、とても重要な情報です。

本書では、飲酒、喫煙などのほか、ストレスのかかる生活を続けることによる身体的なダメージも、還暦後の生活に悪影響を及ぼす懸念があります。75歳で健康に過ごしている方々のライフスタイルを参考にすることは、これからその道を通る身としては、たいへんに重要なことだと思います。

■本節のまとめ

以上、いろいろと述べてきましたが要点をまとめれば以下のとおりです。

①いまの還暦世代の身体的健康度は過去に比較して、はるかに高い。
②80歳で20本の歯を維持する人は一九八一年11・3％、二〇一八年84・9％。
③いまの75歳の体力は、20年前の65歳と同等。物忘れや耳の聞こえにくさも減少傾向。
④シニア世代には運動、禁煙、睡眠など生活習慣の健康化が進展。
⑤いまの還暦世代が90歳に到達したときの体力年齢は、現在の75歳くらいと予想しうる。

疑問⑤ 身体の不調を抱えながら生きていくのか?

■高齢期の体調に関する不安は大きい

疑問③の節で、いまどきの還暦世代が、これから歳を重ねていったときに、寝たきりや要介護状態になることが、意外に少ないことを記しました。じつは、これらは、一人暮らし高齢者への最近のアンケート調査における「日常生活の不安」で2位になる項目です。では第1位は何かというと「健康や病気のこと」です。還暦を過ぎ、今後の人生を考えたときに、健康や病気のことが真っ先に不安要素として浮かび上がるのは自然なことでしょう。

では実際に、還暦後の健康や病気の実態はどうか。手がかりになるデータとしては、「有訴《ゆうそ》率」と「通院率」が挙げられます。

前者は、何か身体に不調があるかどうかを表す指標で、「有訴」とあるように、自覚症状が

一人暮らし高齢者の最大の不安は「健康」

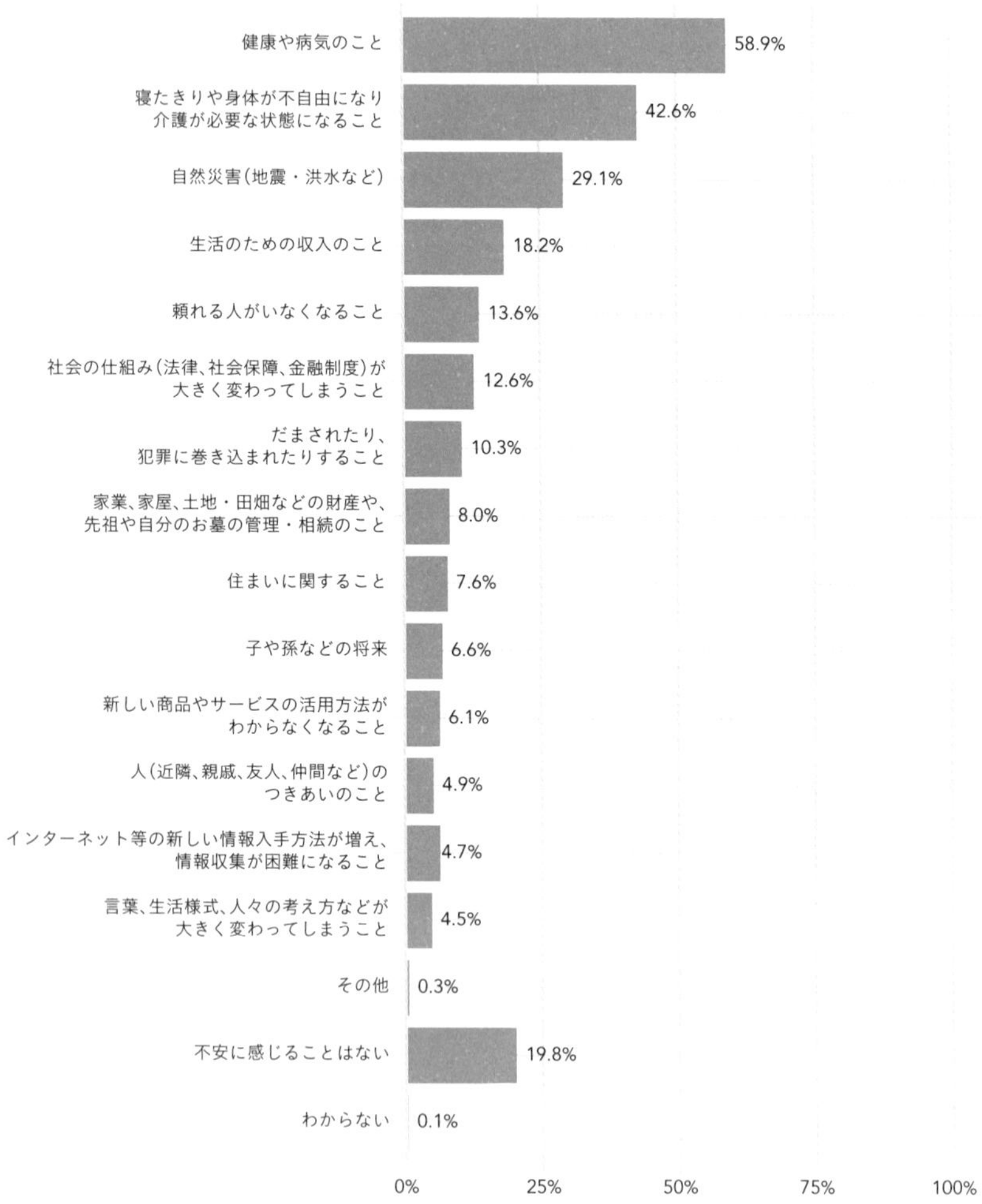

図表53：一人暮らし高齢者の日常生活における不安

あるものが対象になります。後者は、健康診断などで「医者に診てもらいなさい」という結果が出て通院するケースもあるので、必ずしも自覚症状があるものばかりとは限りません。

以下では、この二つの指標から還暦後の状況を見ていきたいと思います。

自覚症状を伴う身体の不調は減っている

有訴率は減っています。つまり、同じ60歳あるいは65歳でも、何らかの自覚症状がある人は年々減少しているのです。これは全世代にほぼ共通した現象です。

65歳〜74歳に着目すると、とくに二〇一〇年以降の減り方が著しくなっています。これは一九三五〜一九四五年生まれの世代です。先に昭和ヒトケタの世代は、75〜84歳での有訴率がそれ以前の世代よりも低下していることを見ましたが、昭和フタケタ世代は、さらにそれよりも有訴率が下がる傾向にあるのです。

腰痛はいまでも最大の有訴要因

自覚症状の内容まで見てみると、男女ともに「腰痛」が最多です。年齢とともに、「腰痛」

「老化現象」のような不調は減っている

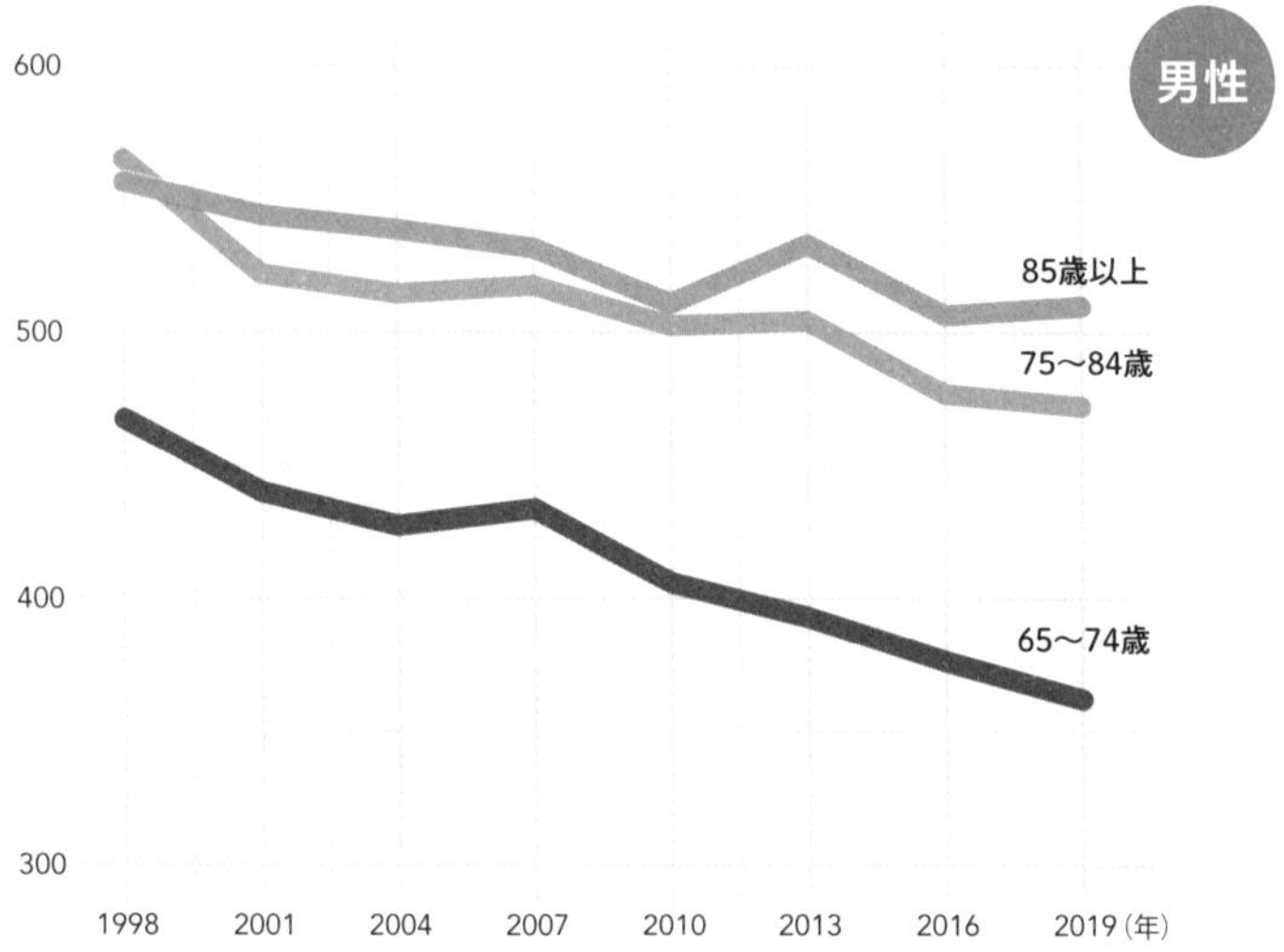

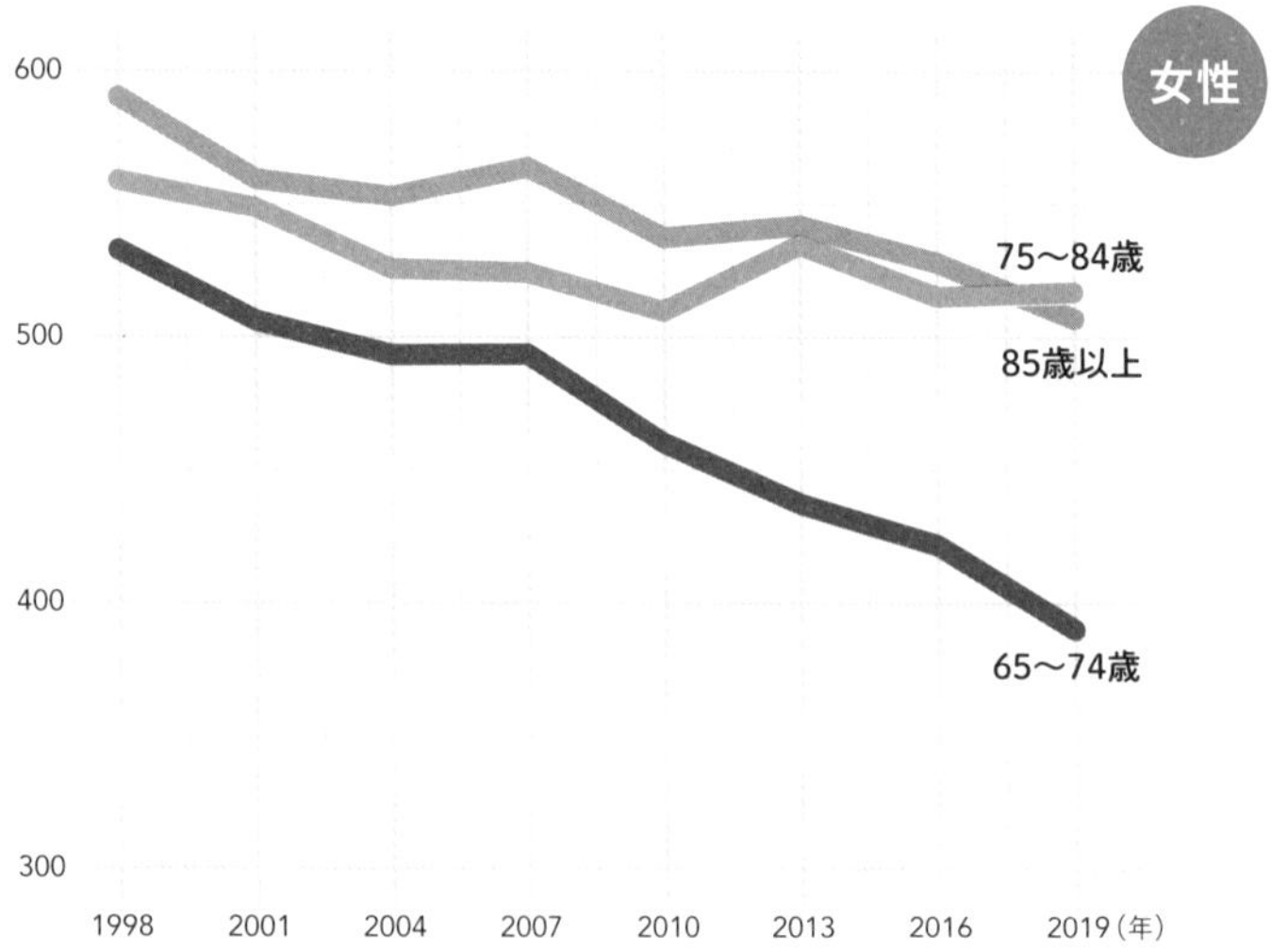

有訴率の推移（1000人当たり）
図表54（上）：男性、図表55（下）：女性

を持つ人が増えます。前節の図表46を再び参照していただければ明らかなとおり、「耳が聞こえにくい」「目がかすむ」「物忘れする」などの有訴率は、一九三五年生まれの世代以降、著しい低下が見られます。

腰痛は、ヒトが直立二足歩行に進化したことが原因と言われています。ヒトは直立二足歩行ができるようになったことで、手を使えるようになりましたが、腰椎《ようつい》と呼ばれる腰の骨に上半身の重さが集中してかかるようになり、腰痛を起こしやすくなってしまいました。ネット上ではさまざまな腰痛体操が紹介されていますので、自分にあった体操を見つけ、日々の生活に取り入れていくことが有効と考えられます。

■身体の機能低下は最新技術で補完できる

腰痛の他、年齢とともに、「聞こえにくい」「手足の動きが悪い」「物忘れをする」などが（従来ほどではないにせよ）増えます。その他、男性は「頻尿」、女性は「目がかすむ」を自覚症状として持つ人が多くなります。年齢とともに自覚症状が増えるのは仕方がないかもしれません。しかし、高齢化が進む中、これらの困りごとを解消できるさまざまな技術や製品が、世界中で誕生しています。

元気なのに、病院通いは増加傾向

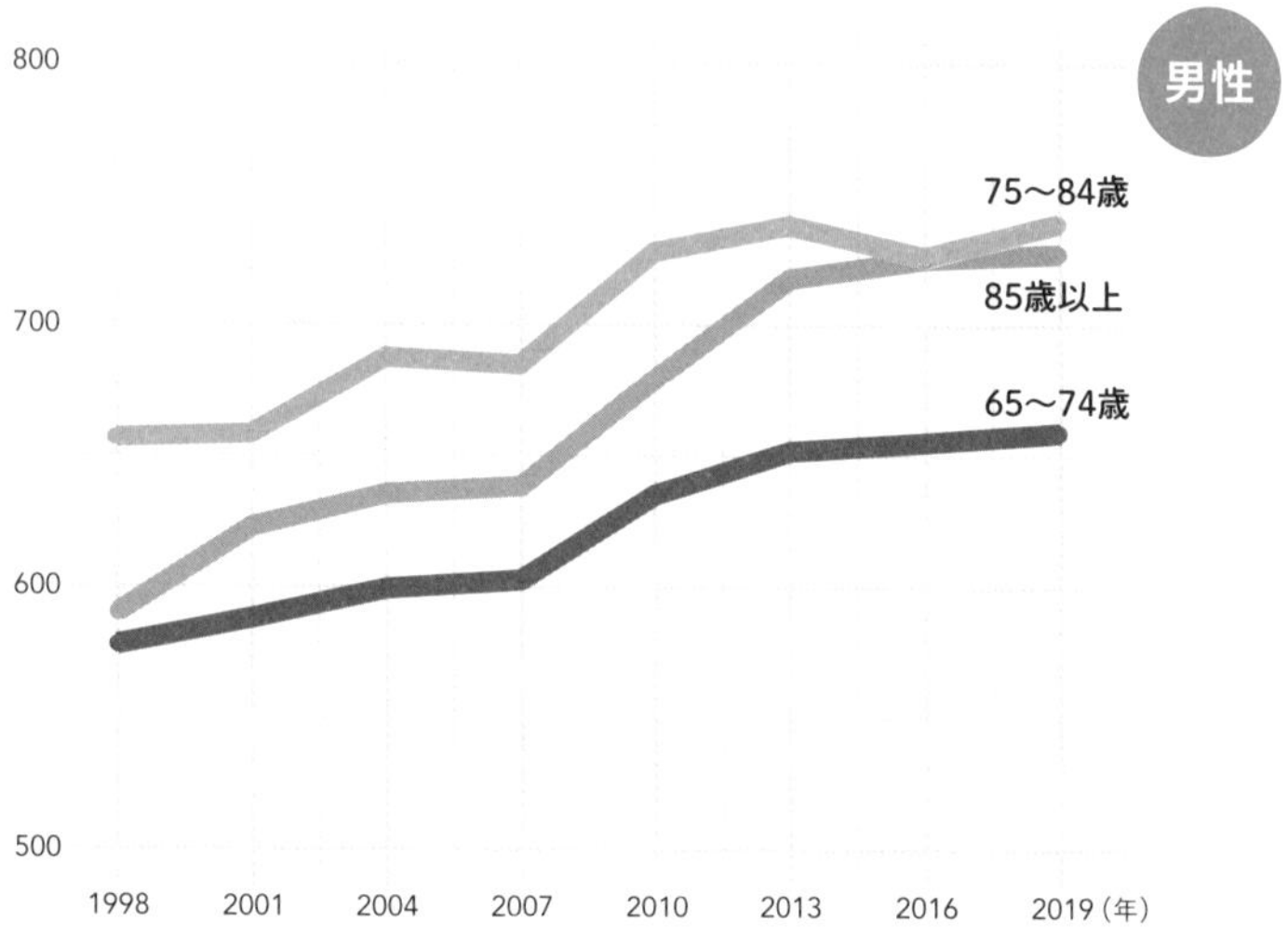

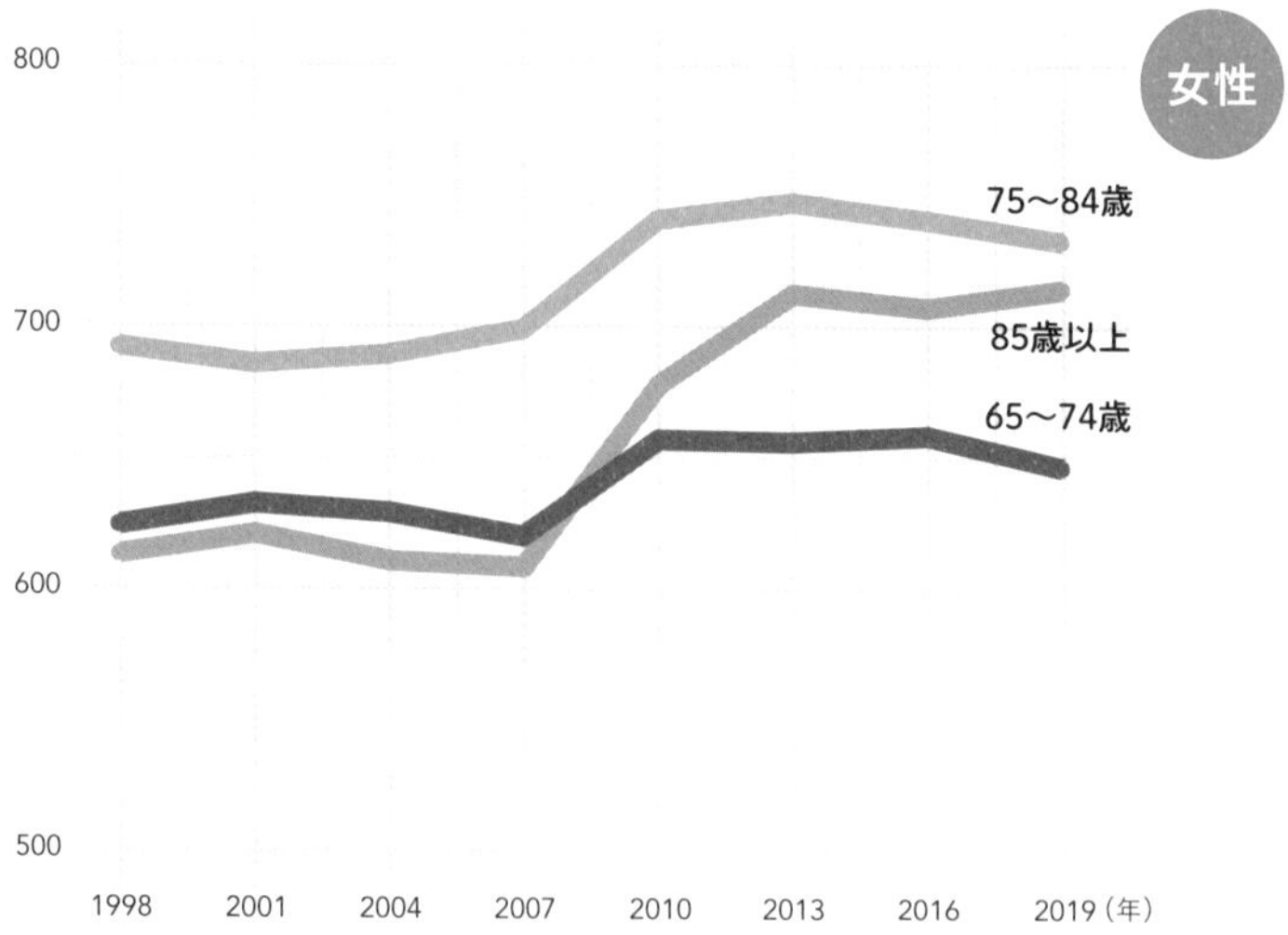

通院率（1000人当たり）
図表56（上）：男性、図表57（下）：女性

たとえば補聴器。以前のものより小型化・軽量化され、聞きやすさもデザインも著しく改良されています。最近ではAIが搭載され、それぞれの人の音の好みに合わせて聞きやすさを実現する製品などが出てきました。

また、装着型の歩行支援ロボットも、さまざまなタイプが開発されています。人が筋肉を動かそうとする時に生じる微弱な生体電位信号を読み取り、意思に沿った動きをサポートしてくれるものなどがあります。これらのロボットの力を借りれば、近所に坂道や階段があっても、散歩が楽しみになりそうです。

さらに、未来型の都市モビリティが街中に整備されれば、小型の自動運転車が家の前まで迎えに来てくれて、近所の買い物などに気楽に行くこともできるでしょう。21世紀に生きる還暦世代は、これらの最新技術を駆使して、長く前向きに生活したいものです。

一方で増加し続ける通院率

先に見たように、有訴率は、長寿化と並行して下がっています。下がっているという意味は、以前の60歳よりも現在の60歳のほうが有訴率は低いということです。このことを、本書では「老化の減速」と表現しました。

しかし一方で、病院に通う人の割合を示す「通院率」は、世代が若くなるほど高まっているのです。つまり、以前の60歳よりもいまの60歳のほうが通院する人が多いのです。不可解な現象です。まずはデータを見てみましょう。

図表56は男性の通院率の変化です。65〜74歳の部分を見ると、明らかに二〇一〇年から増加傾向にあります。つまり、一九三五年生まれの世代が75歳に達したころから通院率が高まっているのです。図表57の女性も、同様の傾向を示しています。

通院は予防のため?

一般的に言って、還暦を過ぎたころから、定期的に通院する人が増えます。60代前半では、男女ともに約6割、70代前半になると約7割の人が通院しています。

通院している傷病名は、女性では「高血圧」「眼の病気」「脂質異常症（高コレステロール血症等）」、男性では「高血圧」「糖尿病」「眼の病気」の順に多くなっています。

男女ともに、「高血圧」がトップになっていますが、これは、年齢とともに血管の弾力が徐々に失われて血液が流れにくくなるので、血液を循環させるために、より高い血圧が必要になるためです。高血圧そのものは目立った自覚症状もなく、直接の死因にもならないので、厚

男性

男性	1位	2位	3位
65〜69	高血圧症	糖尿病	眼の病気
70〜74	高血圧症	糖尿病	腰痛症
75〜79	高血圧症	糖尿病	腰痛症
80〜84	高血圧症	糖尿病	腰痛症
85歳以上	高血圧症	糖尿病	腰痛症
65歳以上	高血圧症	糖尿病	腰痛症

女性

女性	1位	2位	3位
65〜69	高血圧症	脂質異常症	糖尿病
70〜74	高血圧症	糖尿病	脂質異常症
75〜79	高血圧症	腰痛症	糖尿病
80〜84	高血圧症	腰痛症	糖尿病
85歳以上	高血圧症	腰痛症	認知症
65歳以上	高血圧症	腰痛症	糖尿病

主な通院理由
図表58（上）：男性、図表59（下）：女性

生労働省の調査でも、死因の項目に「高血圧」はありません。高血圧を放置すると強い圧力がかけ続けられた血管がもろくなり、脳血管障害から脳卒中、あるいは心疾患、腎不全などの致命的と言っていい病気に発展しやすいということでおそれられているわけです。

脂質異常症は高脂血症とも呼ばれており、血液中の脂質が多くなりすぎる状態を指します。こちらも大きな自覚症状はなく、検査で発見されることがほとんどです。血液中に脂質が増えると、それが血管の内壁に溜まり、動脈硬化、心筋梗塞、脳卒中などにつながるということでおそれられています。糖尿病は血液中の糖分（ブドウ糖）が増えてしまう病気です。これも初期段階では自覚症状がほとんどありません。治療が大変なので致命的な病気と思われがちですが、統計上の死因としては「参考」扱いです。高い血糖値を放置すると血管が傷つき、心臓病や失明、腎不全などを招き得ることからおそれられているのです。

このように、高血圧や脂質異常症（高脂血症）、糖尿病などで通院する人が増えているという現象は、主として血流の健全さを維持して致命的な疾患（脳卒中等）に至ることを食い止めようとする行動と理解されます。そういう意味では、病気の人が増えているというよりは、深刻な病気になることを防ごうとして通院している人が増加している、という言い方ができるのではないでしょうか。自身の健康への関心が高まり、健康診断で血圧やコレステロール値、血糖値を定期的に把握して、医師の指導に従い通院を始める人が増えていると考えられます。

現在の「高血圧」の定義は、日本高血圧学会が示している140/90mmHg以上であり、WHOも同じ値を提示しているので、これは世界標準と言ってよいと思います。かつては、「年齢+90」が目安と言われ、60歳なら150くらいまで正常と考えられていました。一九八七年に、当時の厚生省が示した基準は180／100。当時は、日本人の平均血圧がきわめて高く、基準値も現実的な設定になったようです。

その後に基準値が低く見直されてきた背景には、WHOが基準を示したこともありますが、日本人の平均血圧が低下してきたことがあるということも見逃せません。たとえば、60〜64歳日本人男性の平均血圧は一九六〇年には156でしたが二〇一五年には138まで下がっています。塩分を控える食習慣が根付いたなどの効果と言われます。ただし、基準値が下がる度ごとに高血圧の対象者がぐっと増えるという現象は当然起きます。

■身体は若返っている

いままで見てきたとおり、還暦を超えた年齢での体力年齢は著しく若返っていますし、日常生活に支障を感じるような慢性的な痛みなどを訴える人の比率（有訴率）も低下しています。

そのような加齢による肉体的劣化が減速する現象（長寿化）の総合的な結果として、平均寿命が上がり続けていることを、本書では、データで見てきました。

そうした中で、還暦後の健康面で留意すべき点は、やはり死因に直結する諸要因への対処であり、念頭に置くべきは、がん、心疾患、脳血管疾患、肺炎、腎不全等ということになります。そういう意味で、高血圧や高脂血症、糖尿病などの傾向があれば、通院して加療することは、健康長寿に向けて賢明な行動と言えるでしょう。

とはいえ、これらの症状は「生活習慣病」と呼ばれることからも明らかなとおり、日常生活の注意である程度の予防が可能と考えられます。高血圧の場合は節酒、節煙、肥満の解消、適度な運動、食生活の改善など、毎日の生活習慣を見直すことで抑制が可能とされます。糖尿病の9割以上を占め、中高年からの発症が多いとされる「2型糖尿病」は、肥満との関連性も高く、高脂肪・高カロリーな食事を避けたり食物繊維をとるなど、食事習慣に気をつけ、運動不足を解消することで、予防することができると言われています。

定期的な受診に加え、バランスのよい食事や日々の運動により、身体の自己管理をすることが重要なのでしょう。健康意識の高いこれからの還暦世代は、日常生活の改善により、健康診断の検査値が改善し、通院率が低下する可能性もあると見ています。

行動変容と健康改善

健康のための自己管理の徹底というような話を出すと、意志が弱くてとてもできないとか、本当に効果はあるのかとか、味気ない生活を送るくらいなら短命でもよいから好きなように生きたいなど、人によってさまざまな感情が生まれます。

参考のために、本節の最後に一つの事例を紹介します。

わが国には都道府県別平均寿命や健康寿命のランキングがあります。厚生労働省が定期的に発表しています。その中で、ランキング公表初期段階の一九六〇年代から一貫して平均寿命の最下位県であり続けているのが、青森県です。

さすがに万年最下位は耐え難い、ということで青森県では、岩木市をモデルとして、短命県の汚名返上プロジェクトを開始しました。毎年五月下旬から六月初旬にかけて10日間、20歳以上の岩木地区の住民約1000人を対象に、生活習慣から遺伝子情報まで600項目以上に及ぶ健康診断を行い、結果はすぐに本人にフィードバックして健康指導を継続的に行うという取り組みです。内容的には、高齢者に対しては高血圧や高脂血症、糖尿病の予防にかかわる内容が当然多くなります。研究の結果は県内の健康指導に反映されます。

健康のビッグデータが集まるということもあり、日本各地の大学や企業が参加するプロジェクトになっています。先導するのは弘前大学です。残念ながら、最新版（二〇二〇年）のランキングでも青森県の最下位脱出はなりませんでしたが、一方で、同県の健康寿命は著しく向上しており、別途集計された「平均寿命と健康寿命の差が小さい県」ランキングでは、男性が1位（7・03歳）、女性が4位（10・8歳）となりました。少なくとも生活習慣の積極的な改善によって「健康寿命」が延びることには、エビデンスがあると考えてよいようです。

■本節のまとめ

以上、いろいろと述べてきましたが要点をまとめれば以下のとおりです。

①自覚症状のある「有訴率」は減少傾向。「老化の減速」は明らか。
②一方で60代後半～70代前半では男女ともに6～7割が通院している。
③理由は、男女ともに高血圧、糖尿病、腰痛症。いずれも生活習慣に関連。
④生活習慣を整え先端機器を活用すれば、90歳まで自立の可能性は高まる。

疑問⑥

5人に1人が認知症になるのか？

認知症とは何か

還暦後の人生を考えるうえで、がんと並んで恐怖の対象となるのが認知症です。

認知症とは、「一度獲得された知的機能が、後天的な脳の機能障害によって全般的に低下し、社会生活や日常生活に支障をきたすようになった状態で、それが意識障害のないときにみられる」と定義されています。つまり、それまではできていた日常的な活動が、能力の低下によってできなくなる状態です。認知症そのものは、病気と言うよりは症状を表す言葉であり、そのような症状をもたらす原因となる病としてアルツハイマー病などが挙げられます。

認知症は、症状の過酷なイメージと、その有病率が上昇傾向にあるという情報によって、日本人の老後の脅威の一つとなりました。これから先、考える能力が低下し、認知症になって周囲に迷惑をかけながら長生きするとなれば、それは本意ではない、と考える人は増えています。

■認知症のおそろしいイメージ

認知症はかつて「痴呆《ちほう》症」と呼ばれていました。この言葉には徘徊《はいかい》とか行方不明、排泄《はいせつ》処理の壮絶さなどのイメージが付きまといます。

認知症の症状に関する社会的メージの形成は、文芸作品の影響力も無視してはならないでしょう。一九七二（昭和四七）年に発刊された有吉佐和子《ありよしさわこ》『恍惚《こうこつ》の人』は、84歳の男性老人が重度の認知症になった姿を描いた衝撃的な作品で、アルツハイマーと思《おぼ》しき症状を発症した主人公（?）の老人男性は、妻の遺骨を食べようとしたり、便を畳に塗りたくったりという異常な行動を次々とおこします。

同作品は、翌一九七三（昭和四八）年には映画化され、内容は広く日本中に知れ渡りました。認知症になった男性老人の役は森繁久彌《もりしげひさや》さんが務めましたが、劇中の設定が84歳であるにもかかわらず、当時の森繁さんは60歳。介護する嫁を演じた高峰秀子《たかみねひでこ》さんとの年齢差は、僅か11歳だったという楽屋落ちもあります。認知症のおそろしさと介護の悲惨さを描くこの作品は広く関心を呼び、その後も、一九九〇年（主演：大滝秀治《おおたきしゅうじ》、当時65歳）、一九九九年（主演：小林亜《こばやしあ》

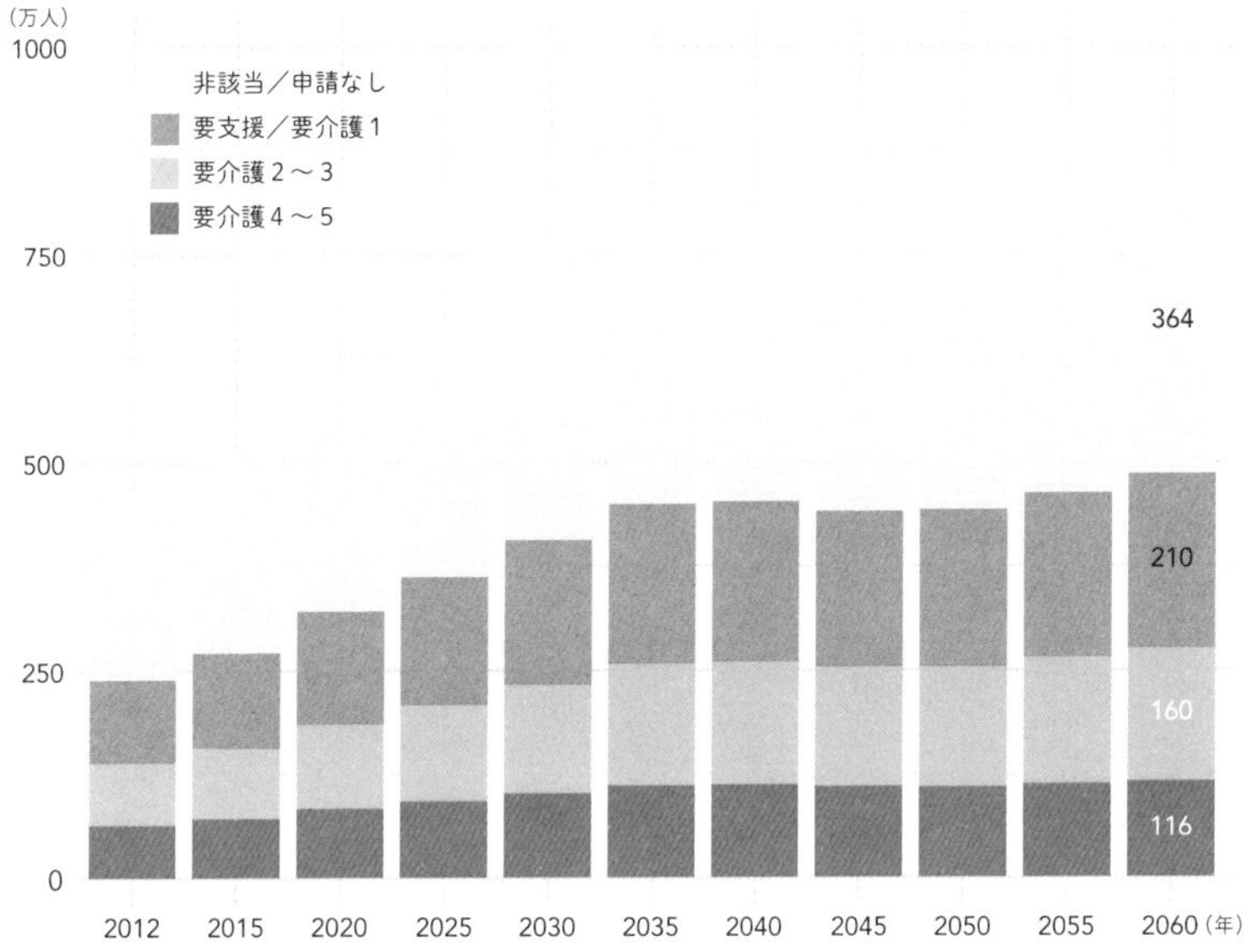

認知症の患者数を統計的に把握することは難しく、将来の推計となると、さらにハードルがあがります。内閣府「平成28年版高齢社会白書」に掲載された「2050年に認知症患者が1千万人を超える」ことを示したグラフは、九州大学の二宮利治教授らが福岡県久山町で行った詳細な研究に基づき、認知症の原因のひとつである糖尿病の有病率が今後上昇すると仮定して全国値を推計したものです。ただし、九州大学の報告書には、先の「高齢社会白書」では省略された認知症の程度別内訳や、糖尿病の有病率を一定と仮定した推計結果も示されています。ここに引用したグラフは、その報告書に掲載されていた、有病率一定と仮定した推計です。

図表60：65歳以上の認知症患者の推定数（有病率一定のケース）

認知症高齢者の生活自立度は5段階で評価される

ランク	判定基準	見られる症状・行動の例
I	何らかの認知症を有するが、日常生活は家庭内及び社会的にほぼ自立している。	
II	日常生活に支障を来すような症状・行動や意志疎通の困難さが多少見られても、誰かが注意していれば自立できる。	
II a	家庭外で上記IIの状態が見られる。	たびたび道に迷うとか、買い物や事務、金銭管理などそれまでできたことにミスが目立つ等
II b	家庭内でも上記IIの状態が見られる。	服薬管理ができない、電話の対応や訪問者との対応など一人で留守番ができない等
III	日常生活に支障を来すような症状・行動や意志疎通の困難さがときどき見られ、介護を必要とする。	
III a	日中を中心として上記IIIの状態が見られる。	着替え、食事、排便・排尿が上手にできない・時間がかかる、やたらに物を口に入れる、物を拾い集める、徘徊、失禁、大声・奇声を上げる、火の不始末、不潔行為、性的異常行為等
III b	夜間を中心として上記IIIの状態が見られる。	ランクIII aに同じ
IV	日常生活に支障を来すような症状・行動や意志疎通の困難さが頻繁に見られ、常に介護を必要とする。	ランクIIIに同じ
M	著しい精神症状や問題行動あるいは重篤な身体疾患が見られ、専門医療を必要とする。	せん妄、妄想、興奮、自傷・他害等の精神症状や精神症状に起因する問題行動が継続する状態等

図表61：認知症高齢者の日常生活自立度

星《せい》、当時67歳）、二〇〇六年（主演：三國《みくに》連《れん》太郎《たろう》、当時83歳）と、3度もTVドラマ化されています。

5人に1人が認知症になる？

恐怖のもう一つの要因は、認知症の患者数が今後大幅に増えるという予測の情報が拡散していることです。平成二九年版「高齢社会白書」（厚生労働省）は、二〇一二年（平成二四年）の認知症患者数は462万人であり、二〇二〇年（令和二年）には631万人、二〇六〇年（令和四二年）には１１５４万人になるとの予測を掲載しました。１０００万人を超える国民が認知症になるという予測を、政府の白書が掲載したことの衝撃はきわめて大きく、還暦を迎えた世代に恐怖感を与えるのに、十分すぎるインパクトでした。

このような患者数増大の情報が、先に触れた『恍惚の人』の悲惨な状態像と重なり合えば、近未来には数百万人の高齢者が正常な思考能力を失い、徘徊し行方不明になるというような悪夢が描かれかねません。

自分にもその可能性がある、実際に自分が認知症になってしまったらどうしようという不安も、こうした負のイメージの合成から導かれます。そういう意味で、認知症の真の姿（何割の人が罹患するのか、その時の症状はどうなのか等）を知るということはいまの時代において、ひじょうに重要なことだと考えられます。

■認知症の症状には大きな幅がある

実際には認知症の程度には幅の広い軽重があり、重度の認知症ならば介護が必要になりますが、軽度の認知症であれば、ほぼ問題なく日常生活を送ることができます。認知症の問題が分かりにくいのは、この振れ幅がひじょうに大きいことも原因です。厚生労働省の予測では、二〇二〇年には600万人を超える認知症患者がいることになりますが、そのすべてが重度であったら、いまごろ社会は大変なことになっているでしょう。

■認知症の重さは5段階で評価される

認知症の重篤度は、日常生活自立度という観点から評価されます。図表61がその内容です。もっとも軽いのがランクⅠで、何らかの認知症を有するが、日常生活は家庭内でも社会的にもほぼ自立している状態です。ランクⅡはそれより少し重くて「たびたび道に迷う」「服薬管理ができない」などが見られるものの、「誰かが注意していれば自立できる」という、いわばある程度の見守りがあれば自立した生活が送れる状態です。

ランクⅢからは、着替えや食事、排便等が上手にできなかったり時間がかかる、また、徘徊や失禁も見られるため、介護が必要となる状態です。私たちが心配するのは、このランクⅢ以上になることと言ってよいでしょう。ランクⅣ以上は、こうした症状がさらに重くなった状態を指します。

還暦後の人生を考えるうえで知りたいのは、認知症になるのは仕方がないにしても、ランクⅢ以上になる確率はどのくらいあるのか、そのように重篤な認知症になることを予防するにはどうしたらよいのか等であると考えます。

重篤な認知症患者は多くない

図表61に示した認知症高齢者の日常生活自立度の区分は、介護保険制度の導入（二〇〇〇年）以降は、要介護認定調査の際に把握されていますが、その項目に関する集計結果が活用される場面が少なくなってきている傾向があります。政府による全国調査や統計も行われていません。そこで参考になるのが、自治体の独自調査です。本書では、最大の自治体である東京都の最新

介護が必要になるのは80代後半〜90代

女性

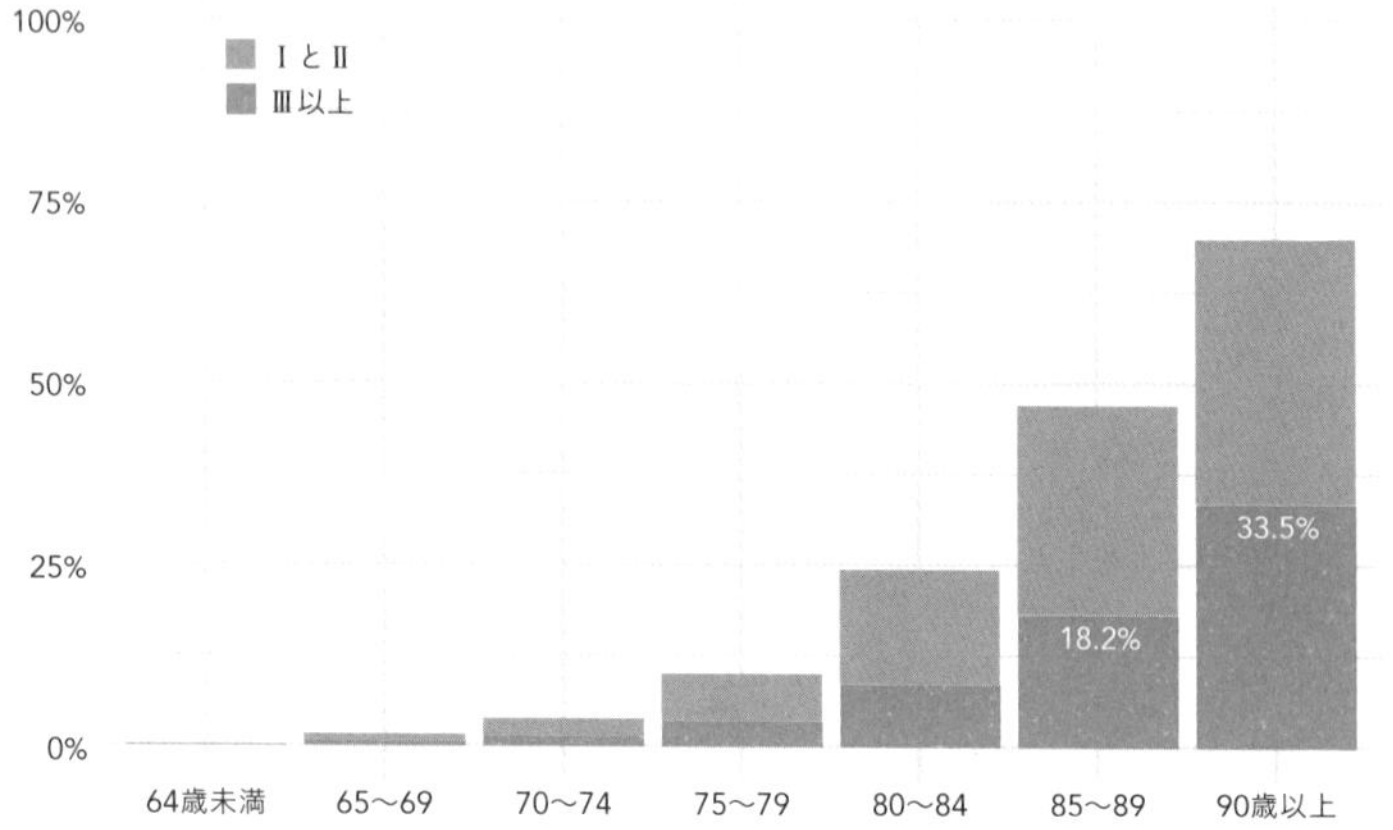

男性

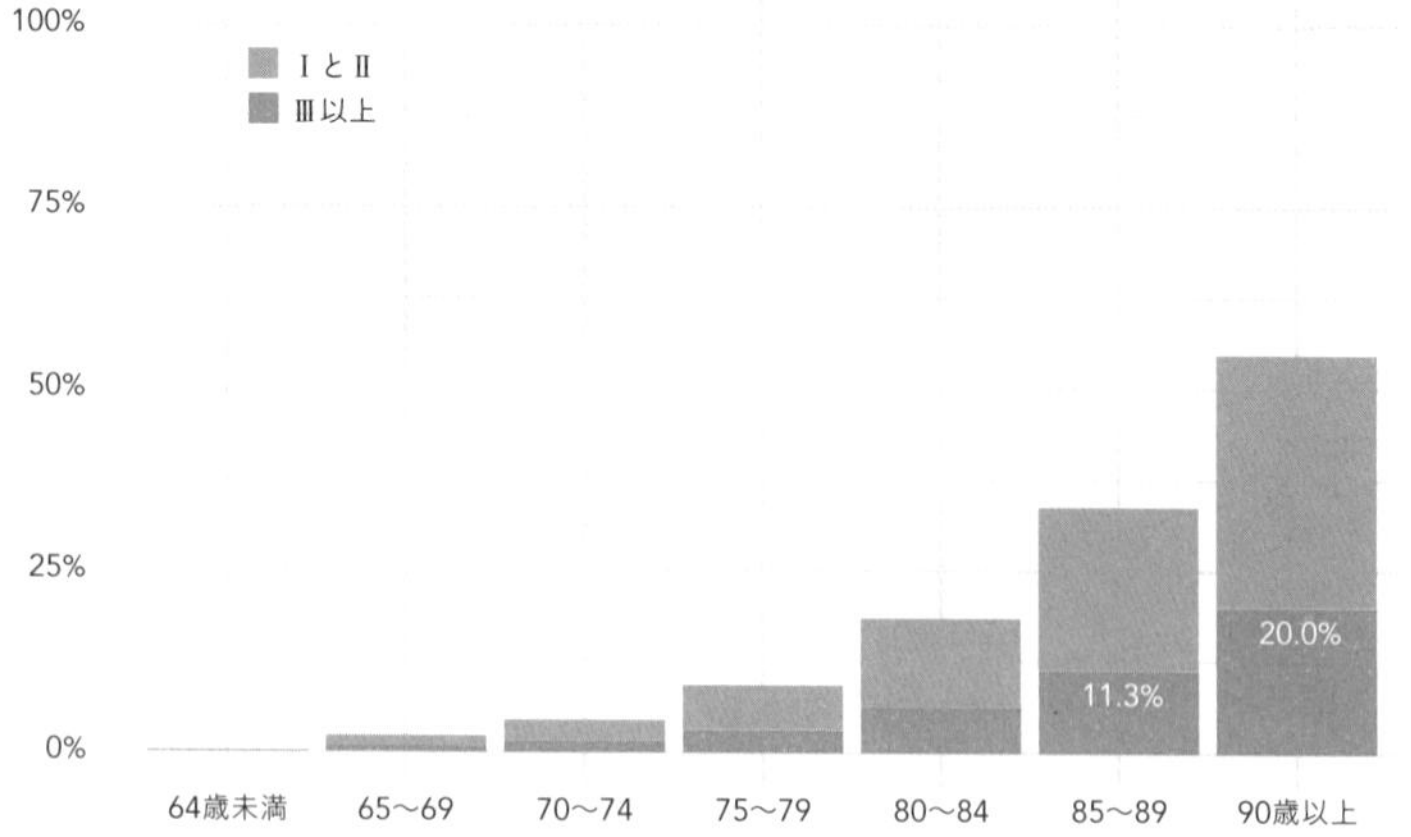

要支援・要介護認定者の自立度（東京都、2019年）
図表62（上）：女性、図表63（下）：男性

の調査結果に基づいて見ていきます。

東京都は、3年周期で認知症患者の状況を調査し、報告しています。令和元（二〇一九）年度に行われた調査では、東京都内に65歳以上の高齢者が310万人存在し、そのうち要支援・要介護認定者は約60万人いるとしています。そして、この要支援・要介護認定者に関して認知症高齢者の自立度の構成比を把握しています。

その調査結果によれば、たとえば、女性90歳以上で要支援・要介護認定は78・0％、うち自立度Ⅲ以上（Ⅲ、Ⅳ、M）は43・0％でした。単純にかけ合わせれば、90歳以上で東京都に居住する女性で介護が必要なほど認知症が進んだ人の構成比は、0・780×0・430で33・5％、すなわち3人に1人強となります。同様にして、年齢区分別に要支援・要介護の認定を受けた人に関して、認知症高齢者の日常生活自立度の各ランクの比率をグラフ化しました。図表62、63を見てください。

東京都の高齢者で介護が必要となるほどの認知症の発症は、女性の場合80代後半から90代にかけて3〜5人に1人、男性の場合は5〜10人に1人前後となります。常に介護が必要となるランクⅣ以上は、80代後半の女性で18・2％（5人に1人弱）、男性は11・1％（10人に1人強）です。90歳以上は、集計の関係で100歳以上まで含まれていますから数値は高くなりますが、女性は先述のとおり33・5％（3人に1人）、男性は20・0％（5人に1人）です。

前掲の認知症患者が1千万人を超えるという「高齢社会白書」の記述は、九州大学の二宮利《にのみやとし》治《はる》教授らによる研究に基づくものですが、論文では、二〇一二年以降に認知症有病率が上昇した場合に患者の総数は1千万人を超えると予測しつつ、その内訳では、要介護2以上の重篤な状態となる人は376万人と、およそ3分の1にとどまるとしています。また、並行して有病率が二〇一二年以降一定としたケースでは、二〇六〇年の総数は850万人、要介護2以上は276万人とされています。つまり、今後増加するのは主として要介護1以下の、軽度の認知症患者ということになります。

いまの還暦世代が90歳に到達する確率はかなり高いのですが、90歳になった時に介護が必要になるほどの認知症有病率が女性3割、男性2割という見通しからは、やはり何らかの改善が必要と考えられます。逆に言えば、男女とも、80代後半以降でも7〜8割は、認知症の症状が出たとしても自立的に生活ができるということなのですが。

認知症には生活習慣病の側面がある

いまの還暦世代は、80代以降の認知症の発症予防に気を付ける必要があります。一口に認知症と言っても、その原因や程度はさまざまです。認知症の7割はアルツハイマー型認知症と呼ばれる疾患で、次いで多いのは脳梗塞等が原因となる脳血管性認知症、そしてレビー小体型認知症です。近年、日本国内では認知症患者の増加が指摘されていますが、厚生労働省の統計によれば、増加しているのは専《もっぱ》らアルツハイマー型です。

アルツハイマー型の認知症発症率が肥満、飲酒、糖尿病、脂質異常症、運動不足などと関係があることは、多くの研究で指摘されているところです。つまり、アルツハイマー型認知症には、生活習慣病としての側面があることになります。

■欧米では有病率や発症率低下の報告も

それでは、生活習慣を改善すればアルツハイマー型認知症の発症を抑えることができるのでしょうか。

近年の認知症研究では、認知症有病率（病気に罹っている人の比率）や発症率（新たに病気に罹った人の比率）の低下が、しばしば報告されるようになってきました。たとえば、イギリスの65歳以上を対象に一九八九～一九九四年と二〇〇八～二〇一一年の二つの時期を比較した調査研究では、認知症の有病率が8・3%から6・5%に低下しました。米国やドイツでも、同様に、近年の認知症有病率の低下が報告されています。また、アメリカで、一九七〇年代から二〇一〇年代まで行われた調査研究では、60歳以上の認知症発症率が30年間で44%低下したとされています。オランダでも、認知症発症率の低下が報告されています。一方で、スウェーデンでは、一九八〇年代以降に発症率が低下した可能性はあるが有病率は下がっていないという研究もあるなど、全世界的に明らかに認知症が減っていると断言できるのは、まだもう少し先のことのようです。

認知症の発症率や有病率の低下を報告した上記の諸外国の研究では、その原因に関して、だいたいは生活習慣の改善効果を挙げています。

日本の有病率にも低下の兆しが

諸外国では、認知症の発症率や有病率の低下傾向が論文で報告されるようになってきました。それでは、日本の状況はどうなのでしょうか。

じつは、認知症の患者数を把握することは容易ではありません。さまざまな疾病の患者数を明らかにする厚生労働省「患者調査」には、アルツハイマー病の患者数が、入院5万人、外来4万人と記載されています（二〇二一年）。ひじょうに少なく感じられますが、推計患者数とは、調査当日に受療した患者数に限った数値であり、受療していない認知症の人はカウントされていません。つまり、認知症を患った人の数を的確に把握する統計は存在しないので、何らかの方法で推計するしかないのです。

そのような中で、二〇二二年の六月に、国立研究開発法人国立長寿医療研究センターが、近年の日本人高齢者の認知機能が向上している可能性を示す、たいへん興味深い研究成果を発表しました。

認知症は認知機能の障害であり、その把握はある種のテストによって行われます。国際的に活用されているテスト方法（ＭＭＳＥといいます）の日本での結果を見れば、二〇一〇年から二〇一七年にかけて認知機能障害が疑われる低得点者の比率が減り、認知機能が良好な高齢者の比率が高まっているというのです。

本書では、これまでに、日本人の寿命は著しく延びており、それは老化してから長い期間を過ごすのではなく、老化そのものが減速しているということを見てきました。外見も肉体年齢も、たとえば30年前の60歳といまの60歳は大きく異なり、いまの高齢者は若返っています。そうしたことから考えても、高齢者の認知機能が向上している可能性は、十分にあるのではないかと考えられます。

認知機能は60代以上のすべての年代で向上

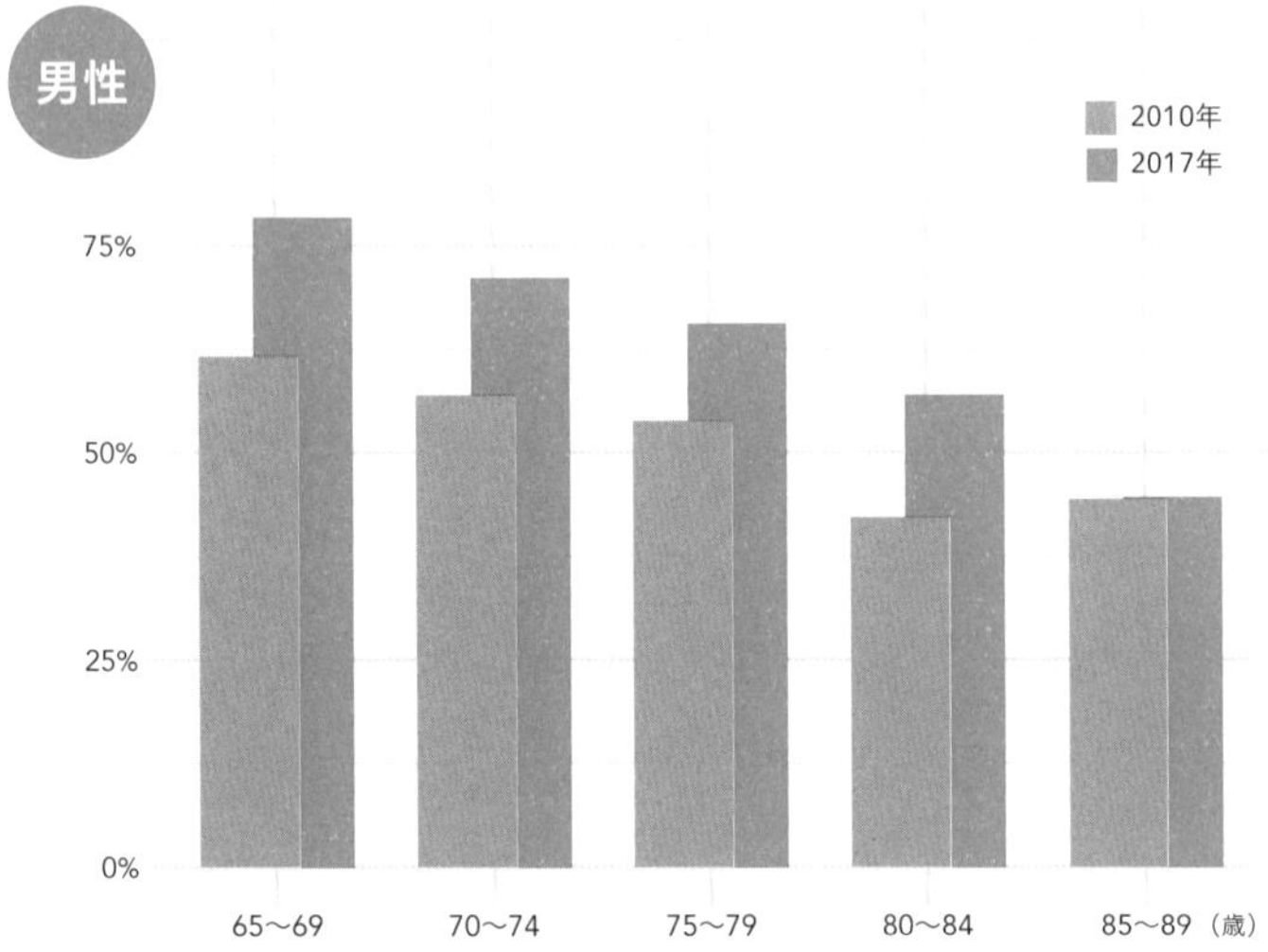

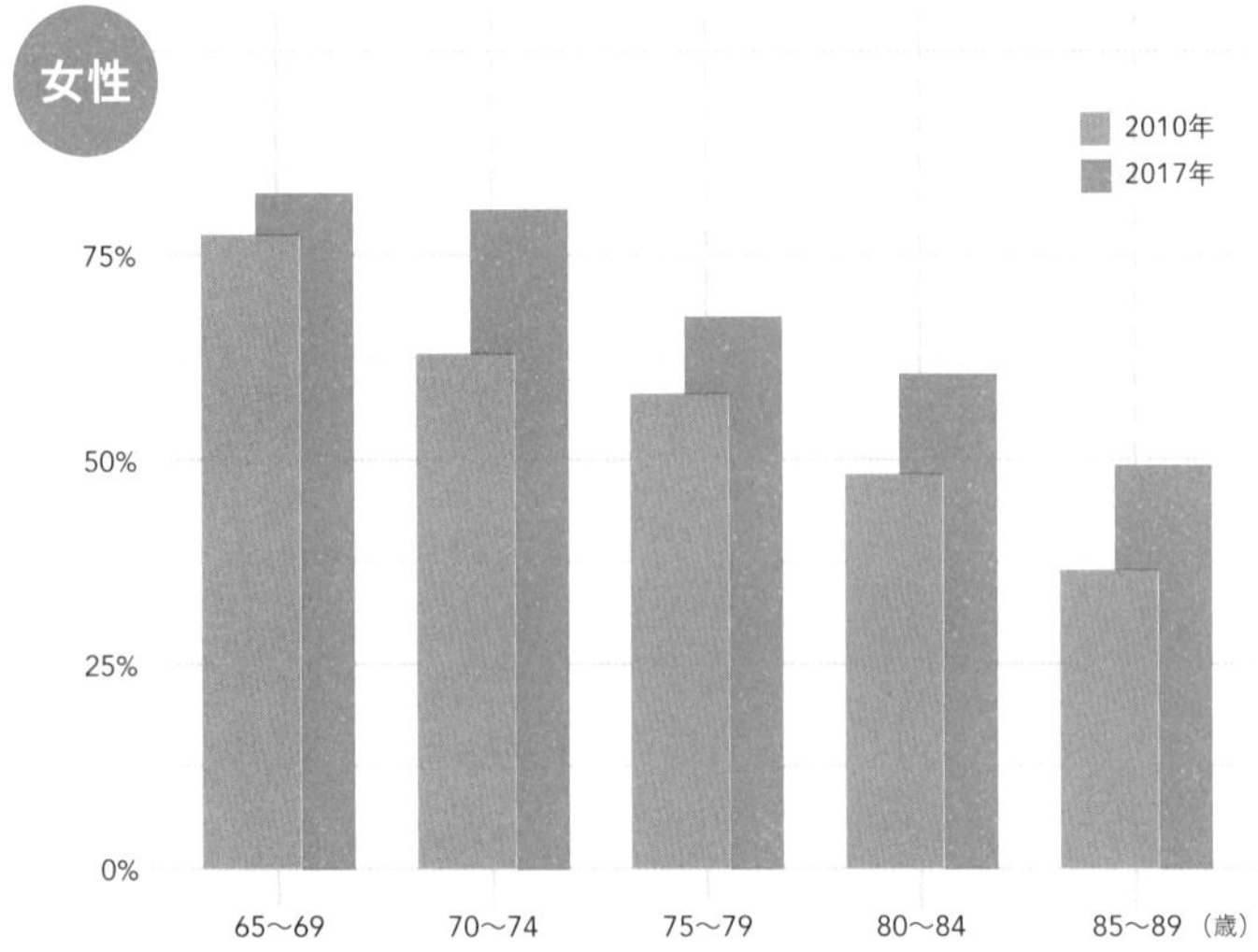

認知機能が良好な者の割合（MMSE 28点以上）
図表64（上）：男性、図表65（下）：女性

日本の有病率の更なる低下に向けて

このように、世界的に認知症の有病率は低下しているという報告が増えてきており、日本でも高齢者の認知機能が向上してきた可能性が報告されています。その原因は、おそらく多岐にわたりますが、本書で先に触れた高齢者全般の体力年齢の向上や、生活習慣の改善が寄与しているのではないでしょうか。

先に見たとおり、70代で認知症になる確率はかなり低いものです。問題は80代、とりわけ80代後半以降であり、この時期に認知症になることを防ぐ、あるいは認知症に罹る時期を遅らせるためには、やはり認知症を生活習慣と関連のある病気だと捉えて、それを回避するような生活を、60代から送ることが重要と考えられます。

WHOは、二〇一九年に認知症予防のためのガイドラインを公開しました。このガイドラインでは最新の研究成果に基づいて、認知症予防のために有効であると科学的に推奨される取り組みを紹介しています。それによると、運動不足、不健康な食事、喫煙、アルコール摂取などの生活習慣や、高血圧、糖尿病などの疾病が認知症の発症と関連していることが分かってきています。

介入の項目	対象	具体的内容	推奨度
身体活動	認知機能正常の成人		強く推奨
	軽度認知障害の成人		条件付き推奨
禁煙	喫煙している成人		強く推奨
食事（栄養）	認知機能正常または軽度認知障害の成人	地中海食	条件付き推奨
	すべての成人	健康なバランスのとれた食事	強く推奨
		ビタミンB・E、多価不飽和脂肪酸、複合サプリメント	しないことを強く推奨
過度な飲酒を控える	認知機能正常または軽度認知障害の成人		条件付き推奨
認知トレーニング	認知機能正常または軽度認知障害の高齢者		条件付き推奨
社会活動		社会的なかかわりの維持	一生を通じての支援
体重管理	中年期の過体重、または肥満		条件付き推奨
高血圧の管理	高血圧のある成人	現行のWHOガイドライン基準に従う	強く推奨
	高血圧のある成人		条件付き推奨
糖尿病の管理	糖尿病のある成人	現行のWHOガイドライン基準に従う	強く推奨
	糖尿病患者		条件付き推奨

図表66：WHO ガイドラインによる認知症予防のための項目

どの項目も、誰でも簡単に取り組めそうなものばかりです。このWHOのガイドラインを見ると、認知症予防でも、結局は心身の健康を保つ習慣が重要なようです。

■本節のまとめ

以上、いろいろと述べてきましたが要点をまとめれば以下のとおりです。

①認知症は80代から有病率が増加し、90歳で女性6割、男性4割強となる。
②しかし、日常的に介護が必要となる重度の症状は、その3割程度。
③健康管理の進展等で、諸外国でも日本でも、有病率低下や認知機能向上の報告が出てきている。
④80代以降の発症防止には、早期からの生活習慣改善が効果的と考えられる。

疑問⑦ 知能がどんどん衰えてしまうのではないか？

■ 歳をとると頭が悪くなる？

歳をとってくると、周囲の若い人たちに「ついていけない」感覚を持つ瞬間が出てくることがあります。最近の多くのシニアには、新しい電子機器を手にした若い人が取扱説明書などには目もくれず、あれこれいじりながら操作方法を瞬時に身につけていく姿が、まぶしく見えるのではないでしょうか。中高生が1年に何百という漢字や英単語を覚えたり、新入社員が、1年もすると、それなりの仕事をこなしたりする吸収力を見ると、もう自分にはこんなことはできないと感じる還暦世代もいるでしょう。

ノーベル賞の授賞対象が30代など若いころの業績であるといった報道も目にします。ハイティーンだった藤井聡太《ふじいそうた》棋士が、並居る年輩《ねんぱい》の棋士を打ち破る姿を見ても、頭の回転は若いほどよいのだろうと思わされます。それに引き換え自分は、昨晩のおかずさえ容易に思い出せないこともある、などと考えたりします。

しかし、落ち着いて考えれば、中高生や新入社員の勉強や仕事を見た還暦世代が、「分かってないな」「こうすればよいのに」と感じることも多々あるはずです。勉強や仕事だけではなく、スポーツでも料理でも音楽でも何らかの事務手続きでも、初心者は習得スピードこそ速いものの、当初は試行錯誤の連続であり、その過程を「すでに通ってきた」身から見れば、穴だらけ、間違いだらけです。逆に言えば、「もう知っている」ということが、若い人たちに対するシニアのアドバンテージと言える面は確実にあります。

知性・知能とは何か

一般論として、歳をとると思考能力が衰えてくるという説はありますが、実際には、どんなに高齢でも頭脳明晰さを失わない人は多くいます。一方で、情報機器操作のように、若い人が明らかに得意とする分野もある。つまり、頭のよさというか柔軟性というか、あるいは知性や知能には、さまざまな面があることになります。その中のどれが加齢により衰えるのか、あるいは逆に伸ばしていけるものなのか、という議論こそ、還暦後の人生を考えるうえで重要です。

知能を測る

本節で扱おうとしている「頭の回転」「知性」と呼べる人間の知的活動の能力については、それを計測するために、さまざまな工夫がなされてきました。「知能テスト」「ＩＱテスト」などがその代表例です。それらの多くは「知能」を「合理的に考えて目的に適った行動をする能力」と定義し、計算能力や図形処理能力のような数や図形にかかわる能力、言葉を操る能力や理解力のような言語に関する能力、推理力や判断力のような意思決定にかかわる能力、創造力のような新しいものを生み出す能力などに分類してテストします。

「結晶性知能」は衰えない

そんな知能テストの結果例の一つをご紹介します。知能を「推論」「空間認知」「知覚速度」「数的処理」などの六つの項目で測るものです。同じ集団に継続的にこのテストを行い、その集団の知能が加齢によりどのように変化するのかを見ると、「言語理解」という項目は、他の項目とまったく異なり、60代後半でピークを迎え、80歳まで維持された後に下降していくことが分かりました。他の類似研究でも、「語彙」という項目が80代まで衰えないことが明らかにされています。

この80歳まで衰えない「語彙」や「言語理解」は、経験を活かしながら向上していくもので、知能の重要な構成要素とされています。長い時間をかけて積み重なるように形成されていくという意味で、「結晶性知能」と呼ばれます。結晶性知能は、言語能力、理解力、洞察力を含むものと考えられています。蓄積した学習や経験を活かす能力であり、学校での教育だけでなく、日常生活や仕事上の経験などとの関連性が強いとされます。

一方で、計算能力や図形処理能力など処理の速度や正確性、すなわち「頭の回転の速さ」は「流動性知能」と呼ばれます。流動性知能は、比較的若いころに発揮される能力で、新しい状況や未知の問題に対して柔軟に対応する能力と言われます。いわば、一種の処理能力です。

これらを平たく言えば、電子機器の操作法習得（流動性知能）では若い人には敵わないが、気の利いた言い回し（結晶性知能）は若い人よりよく知っているというような対比ができるでしょう。

流動性知能は、先天的に決まる部分がありますが、結晶性知能は、基本的には後天的に獲得されるもので、才能の有無はあまり関係ないと言われています。還暦を過ぎたら頭の回転の速さは鈍っていくとしても、これまでの経験を活かした判断や洞察の力は衰えません。これも立派な知能であり、昔から長寿者が社会から頼られてきた要因でもあります。

加齢と知性の関係は未開拓分野

知能には大きく分けて「結晶性知能」と「流動性知能」があり、前者は歳をとっても衰えにくいという話は、すでにずいぶん知られてきました。ただし、そのような研究は、すでに30年ほど前のものであることも事実です。それらは一九〇〇年前後、日本で言えば明治・大正時代に生まれた人たちの中で70代、80代までかろうじて生存した少数の長寿者たちを対象とした高齢者研究でした。本書で見てきたように、この数十年で長寿化、とりわけ老化の減速が著しく進みました。30年前の高齢者像は、これからの高齢者像とはずいぶん違っているはずです。

いまや、同世代の半数が90歳以上まで生きる時代となりました。平均寿命が70歳台だったころの高齢者研究とは、同じ分析をしても、結論が大きく異なってくる可能性が高まっています。いわば、90歳まで生きるのが当たり前の時代における加齢と知性の関係は、分かっていることが多くない未開拓の領域なのです。このため、近年、従来の通説を覆すような研究成果が次々と報告されています。私たちは、これまでに行われてきた「高齢者と知性」の分析結果に過度にとらわれることなく、いま目の前で展開している新たな状況の分析にこそ注目すべきです。

そんな観点から、以下では、いくつかのポジティブな研究成果をご紹介したいと思います。

高齢者の知力は心的制約を受けている

聖心女子大の高橋雅延《たかはしまさのぶ》教授は、円周率を十万桁まで暗唱している70代の日本人男性の研究を通じて、意味記憶の驚異について発信されています。10万桁の数字を暗記することがどういうことかと言うと、口に出して言うだけで11時間半かかり、その間に、お手洗い休憩を2、3度挟みます。

10万桁を暗記することは、たんに数字を頭に入れ込む作業ではできません。何らかの工夫があるはずです。このような仮説に基づく研究で明らかになってきたのは、意味記憶の重要性とマインドセットの効果ということです。

意味記憶とは、たんなる暗記ではなく、そこに意味を見出して記憶していくことです。高橋教授の挙げた例を紹介します。たとえば、「ダチョウの卵をゆで卵にするには60分かかる」というようなトリビアをいくつも暗記してもらうテストを考えてください。それをたんなる暗記テストだと説明すると若い世代のほうがよく記憶するのに、「豆知識をいろいろ聞いてくださ い」という前振りをするだけで、シニア世代と若い世代との記憶力の差がなくなるというの

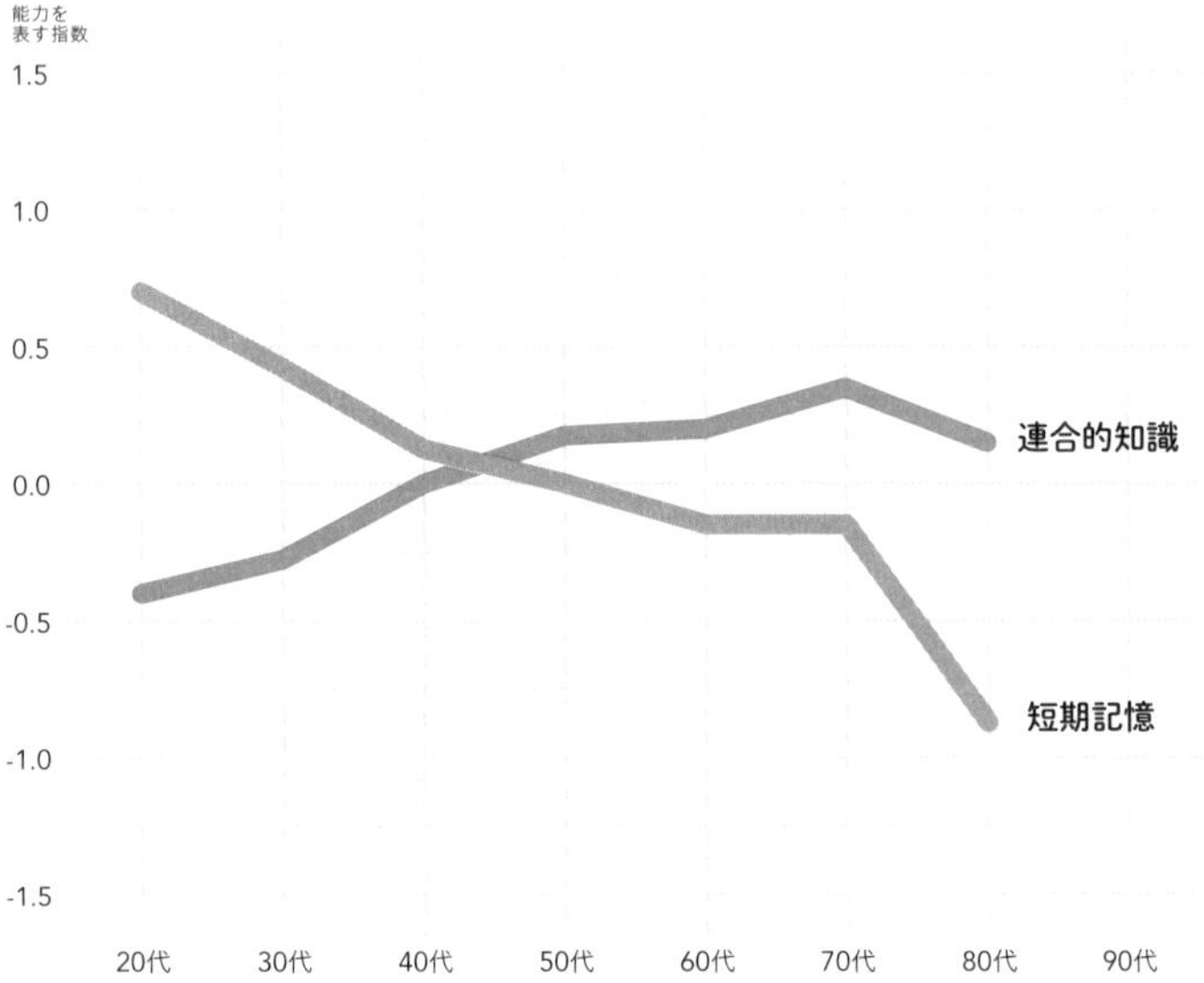

連合的知識とは、言葉や連想を駆使して相乗作用で記憶した知識及びそのような記憶を行う能力のこと。円周率を「身一つ世一つ……」と覚えるなどもそれにあたる。歴史の年号なども丸暗記の能力は加齢により衰えるが、歴史上の出来事の関連性などを踏まえて年代を記憶する能力は生涯を通して伸び続けることが示唆される。

図表67：衰えない連合的知識

です。

このことから、「記憶力を試されている」「若い世代よりも高齢者のほうが記憶力が悪いに違いない」という予見や心理的な制約が結果に影響を及ぼすのではないかという仮説が成り立つわけです。高橋教授は、日本人は陸上競技の100メートル競走で10秒を切れないというイメージがずっとあった。しかし、1人が10秒を切ったら、次々と9秒台を出す選手が現れた。そういう効果が、じつはあるのではないかと述べられています。

ちなみに、高橋教授は、意味記憶のメカニズムについて、数字だけを記憶するのではなく、ほかのさまざまな要素と組み合わせて記憶力を増強する仕組みという意味で、この能力を「連合的知識」と呼んでいます。

南カリフォルニア大学の研究では、言語やイメージ、思考、記憶、五感を司るそれぞれの脳部位は、老いて個々の機能が低下してくると、かえって機能部位間の連携がよくなることが報告されています。そうすると「ひらめき」も起こりやすくなるそうです。数字を記憶する能力が衰えれば、それを補完するさまざまな機能が連携して惹起され、結果的に記憶能力やひらめきも開花するとなれば、画期的なことではないでしょうか。

■高齢者ほど操作ミスが少ない

立命館大学の土田宣明《つちだのりあき》教授の研究では、自動車の運転で、ブレーキとアクセルを踏み違える事象について考察されています。このようなミスは、あらゆる世代で起こりうることですが、原因は若者と高齢者で明らかな違いがあります。大学生は視覚的誘導に伴うミスが多く、高齢者の場合は、運動性の神経興奮や聴覚刺激の影響での誤動作が多かったということです。分かりやすくいえば、若者の場合は、目に入る情報（思わぬ方向から人が来た等）がミスを誘発し、高齢者の場合は、自分自身が焦ってしまったりノイズ音が起きたりすることがミスの原因になりやすいということです。そして、もっとも重要なことは、こうした要因の違いを除去して、たんに加齢とミスとの関係だけを見れば、まったく影響はない。つまり、加齢したからミスが増えるとは言えないという結論になったということです。

さらに、土田教授は、赤いランプが付いたらGoのスイッチ、青いランプが付いたらNo-Goのスイッチを押すというルールでランプ点灯への反応を見るテストでは、高齢者のほうが（反応時間は遅いが）、むしろエラーが少ないという研究結果を紹介しています。高齢化すれば一部の能力が低下することはある。しかし反面、それを補償しようとして他の機能が活性化し、また結びつくことによって、以前よりも優れた能力を発揮することがあるということです。そのことを説明するうえで、高齢者においては前頭葉（脳の一部で、思考活動の重要な機能を持つと言われる）の左右の連動が活発になることを紹介しています。

日本だけでなく海外でも、近年は高齢者の能力の再評価につながるような研究成果が報告されるようになりました。米国ワシントン大学の50年にわたる調査では、被験者の15％は高齢になってからのほうが若いときより記憶力が優れていたと報告されています。

米国ジョージタウン大学医療センターは、二〇二一年に公表した研究成果で、ある状況下で重要なものに集中することを可能にする二つの重要な脳機能が、高齢者でも実際に向上することが判明したと報告しました。ポルトガルのリスボン大学も同様の成果を発表しています。

知恵に性差・年齢差はない

慶應義塾大学の高山緑《たかやまみどり》教授の研究では、測定対象を「知能」ではなく、「知恵」という観点から加齢の影響を把握しようとしています。知恵とは、「知識が豊かであること」「選択・戦術・方法に対して豊かな経験や知識があること」「それを俯瞰的にみる視点があること」「不確実なものに対しても寛容にそれを受け入れて、それに対して取り組むことができる能力」と定義され、いくつかの視点から、問題解決のために知恵がどの程度機能するのかを調査していま す。そして、その結果、年齢で見ても性別で見ても、有意な違いはなかった、と結論づけてい ます。知恵の有無に影響を与える要因は、パーソナリティ、異世代との交流、知的好奇心、そ して、動機の強さだそうです。

高山教授によれば、どんな形であれ、社会活動にかかわることが、加齢しても認知機能を高める効果が大きいということです。これは、小さくてもイレギュラーな事態が常に起こり得る状況に身を置くことで、前頭葉の左右脳が刺激され、補強しあって知恵を出すという、これまでの議論と整合的であるように思われます。

精神科医の和田秀樹《わだひでき》氏は、前頭葉の老化を防止するためには、日常の中で想定外の出来事に対応することが重要との指摘をしています。パターン化された日常生活の中では、知力は衰えるばかりということでしょう。

知力と意欲

本書では、できる限りデータに基づいて「60歳以降の身体と心のありえる姿」を描き出そうとしてきました。その結果、本節で扱ったような、知性や知能に関しても、体力や病気予防と同様に、「意志」のかかわる部分がひじょうに大きい可能性が高まってきたと思われます。

従来の知能の分析では、加齢によって数的処理などの流動性知能は衰弱しますが、言語能力など結晶性知能はなかなか衰えないですよ、という程度のことしか分かっていませんでした。しかし、その後の研究の発展を参照すれば、丸暗記はできなくなりますが、意味づけて記憶できれば若者をしのぐ記憶能力を発揮でき、脳の一部は機能劣化しますが、補償的な作用が生じ、脳の他の部分が連合することにより大きな能力を発揮できるようになる、知能ではなく知恵を指標にすれば、加齢とは無関係に能力を向上させられる可能性があるなど、さまざまにポジティブな分析結果が出てきている状況です。

本書なりにこれらの研究動向を考察すれば、知能とか知性、あるいは知恵というものは、どうやら「能力」と「意志」の掛け算のように思われます。

能力については、一部の機能が劣化しても他の機能がそれを補償するらしいことは分かってきました。一方で、その能力を発揮するためにはやはり、それを志向する（やってみようとする）「意志」が必要です。強い意志というよりは、高橋教授の研究事例にあったように「歳をとったから頭脳は劣化しても仕方がない」というような思い込みを取り払うような意味での「意志」です。日本人に100メートルで10秒は切れないと思っている限り9秒台は出せないということと同じです。

「まだまだこれから」という意識があれば、還暦後の知性は思わぬ発展を見せるのではないでしょうか。

■本節のまとめ

以上、いろいろと述べてきましたが要点をまとめれば以下のとおりです。

①従来から加齢により衰退する知力と維持される知力があると分析されている。
②維持されるのは言語能力などであり、「結晶性知能」と呼ばれた。
③近年の研究では、加齢で衰える知力は限定的と示唆するものが増えている。
④一部機能が衰えても他の機能がそれを補完し、高い能力を発揮しうるとの仮説が有力。
⑤能力は維持されるが、それを活かすには、思い込みを取り払う「意志」が重要。

第一部のまとめ
健康長寿の条件

■長寿化の原因

日本人の長寿化は延々と続いています。その要因の一つは、明らかに医療の普及、発達です。慶應義塾大学の石井《いしい》太《ふとし》教授は「一九五〇年代及び一九六〇年代の結核による死亡率低下」「一九六〇年代後半以降の脳血管疾患による死亡率低下」の効果がきわめて大きかったこと、そして「悪性新生物（がん）の年齢調整死亡率は、一九九〇年代後半以降、男女とも緩やかな低下が続いている」ことを指摘しています。

医療のほかに考えられる要因としては、栄養摂取の充実、衛生環境の改善などが考えられます。また、本書で見たとおり、私たち自身の健康意識の高まりもありますし、どのような要因によるのか不明ですが、物忘れが減り、体力年齢が若返るという肉体的な変化もあるようです。

■これからの健康長寿の条件

今後も医療の発達はあるでしょう。また、長寿化の要因としては、生活習慣の改善に依存する部分がひじょうに大きくなってきたことが指摘できます。

すでに見たとおり、還暦後の主なリスク要因であるがん（とりわけ5年生存率が相対的に低い肺がんと肝臓がん）は、飲酒や喫煙、肥満などとの関係が指摘されていますし、認知症の中でも伸びの大きいアルツハイマー型認知症も、高血圧や高脂血症との関係が深いとされています。一方で、体力年齢や知的能力の老化が進まなくなっていることも分かりました。その要因として、高齢者の健康志向の定着や、脳内の補償的機能の発揮があることにも触れました。さらには、歳をとったら知能が衰えて当然という思い込みがなくなれば、10万桁の暗記も可能になる例も見ました。

ということは、還暦後の健康も長寿も、多くの部分が自らの意志や生活習慣の在り方に依存してきていると言えるのではないでしょうか。

■90歳の同窓会にはクラスの半数が出席可能

健康も長寿も喜ばしいことであり、その喜びは、ともに分かち合う人が多くいれば、さらに大きなものになります。その一つの例として同窓会があります。

たとえば、小学校のクラス会を開くとして、当時の1クラスが40名であったなら、日本人の12歳から60歳までの生存確率を当てはめると、存命者は37人（もともと男女半々のクラスだったとして、男子18人、女子19人）と推計することができます。おそらく3名程度の同級生が還暦の時点で、何らかの理由で、すでに他界しています。

本書の予測によれば、一九六〇年生まれの還暦者が90歳まで到達する確率は、女性6割、男性4割弱です。そのまま現時点の還暦者の数に当てはめれば、小学校卒業時に40人いたクラスメートの中で90歳時点での存命者は女性11名、男性7名の18名となります。5割に近い出席率です。

集まるためには少なくとも自立的な暮らしができていなければなりません。いまの流れを考えるとリモート開催もあるかもしれませんが、やはりリアルで集ったほうが盛り上がると思います。

現状の予測では、一人では活動が難しい「要介護4、5」の人の比率は、90歳以上で男性15％、女性27％です（90歳断面での統計数値がないので、より長命である女性の数字には90代後半とか100歳台の人の値が含まれてしまい、少し高めの値になっています）。仮に、これらの人が同窓会に欠席するなら、欠席者数は4人（男性1人、女性3人）です。

本書の主張は、個々人が健康に気を付けることと、コラム欄で米ソの例を紹介したように、社会の安定を保つことで、このような会合に集まれる人を、増やしていける可能性が十分にあるということです。

平均寿命の算出方法

「生命表」はどのように作成されているのでしょうか。

毎年の出生数と年齢別死亡者数は、公的統計から把握することができます。そのデータを用いて、ある年齢の人が次の1年間を生き延びる確率が計算できます。たとえば、ある年に70歳の人が100万人いて、次の年に71歳の人が95万人だったとすれば、その年の70歳の人の1年間生存確率は95％ということになります。こうした計算が各年齢でできるので、それらを組み合わせれば70歳から80歳までの生存確率も計算できます。実際には、遥かに詳細かつ厳密な作業プロセスがあるのですが、原理原則を簡潔に述べれば以上のとおりです。

このようにして計算された生存確率は、1歳刻みで求められます。その結果をグラフ化したものが「生存率曲線」です。図表68に二〇二〇年の生命表に基づいて作成した還暦者(60歳人口)の生存率曲線を示します。

このグラフは、二〇二〇年に60歳の人が100人いたとして、年数を経るごとに何人減っていくのかと読むこともできますし、一人の人がn年後に生存している確率として読むこともできます。ちなみに、生存率曲線は、英語で“survival curve”または“survival rate curve”

何歳まで生きるかを統計的に表したものが「生存率曲線」

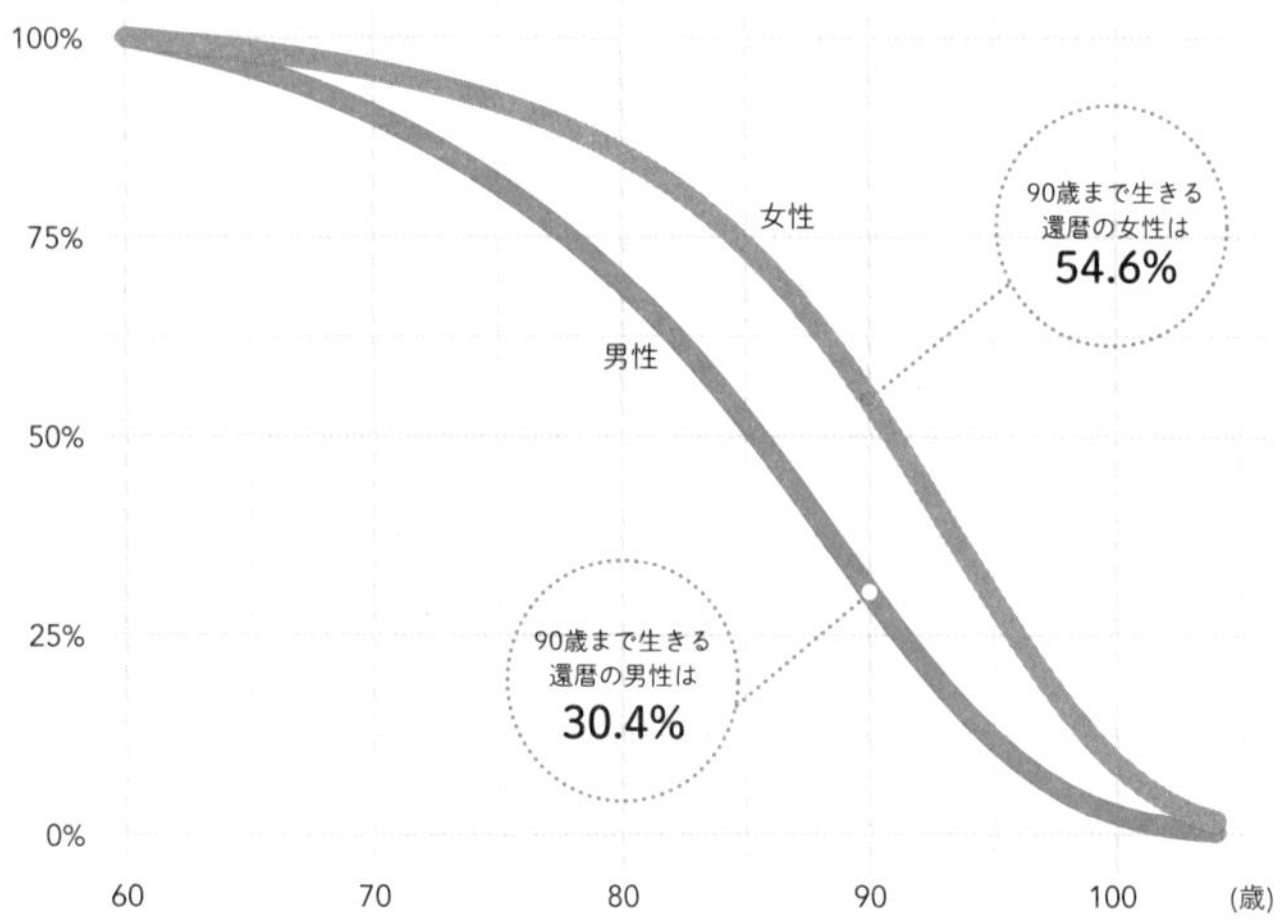

図表68：2020年生命表に基づく還暦者の生存率曲線
この予測値が、公的に示された還暦世代の残り時間です。

といいます。まさにサバイバル確率ということですね。

このグラフによれば、100人の還暦者が50人以下に減ってしまう年齢は男性86歳、女性91歳です。また、還暦者が90歳に達することができる確率は男性30・4%、女性54・6%です。

この結果に基づいて推計すると、二〇二〇年に60歳である男女の平均余命（あと何年生きるのか）は、男性24・21年、女性29・46年です。つまり、平均的な還暦の女性は89歳まで、平均的な還暦の男性は84歳まで生きますよと、この最新の生命表は言っているのです。

第二部

「還暦後」への新たな視点

本書の前半では、現在と今後の「還暦後」は、従来の高齢者のイメージからすれば、ずいぶん若くて健康で自立的なものである、ということを見てきました。

これからの還暦後は、70代からぽつりぽつりと同世代の人々が亡くなっていき、自分も年齢を重ねるにつれて、徐々に衰えていくというようなものではありません。

同世代の多くは、90歳前後まで共に生きることになりますし、個人個人は、健康に留意して過ごせば、肉体的には、現状の延長線上でその年代に到達できると考えられます。

第二部では、このような前提に立ったときに、還暦後の30年ないし40年を、より豊かに過ごすために重要と思われる、次の四つの事柄について、データに基づいて考えていきます。

①つながり
②時間（の使い方）
③お金
④住まい

データは、主に現在の60代〜90代の方々の状況を捉えたものです。興味深い変化がいくつも起きており、これからの還暦後を考えるための多くの示唆が得られます。

1

60歳からの30年を健康面から展望してみる

■「限られた情報に基づく思い込み」を考え直す

本書第一部では、還暦世代のこれからを、データに基づき考察してきました。意外に思われた部分もあったのではないでしょうか。

データは、個人や集団の状態を計測した結果であり、それ自体は、たんなる無味乾燥な数字に過ぎません。ですが、データの読み解きには、個性というか、読み手それぞれのスタンスが出ます。同じデータを目の前にしても、その読み解きには複数の視点がありえます。また、データから何らかの仮説を設定する際には、関連する他のデータと突き合わせながら、自分が設定した仮説の説得力を確認することが欠かせません。

本書第一部では、できるだけ予見を持たずにデータを読み解こうとしてきました。そして、その視点から導かれる仮説を確認するために、関連データも見てきました。その結果、得られた結論は、なかなか明るいものになりました。一方で、世の中には「限られた情報に基づく思い込み」も存在します。次頁の表に、本書の「データに基づく新たな気づき」と「限られた情報に基づく思い込み」を対比させてみました。

世の中に「限られた情報に基づく思い込み」が生まれる原因の一つとして、情報流通の難しさがあります。現代人は忙しいので、たとえば、自分の健康寿命についてとことん考える人は珍しいでしょう。多くの人は、メディアを通して「健康寿命は寿命より10年短い」と情報を受け取れば、それが正しいか検証しようとも思わないはずです。健康寿命を超えてから亡くなるまでの間は、「不健康」な身体で暮らすことになるのだろうな、というイメージを持つ人もいるかもしれません。

繰り返しますが、健康寿命とは、「生活に支障のある症状がまったくない状態（完全な健康体）で生きられる平均的な年数」です。アンケートで、「何か日常生活に支障のある体の不調はありますか」と聞かれ、「まったくありません」と回答している人の年齢の上限が80歳なのです。ようするに、60代、70代は、まったく健康上の支障がなく過ごすのが日本人の平均的な姿なのです。これは驚くべきことではないでしょうか。

少し関連データを調べれば、寿命と健康寿命の差である「10年の不健康な期間」の中には、「ちょっと目がかすむ」「少し腰痛がある」なども含まれており、決して自立的に生きられない

「歳をとったから仕方がない」とは異なる世界

	還暦後の姿	データに基づく新たな気づき	限られた情報に基づく思い込み
①	寿命	女性は大多数が90歳を超え、男性もほぼ90歳近くまで生きる。	平均寿命（80代半ば）まで。
②	体力	90歳の時点で現在の70代半ばの体力の可能性がある。	体力は衰える一方。
③	健康寿命	生活に何の支障もなく80歳を超えて暮らすことができる。	健康寿命は平均寿命より10年短い。
④	介護	亡くなる2年前くらいまで他人に頼らず自立的に暮らすことができる。	健康寿命を過ぎたら亡くなるまで介護が必要。
⑤	寝たきり	亡くなる前に寝たきりになる期間は中央値で半年くらいである。	寝たきりで何年も過ごさなければならない。
⑥	知能	80代を迎えるまで知的能力は維持されるし、新たに伸ばせる能力すらある。	知能は、徐々に衰えていってしまう。
⑦	がん	がんになる可能性は80代まで少ない。罹患しても生存率は上昇している。	2人に1人はがんになる。
⑧	認知症	重篤な認知症の比率は意外と小さい。60代からの生活習慣でリスクは減らせる。	日本の認知症患者は30年後に1000万人を超える。

図表69：還暦後の人生に関する限られた情報に基づく思い込みとデータに基づく新たな気づき

わけでないと分かります。歳をとれば、このような多少の不調は出てくるものです。そう考えれば、「限られた情報に基づく思い込み」から「データに基づく新たな気づき」への転換も可能になるでしょう。

■還暦後の30年間、健康で自立的に暮らすことは十分に可能

長寿化は世界的な現象です。その中でも、日本人は、平均寿命も健康寿命もその延びが突出しています。長寿化とは、遅く生まれた人ほど長生きする現象です。しかも、老化してからが長いのではなく、老化そのものが減速しているのです。

体力テストの結果はこの20年間で10歳も若返っています。この傾向が続けば、いまの60歳が90歳になった時、肉体年齢は、いまの75歳くらいではないかと推測できるほどです。

このように還暦世代の大多数の男女は、おおむね90歳まで、いまの延長線上の体力・知力で自立的な生活を送れそうです。当然ながら個人差はあるでしょうが、これまで分析に用いたのは、主として日本全体のデータですから、大きくみて還暦世代全体に当てはまる傾向と本書では考えています。

これからの30年間を展望したとき、留意事項があるとすれば、健康リスクが80代後半から上

昇してくることです。

ただし、がんによる死亡率は長期的に減少しています。肺がんや肝臓がんは、5年生存率が低いですが、多分に生活習慣病としての側面があることは見てきたとおりです。また、疑問⑥で見たように、認知症の中で近年増加が著しかったアルツハイマー型には、高血圧や高脂血症との関連が指摘されており、これも生活習慣病としての側面があると言えます。

そのように考えたとき、80代後半以降の健康状態は、「そうなっていく」という成り行きのものではなくて、「そのようにもっていく」という、意思や行動の結果という面が強くあることになります。

いまの還暦世代は、望むと望まざるとにかかわらず、おそらく大半が90歳を超えて生きるというのが本書の見方です。最後まで健康だけは保ちたいという人が多くなっていることは、近年におけるシニアの健康志向の高まりを見れば明白です。そして、その意思と行動は、60代、70代の人生を豊かにするだけでなく、80代後半以降の健康リスクを減らし、30年後に90歳になっても矍鑠《かくしゃく》として活動するための事前準備になっていくでしょう。

2 新しい世界への切替えができるか

■いまの還暦世代は旧世界に生きる新人類

同世代の半数が還暦後に30年間も自立的に生きることは、大げさでなく、人類史上初めての事態です。したがって、誰もその姿を知りません。どのように生きればよいのかもぼんやりしていますし、社会の受け入れ態勢もできていません。

一九六〇年前後に生まれた世代は、一九八〇年代には、「新人類」と呼ばれていました。従来の社会通念では理解できない、一風変わった若者たちというような意味でした。そして、40年を経て明らかになったのは、新人類は価値観が新しいだけでなく、その多くが90歳まで自立的に生きるという意味で、肉体的にも「新人類」だったということです。

このような新人類高齢者の出現にもかかわらず、今の社会には「旧世界」で作られた多くの仕組みが、そのまま使われています。旧世界とは、たとえば、平均寿命が70歳の時代のことです。

また、これまでに作られた高齢者のイメージが新しい高齢者の姿を見えにくくしている面も多くあります。それは、たとえば、65歳を過ぎると、孤独で、寂しく、貧しい人生が待っている、というようなものです。新人類高齢者は、こうしたイメージに、ある意味で抗《あらが》い、ある面では変革しながら、これからの社会を作っていくことになります。

以下では、まず、旧世界で確立された社会システムや高齢者イメージについてそのいくつかを概観しておきましょう。

いまの世の中の仕組みの多くは「旧世界」で作られた

いまに続く「旧世界」に作られた仕組みの事例として、たとえば、年金保険があります。保険とは、そもそも「めったに起きない災難」に対して、多くの人が少しずつお金を出し合っていざというときに備えるものです。日本の国民年金制度が始まったのは一九六一年で、当時の平均寿命は男性66歳、女性は71歳でした。男性は70歳までに同い年の半分が亡くなり、80歳まで生きるのは2割だけという状況でした。このため、「とくに長生きする人たち」の生活を支援するための仕組みとして、「保険」を活用することには意味があったと言えます。しかし、いまや80歳を超えて生きる男性は同世代の8割以上です。もう「保険」とは別の考え方で対応すべきことは容易に察せられます。

国民皆保険は、日本が世界に誇る医療制度ですが、これも一九六一年に施行されています。当時の年齢構成は65歳以上5・8％（現在28・9％）、75歳以上1・7％（現在14・9％）です。若い人が多い社会では、そもそも、病人が少なく、また入院も、事故等からの回復という比較的短期のものが過半でした。そもそも医者にかかること自体が珍しいという時代です。それが、いまは高齢者を中心に高血圧や糖尿病の予防や治療という長期的な通院や入院が増えていますし、その結果、1人当たりの医療費は5400円から27万円超へと名目で50倍に増加しました。これも、すでに「保険」という考え方だけでの対応が難しい状況になっていると言えます。

定年制も、平均寿命が60〜70歳台の旧世界で作られた仕組みです。定年は戦前の日本軍で導入され、その後で民間企業に広まり、高度成長期に新卒一括採用、終身雇用とセットで社会的に普及しました。当時の定年の年齢が55歳に定められていたのは、高度成長期、すなわち一九六〇年代の男性の平均寿命が60代だったことを考えれば、不自然ではないでしょう。引退した後の余生はだいたい十数年。このくらいなら年金保険で支援できる。これが「旧世界」だったのです。

これらの制度が形作られてから、すでに60年余。いまではすっかり社会の基盤として定着していますが、新時代の実情に適合するように根本的な見直しが必要です。そのためには、十分な議論が必要であり、時間もかかると考えておかなければなりません。

かつての「老年学」に見られた65歳以上の寂しい姿

還暦を迎えた人たちの頭の中にも、じつは旧世界で形作られた考えやイメージがいくつも残っているはずです。一般的な高齢者像もその中に入るでしょう。旧世界とは、繰り返しますが、平均寿命が70代の時代だと思ってください。

世界的に高齢化の問題は古くから認識されており、20世紀初頭には、ヨーロッパで「老年学」という学問が生まれています。そして日本では、高齢化社会について、100年先行してきた欧米老年学の影響も受けながら議論してきました。

老年学では、だいたい60歳あるいは65歳を超えて老年期に入った人を対象に、加齢による肉体的、精神的変化、それへの社会的な対応の在り方、看護や介護の在り方までを扱います。たとえば、老年学の一分野ともいえる「老年心理学」では、多くの人にとって60代以降はさまざまな喪失に向き合う期間とされてきました。

60歳以降の人生では、多くの人は勤め先を変わることを余儀なくされ、たとえば、親しい同僚との会話の機会は失います。息子や娘は自立していきます。元気だった両親も、だいたいこのころには介護生活に入ったり、亡くなったりしています。いままでの日常生活を構成していた多くの要素が、一つ一つ、あるいは一度に失われていき、新しい環境への適応が求められるというわけです。

心理学では、職場や両親、子どもとの別れなどを「対象喪失（Object Loss）」と言います。思いの対象を失うことによる精神的ダメージを「〇〇ロス」と呼ぶことは、かなり一般的になってきました。たとえば、可愛がっていたペットが亡くなり「ペットロス」が長引くと一つの病とみなされ、「ペットロス症候群」と名付けられます。対象喪失が連続する60代は、アイデンティティが揺らぎ、ストレスへの対応がひじょうに重要な時期とされてきたのです。

一方で、高齢期とりわけ超高齢期の人たちを対象とした研究も行われてきており、その中では、若いころよりも幸福感が高まる現象が報告されています。喪失体験が多いのに幸福感が高いという、予想される因果関係から考えると逆の事象が起きていることから、このような現象は、「エイジング・パラドックス」と呼ばれています。

エイジング・パラドックスは、なぜ起きるのでしょうか。

まずは、そもそもなにごとにもポジティブな人が長生きしているという解釈があります。そうであれば、これからは誰もが長寿になるのでエイジング・パラドックスは減っていくかもしれません。別の解釈では、喪失体験の積み重ねが精神的な耐性を強めたり、年齢を重ねることにより世界観が広がって（具体的には、物質的世界から精神世界に広がっていく）、さまざまな喪失を落ち着いて受け止めることができるようになるからだとしています。

ごくごく一部のご紹介にとどまりますが、伝統的な老年学はこのような研究を積み重ねてきたのです。

従来の高齢者像は老いが早かった旧世界の産物

以上に記したことから読み取れるのは、伝統的な老年学は、60歳あるいは65歳以降を、人生の黄昏時として捉えてきたのではないかということです。「これからまだ30年は自立して生きるのだ」と意欲を新たにしている人ではなく、余命は長くて10年程度と考え、来し方を振り返る人々にフィットしていそうな話が多いのです。これは、平均寿命が短かった時代、すなわち本書で言う「旧世界」で発展してきた学問だからでしょう。

伝統的な老年学の議論は、現代的な時代感覚からすれば、60代というよりも、80代後半以降に同世代の友人らが亡くなり始めたころへの適合性が高いように見えます。いまの還暦世代は、これまでの高齢者よりも、精神的にも肉体的にも若いし、同世代の半数以上は80代後半まで存命であり、急に寂しくなるわけでもありません。これからの30年は、こうした新しい状況を踏まえて、自分たち自身で探っていかなければならないと思います。

3 90年の人生を30年で区分してみる

■これまでの60年を2分割して「30年」の長さを実感する

いまの還暦世代は、旧世界で作られた社会の仕組みの中に生きる「新人類」高齢者です。その目の前には、ほぼ健康で自立的に生きられる30年間という時間が見えています。

30年は、けっこうな長さです。そのことは、これまでの人生60年を2分割してみるとわかります。0歳から30歳までの30年、そして30歳から60歳までの30年です。

0歳から30歳までの間には、義務教育があり、クラブ活動や進学があり、就職して仕事を覚えて、結婚する人はして、子どもを持つ人は持った、そういう時期でした。物心ついたのが4

歳とか5歳であれば、それから30歳までは25年。1年1年を思い出してみれば、その長さが実感されます。

30歳から60歳までは、ビジネスパーソン（昔で言う「サラリーマン」）であれば、一人前の社会人のなってから定年退職までとなります。30代、40代、50代とそれぞれに大きな出来事があったのではないでしょうか。また、家庭を持ち、子どもを持った人にとっては、子どもを学校に通わせ、勉強やクラブ活動を支え、就職させたり結婚させたり、さまざまな出来事があったはずです。30歳から60歳までの1年1年を振り返り、自分のやってきたことをノートに書きだせば、何冊にもなることでしょう。

■30歳から還暦までと同じ時間が目の前にある

いままでに2回繰り返してきた「30年」という月日。それと同じだけの時間が、還暦世代の目の前にあります。本書では、適切な健康管理をすれば、これからの還暦世代は90歳を超えて生きるだけでなく、その期間を健康で活動的に過ごせることを記してきました。日本人は、著しく長寿化しています。つまり、還暦世代の前には、知力体力がそれほど衰えずに過ごせる30年間が横たわっていることになります。

60代は「第2の青春」かもしれない

老年学のいう"Loss（喪失）"に向き合うのは、必ずしも60代からだけでもありません。たとえばそれは、50年前に経験した思春期と似たようなところがあります。

10代の思春期には身体的にも精神的にも大きな成長が見られるとともに、両親の庇護の下から自立に向けて、さまざまな葛藤を経験する時期でした。自立への意志と自身の未熟さとのギャップを、もどかしく感じます。人間関係も多様化・複雑化します。社会の在り方への疑問も出てきます。多くの人は、恋愛感情に目覚めたり悩んだりします。この10代の思春期に起きていることも、対象喪失（Object Loss）なのです。子どもごころに描いていた理想的な世界のイメージ（内的世界）が、現実との接点が拡大するにつれて失われ、精神が不安定になるという意味で、とくに「内的対象喪失」と呼ばれています。みんな、なんとかこれを通過します。

その後、社会に出たり、結婚や出産などを経験したりという大きなイベントを終え、だいたいの場合は、比較的安定した日常を繰り返しながら30年、40年の生活を送ることになります。そして、60代で、50年ぶりの大きな外部社会との関係の変化が、多くの人に押し寄せるのだと考えてはどうでしょうか。その変化の向こうには新しい30年があります。むしろ、60代は「第

2の青春」と捉えたほうが前向きになれそうです。
60代で経験する対象喪失は、現実世界の具体的変化であり、リアルなものです。誰かに注意されると逆ギレして感情的になるような高齢者が「暴走老人」などと呼ばれて、時折、話題になります。しかし、本人は、環境変化への対応に苦しみ、ストレスを外に出してしまっているのかもしれません。いつまでも若い人たちに口を出したがる人もいますが、それも変わりゆく環境に抗って、自身の価値を再確認したいという願望の現れでしょうか。そう考えると、どちらも思春期の「反抗」に近いもの、という捉え方ができるように思われます。

4 今後の30年間で気になるいくつかの事柄

同世代の過半数が、60歳から30年間生きるという前代未聞の時代が目の前にあります。個人個人がどのような針路を描き、どのように過ごすかは、前例も少なく未知の世界です。さまざまな可能性があり、驚くような事例も出てくるはずです。

そうした中で、多くの人が共通して直面する事柄が、いくつか挙げられます。たとえば、暮らし方。誰と暮らすのか、あるいは1人なのか、人間関係はどう構築するのか。また、お金の問題や住まいの問題、老々介護の問題なども気になります。世の中には、旧世界の仕組みがまだ多く残っています。たとえば、60代以上の人には就職の機会が豊富に用意されていないなどの課題があります。

いまの70代～90代は、おそらく、自分たちの寿命は70代くらいだろうと思いながら、それ以上の長さを生きてきた先人であり、さまざまな試行錯誤をしてきたはずです。いまの還暦世代も、70代で弱ってきて80代で死ぬんだろうなと考えて過ごしていると、気が付いたら意外に元気なまま90歳に到達してしまった、ということになりそうです。逆に、これから30年は元気で生きられるという前提で物事を考えると、先人たちの試行錯誤は参考情報の宝庫になります。以下では、いくつかのデータを参照しつつ、現代の還暦世代の今後30年を考える「明るい視点」を探ってみたいと思います。

つながり

60歳以降の30年間、どのような人間関係の中で生きていくかは、重要な問題です。

会社勤めだった人は、60歳前後で定年退職することが多いのですが、雇用延長制度などを利用して、仮にあと5年、10年、同じ職場に残るとしても、その後は本当にそこを離れることになります。そのときには、やはり生活環境や人間関係が大きく変わります。これは、以前は男性特有の問題だったのですが、働く女性が増えた現在、男性だけの問題とも言えなくなってきています。

■一人暮らしを楽しむ人も多い

「独居高齢者」「独居老人」という言葉があります。言葉の響きから言って、ポジティブな意味で用いられることは、まずありません。それどころか、高齢者単身世帯の増加は社会問題として捉えられたりします。

社会から切り離された高齢者の孤独な生活、話す相手もおらず、孤独死に至っても発見が遅れる。だから、しっかり地域社会とのつながりを維持し、家族や友人・隣人と交流し、さらに、万一のときのために見守りサービスを利用しましょう等々、さまざまな対策が叫ばれます。

ほんとうに、そうなのでしょうか。

まず、統計を見ましょう。二〇二〇年の国勢調査によれば、日本の60歳以上人口は約4260万人。うち施設等に入っていない「一般世帯」と言われる居住形態の人は4030万人です。その中で、一人暮らしは790万人。およそ、5〜6人に1人です。男女別にみれば、この層の男性の14％、女性の21％が一人暮らしで、女性の比率が高くなっています。5歳ごとの年齢別でみると、男性の一人暮らし比率はどの年齢層でも十数％で変わりません。また、女性は60代前半には12％と少ないですが、年齢とともに上昇、85歳以上では30％に達します。年長の夫に先立たれるなどして一人暮らしになる女性が多いのです。独居高齢者がネガティブに論じられる際には、率よりも「800万人の高齢者が一人暮らしをしている」というボリューム感が強調される傾向があります。

孤独死について見てみると、全国の統計はありませんが、東京都が集計している23区内の65歳以上の単独世帯（一人暮らし）で、自宅で亡くなった人数は二〇二〇年で約4000人。これは、同じく23区内の65歳以上単独世帯数58万世帯に占める割合としては0・69％、つまり、1000人に7人という水準です。

これほどまでに高齢者の単独世帯が増加しているということは、それを望む人が多いからではないかという推測もあり得ます。こうした観点から、きわめて興味深い調査が二〇一四年に内閣府によって行われました（「平成二六年度一人暮らし高齢者に関する意識調査」）。

全国の65歳以上の一人暮らし高齢者男女を無作為に抽出して聞き取りを行い、1480人から回答を得たものです。「現在のあなたの幸せの度合いを10段階で評価してください」という問いに対する回答の平均点は6・59、5割の回答者が7点以上をつけ、3点以下はわずか7・

一人暮らし高齢者は、半数が「幸せ」、4割が「まあまあ」

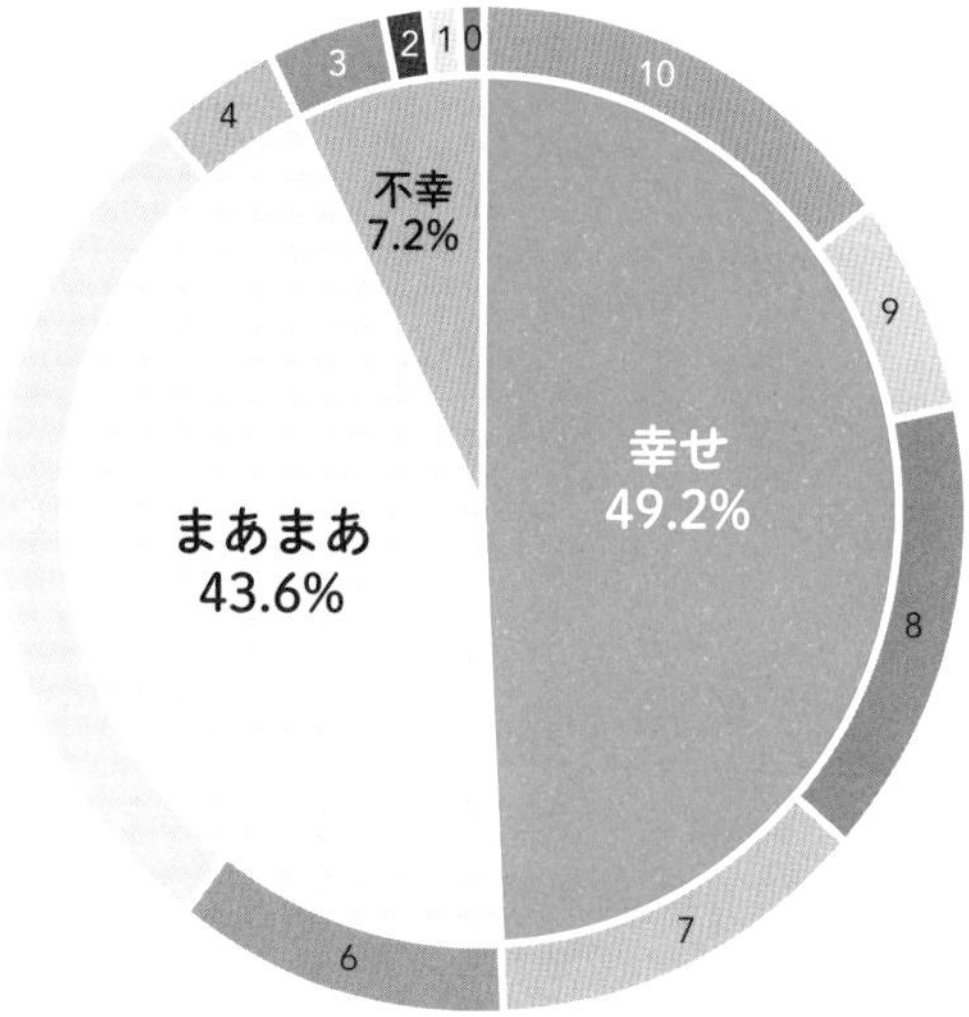

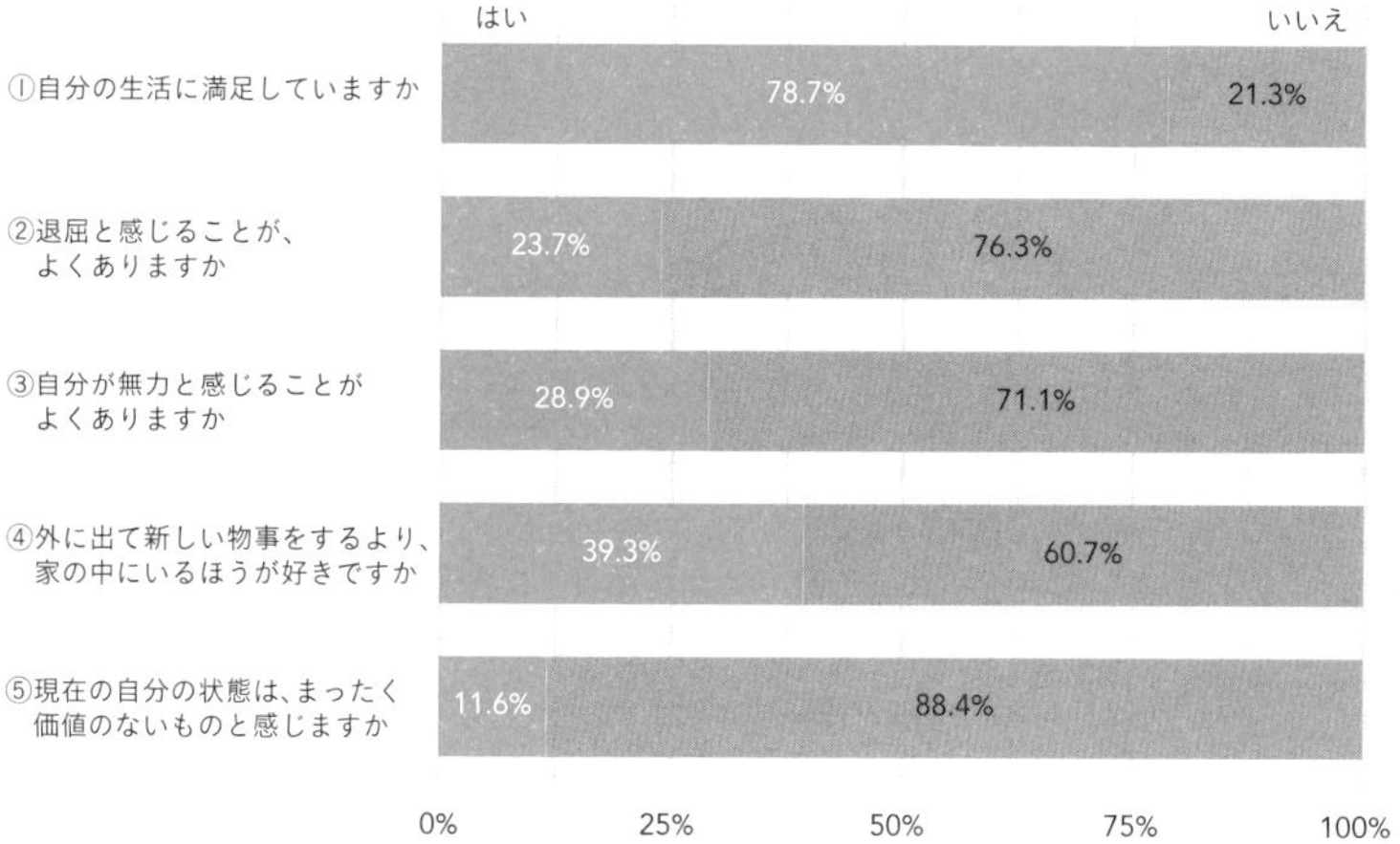

平成26年度一人暮らし高齢者に関する意識調査
図表70（上）、図表71（下）

2%という高得点でした。「自分の生活に満足していますか」に対して「はい」が78・7%、「退屈と感じることが、よくありますか」には「いいえ」が76・3%、「自分が無力と感じることがよくありますか」には「いいえ」が71・1%、「今後もいまのままの一人暮らしを望む」が76・3%、「自分の現在の状態は、まったく価値のないものと感じますか」には「いいえ」が88・4%などなど、一人暮らし高齢者のポジティブぶりが明らかになったのです。日常の楽しみは、テレビ・ラジオ、おしゃべり、新聞・雑誌など。子どもには介護の世話になりたくないからヘルパーを頼む、という人が多いという結果となっています。

さまざまなしがらみから解放された、一人暮らしの自由さは得難いものなのかもしれません。同居人がいることは、安心感をもたらしますが、一方では一日中、何やら気を使って暮らしている部分もあるはずです。健康にさえ気をつければ、独居を一つの愉しみと捉えて生きることもできるようです。「独居」が英語の“Single”や“Independent”と同様にポジティブな響きで受け取られる日が、意外に早くくるかもしれません。

■希薄化してきた人間関係の中で生きる

本書では、還暦後は第2の青春という表現をしました。60代の数年間あるいはそれ以上の時間は、親との死別、子どもの独り立ち、勤め先の変更など、一時期にいくつもの別れや出会いが重なるという点で、10代後半とともに一生の中で特異な位置を占めているからです。還暦世代の多くの人は、この変化に否が応でも対応しなければならなくなります。

このことに関連して、内閣府によるコロナ影響に関するアンケート調査に、興味深い項目が載っています（「第2回新型コロナウイルス感染症の影響下における生活意識・行動の変化に関する調査」）。シニア世代は、コロナ禍で、人との交流が著しく減ったが、数か月で回復基調に転じたというのです。ここでは、シニア世代とは60代以上を指しています。

コロナ禍は、二〇二〇年初頭から世の中を席巻しました。二〇二〇年六月に行われたアンケートでは（図表72の「感染影響下（第1回）」）、シニア世代が対面・リモート（電話等）の双方を含めて、同居する人以外の相手と1日に会話した人数が激減しました。コロナ前の状態では「2人以上」が73・2％ありましたが、コロナ後にはこれが55・9％に減り、とくに「10人以上」が15・7％から7・1％へ、また「5〜9人」が19・9％から12・8％へと、多くの人と話をしていた人の比率が大きく下がったのです。

ところが、半年後の二〇二〇年一二月に行われた第2回調査では、「10人以上」が10・4％まで、「5〜9人」が15・7％まで回復し、「1人」や「誰とも話さない」はその比率を下げています。感染症拡大前の水準には戻っていませんが、わずか半年で回復方向に転じています。

シニア世代は、明らかにコミュニケーション活動に積極的です。ちなみに、このアンケート調査は、これまでのところ第5回（二〇二二年七月）まで続いていますが、シニアのコミュニケーションに関する項目は第2回までで終了しました。

なお、その背景として興味深い結果があります。上記調査の感染影響下第1回（二〇二〇年六月）の別項目で、シニアの約半数がパソコンやスマホを使った、いわゆる「ビデオ通話（SkypeやZoomなど）」を利用したことがあると回答しているのです。コロナ禍で人との会話が減っている中、ビデオ通話を増やしたいと考えているシニアは、すでに利用している人の中にも少なからず存在しています。また、「機器の使い方が分からず利用していない」人の中にも、「今後は利用したい」とする人が半数以上いるという結果です。一方で、「利用したいと思わない」「わからない」は合計で4割ほどです。交流意欲がある人たちは、当然ながら新しいメディアへの関心を強めていたのです。

人間関係の希薄化は、人に大きな精神的ストレスをもたらすとされています。そして、それこそが、高齢化社会が進む中での第2の青春の大きな課題でした。しかし、コロナ禍の下で起きたコミュニケーションの制約に抗して、シニア層は新しい手段を積極的に活用し、半年ほどで克服に転じました。これは旧世界では考えられなかった、それこそ新時代の象徴的な出来事と言えます。

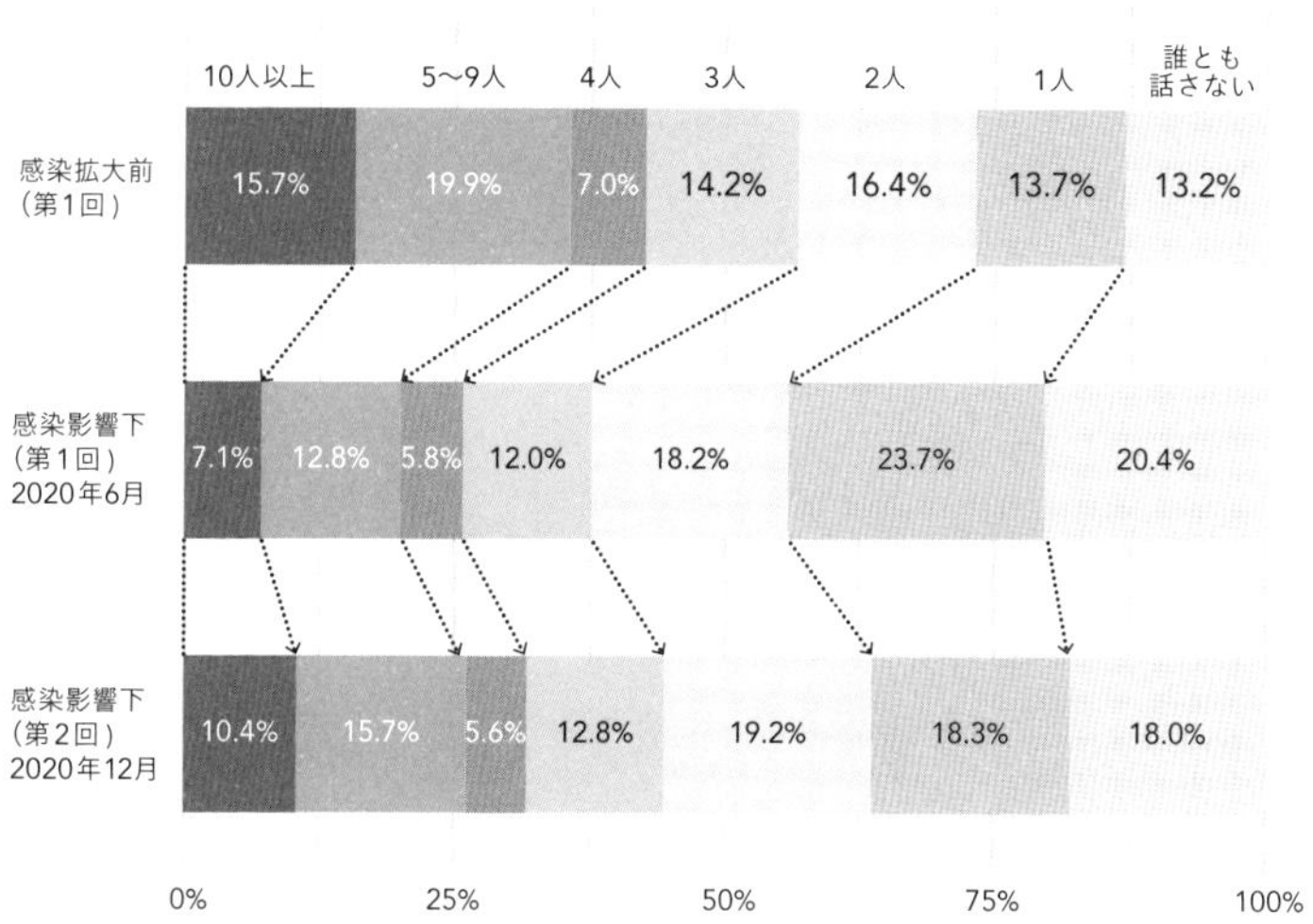

図表72：同居する人以外と会話する人数

高齢者はネット活用が意外に多い

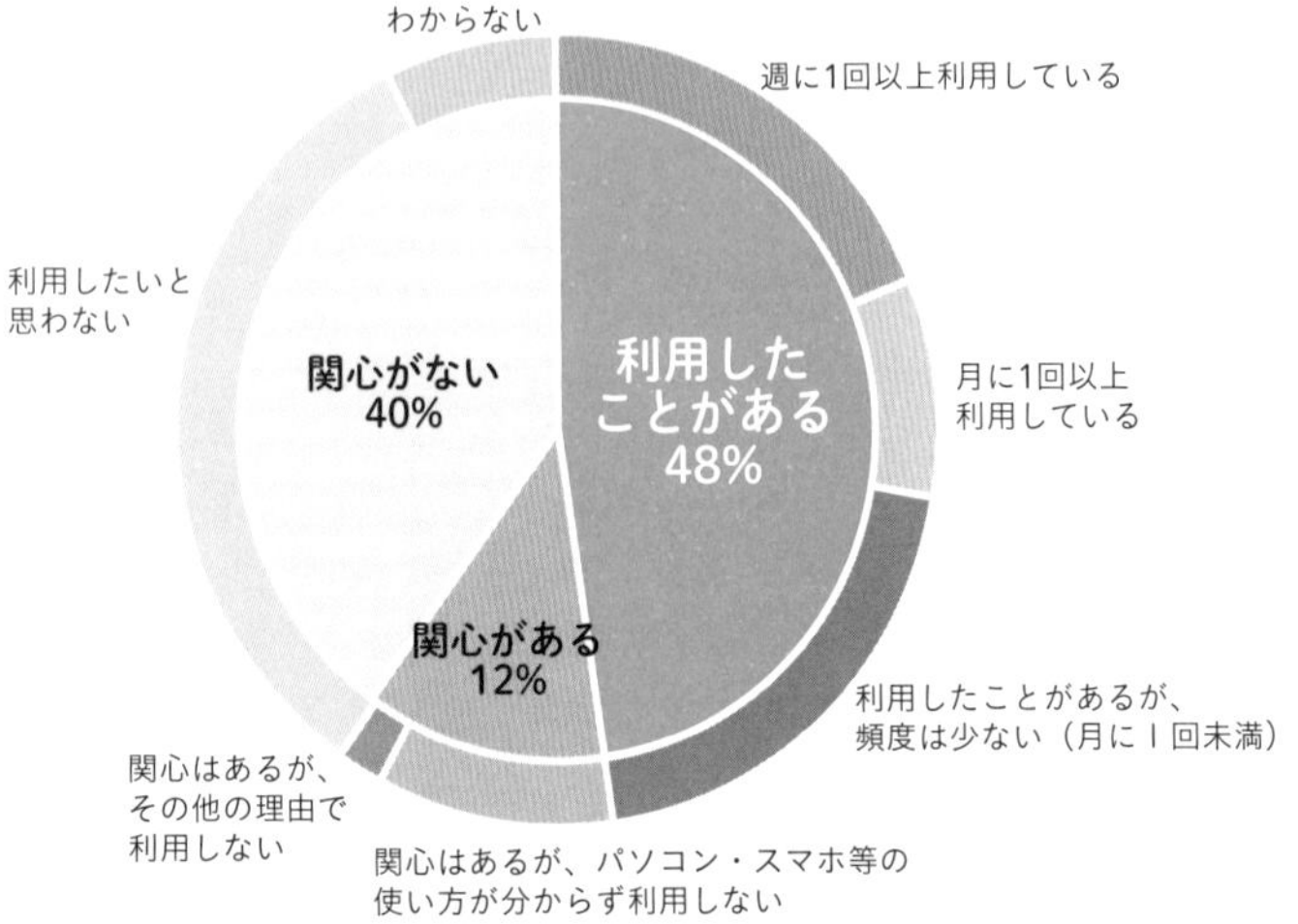

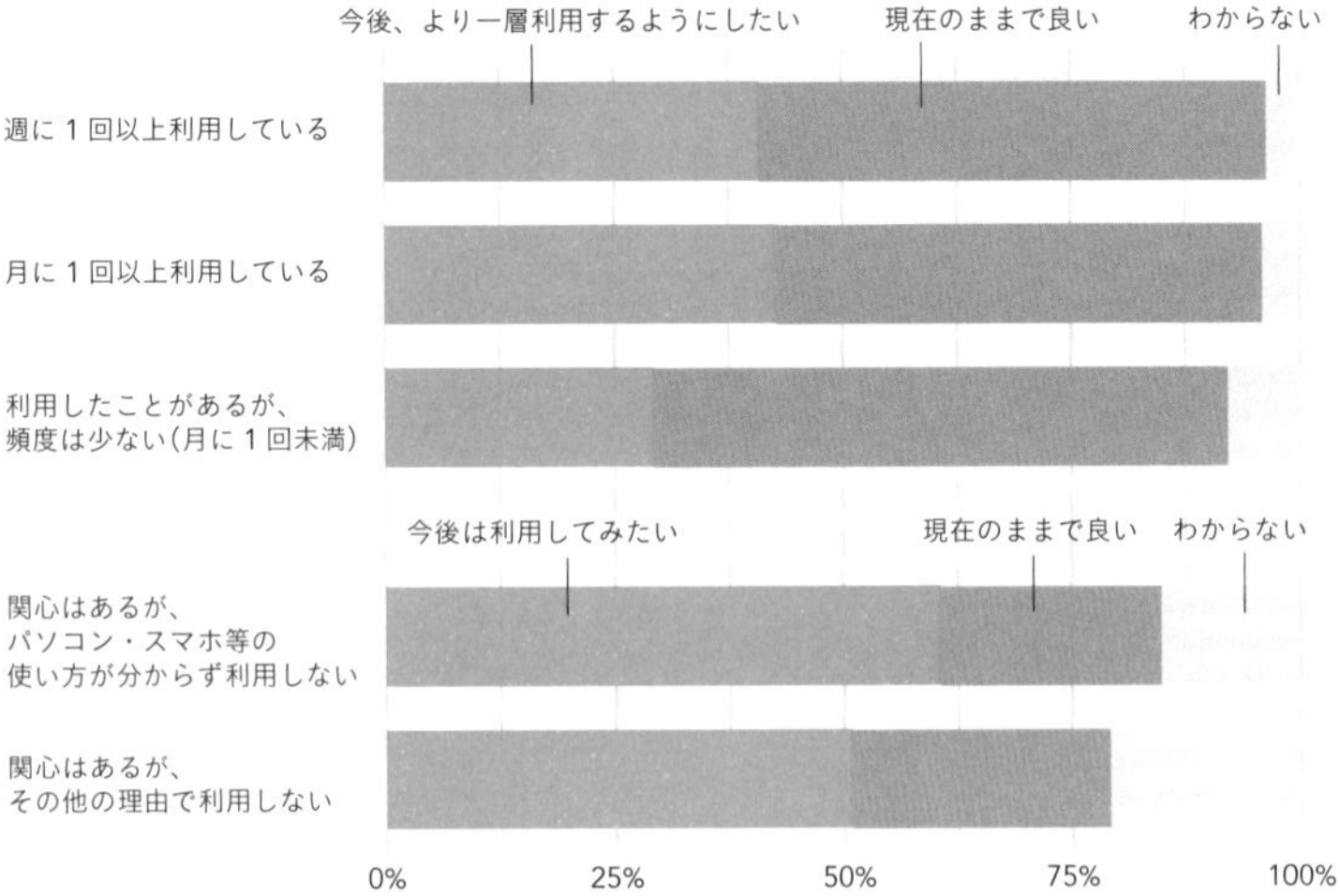

図表73（上）、図表74（下）：ビデオ通話の利用（シニア）

■会話があることはやはり重要

日本人の男性は、還暦後にひじょうに寂しい生活を送ることになる、居場所がないという指摘がマスコミやネットにあふれています。とくに、長年ビジネスパーソンとして勤めてきた男性は、隣近所ともあまり面識がありません。定年退職してから、いきなり地域社会との関係を作ることもうまくできません。家にいても奥さんから疎んじられる。結果、日中は一人で図書館に行って時間をつぶし、夕方に帰宅するような生活を強いられるようになる、というようなイメージです。一方で、奥さんは、もともと子どもや自治会・町内会活動などを通じて、年月をかけて地域と関係を築いているから心配は少ないのだ、と。いかにもありそうな話で、心当たりのある還暦前後の男性は、ちょっと気にしているかもしれませんね。

このようなことに関する全国調査は複数ありますが、ここでは国立社会保障・人口問題研究所の「生活と支え合いに関する調査」（二〇一七年度）を見てみます。この調査では人と人とのつながりを会話の頻度で把握しようとしています。あいさつや世間話程度のものも含めて、2週間に1回以下しか他人と会話しない人は、人とのつながりが少ない、とされます。このような人は、日本人全体で平均2・2％です。この比率は高齢者で高く、80代以上では3・4％になります。男性は女性に比べて無口なのか、この「他人とは2週間に1回以下の会話しかしない人」が70代で4・9％、80代で4・3％います。女性は70代1・9％、80歳以上で2・7％です。

つまり、この全国調査から分かるのは、男性は地域社会への溶け込みが苦手かもしれないけれど、それでも95％以上の人たちは、歳をとっても普通に他人と会話をしているということです。会話の相手も、同居の家族・親族はもちろん、別居の家族・親族、友人・知人、近所の人、職場の同僚や元同僚、商店の店員さんなど、広範囲にわたっていることは男女とも変わりません。蛇足ですが、夫婦ともに高齢者ではない世帯にも、お互い2週間に1回以下しか話さないという人が1・1％います。

ただし、例外的に他人と話す頻度が少ないのは、一人暮らしの高齢男性です。上記調査でも、単独高齢男性世帯、すなわち60歳以上の男性の一人暮らしでは、他人との会話頻度が2週間に1回以下の人の比率が14・8％と、他の層に比較して際立って高いという特徴があります。決して多数派ではありませんが気になるところです。

この調査では、「長生きすることはよいことだと思うか」という問いに対して、「とてもそう思う」「ややそう思う」とした回答者は全体の平均で68％。それに対して、2週間に1回以下の会話しかしていない人のみで見ると、長生きはよいことだと答える人が47％とやや少ないので、長寿化が進む中で、他人との会話は幸福を感じる重要な要素と考えられます。

夫婦のこれから

還暦世代の平均初婚年齢は男性27歳、女性24歳でした（一九九〇年前後）。また初婚時の夫婦の年齢差は一九九〇年の統計値で見ると妻年上が14・3％、夫婦同年齢15・9％、夫年上が69・8％でした。夫が7歳以上年長という組み合わせも12・3％ありましたから、当然ながら女性のほうが年長の配偶者と死別する件数が多くなっています。

いま、還暦を迎えた男性が100人いるとして、60歳までに配偶者と死別した人は2人です。この値は、その後もほとんど増えません。現時点で有配偶男性は、おそらく9割がた配偶者との死別や離別を経験せずに人生を終えることになります。

それに対して、還暦女性100人の中には、すでに配偶者との死別を経験した人が8人います。配偶者のいる還暦女性は100人中78人いますが、70代後半から減少が著しくなり、80代前半で32人になってしまいます。年長の夫が90歳前後に差し掛かるころです。

一般的に女性の平均余命は、どの年齢でも男性を5歳ほど上回っています。その差は、60歳を過ぎれば小さくなる傾向にありますが、同い年なら女性がだいたい5年ほど長生きします。

女性の一人暮らしは70代から増える

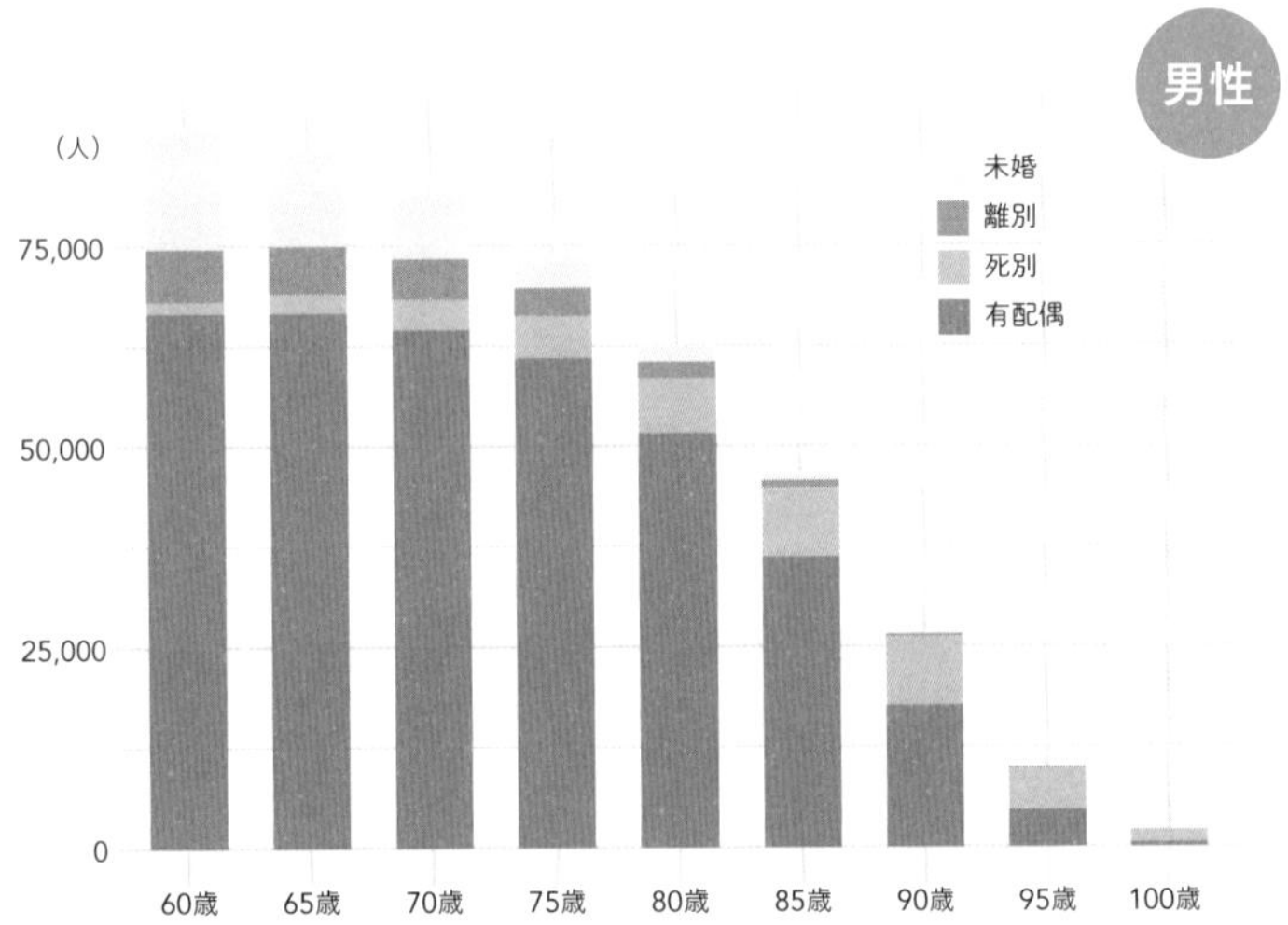

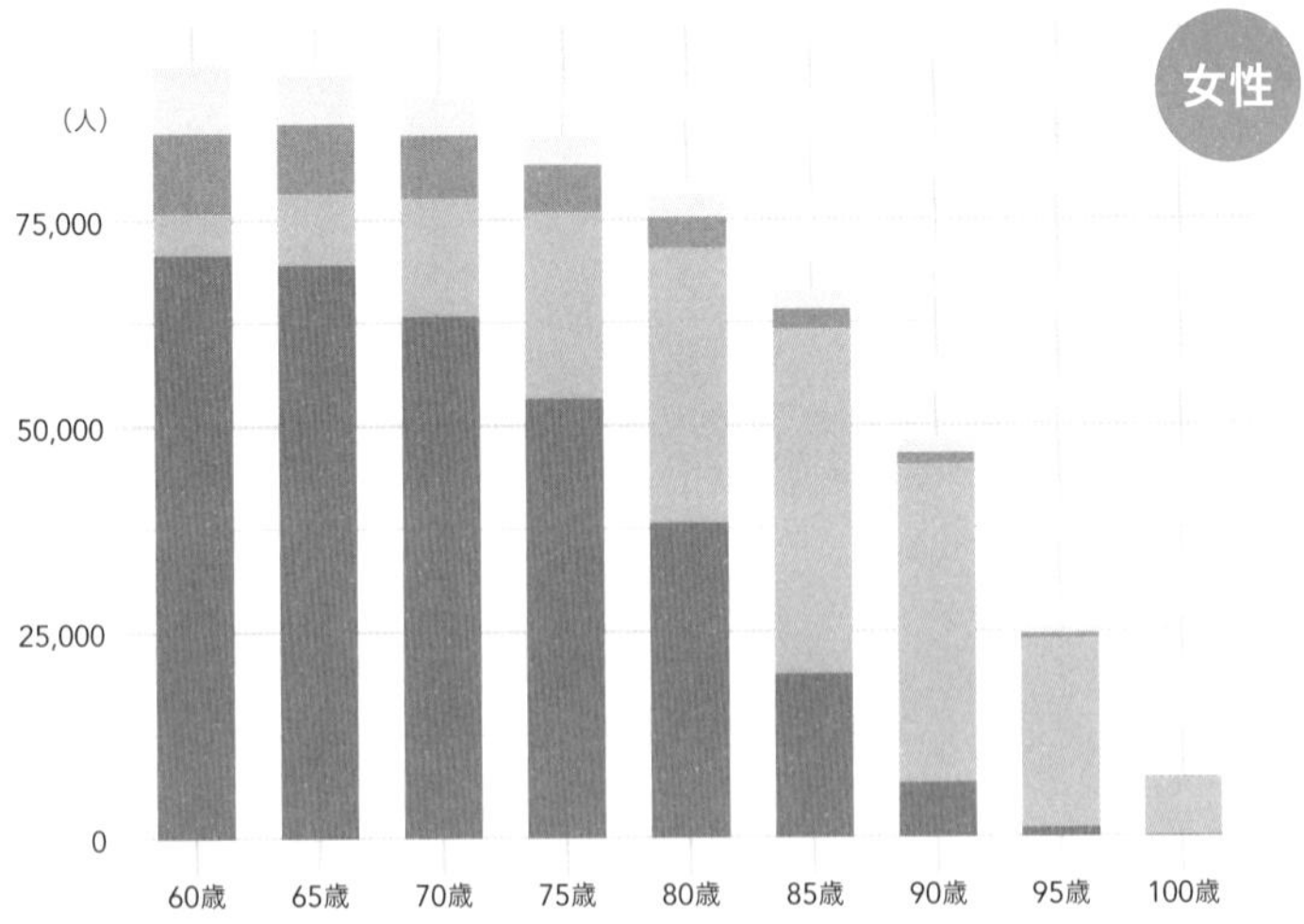

60代以降の家族形態の変化
図表75（上）：男性、図表76（下）：女性

いま60歳の夫に55歳の妻がいるなら、妻は、夫と死別後ほぼ10年、1人で暮らす確率が高いと言えます。

男性の平均余命が女性を下回る原因は未解明ですが、60代の喫煙率は男性31％、女性8％、同じく飲酒習慣率は男性41％、女性10％ですから、男性の生活習慣改善で、今後の夫婦共に過ごせる時間を多くできる可能性はおおいにあるのではないかと考えられます。

還暦以降の結婚・離婚は増えているが……

いまどきの還暦者の8割には配偶者がいます。先に述べたように、還暦世代の夫婦は、平均初婚年齢が男性27歳、女性24歳なので、途中で離婚・再婚をしていないとすれば、結婚後三十数年間にわたって連れ添ってきた関係です。しかし、と言うべきか、だから、と言うべきなのか分かりませんが、近年、いわゆる熟年離婚が増えていると指摘されています。

二〇〇五年にテレビドラマ「熟年離婚」が放映され、主人公（渡哲也《わたりてつや》）が定年退職したその日に、専業主婦の妻（松坂慶子《まつざかけいこ》）が積もりに積もった思いを吐露し、「私も主婦を退職したいんです。1人で生きていきたいんです」と、離婚を切り出すシーンが話題になりました。主人公の男性は、長年メーカーで仕事一筋に家庭を顧みず働いてきた人物という設定でした。実際、

60代以降の離婚は増加傾向、
ただし絶対数はひじょうに少ない

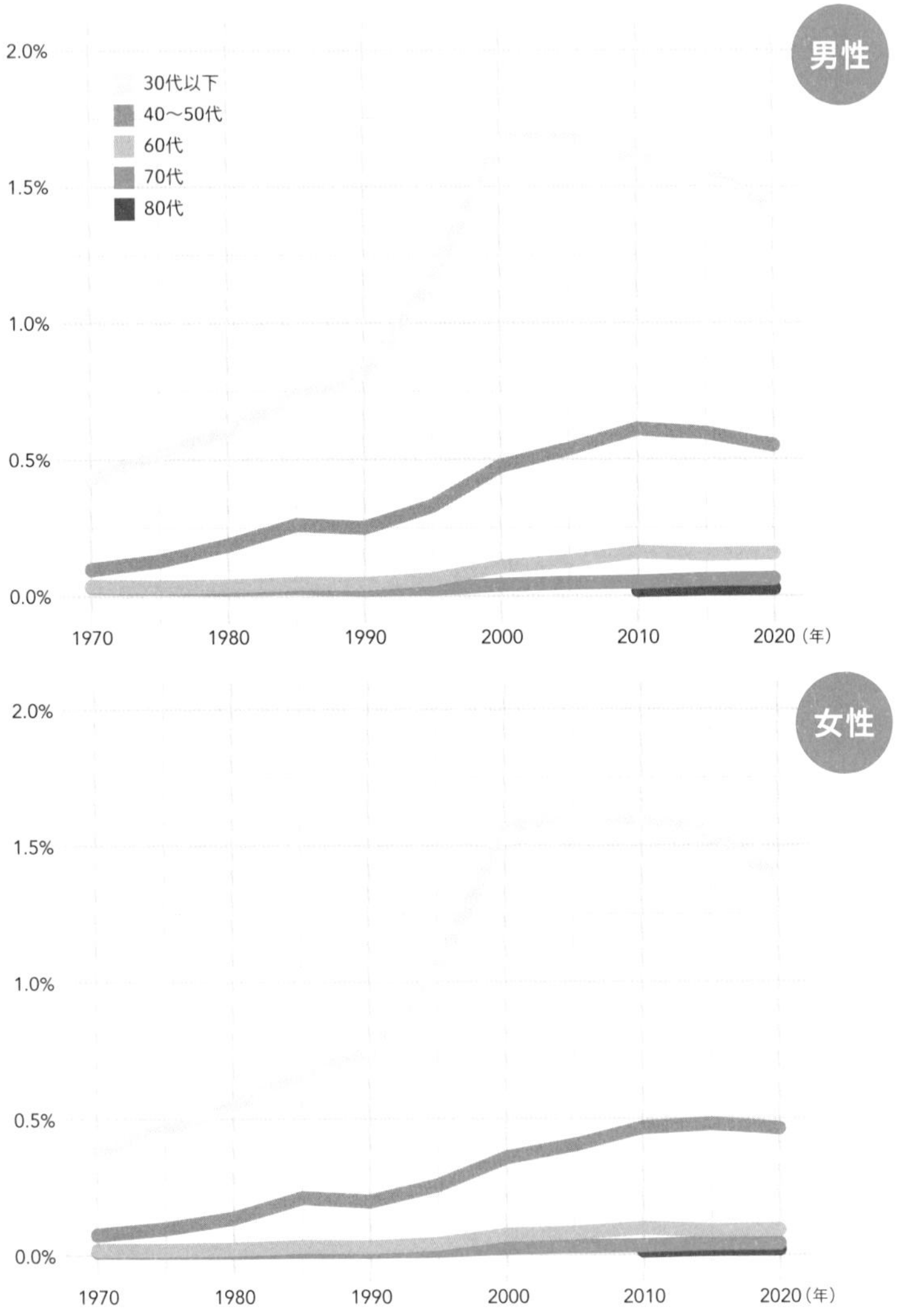

年代別離婚件数比の推移
図表77（上）：男性、図表78（下）：女性

熟年離婚は、妻から申し出るケースが大半と言います。離婚裁判の記録に基づく司法統計によれば、離婚の原因は、男女とも「性格の不一致」が第1位。第2位は男女で違っていて、女性が申立人の場合は「生活費を渡さない」、男性が申立人の場合は「精神的に虐待される」となっています（二〇一七年、全世代）。

厚生労働省の「人口動態調査」は、毎年の離婚についても調べています。それによると、男性が60歳以上の夫婦の離婚は、二〇二〇年で1万3000件弱。女性が60歳以上の夫婦の離婚は8千件弱。前頁の図表77と78に見る通り、夫婦のどちらかが60歳以上の離婚件数は、二〇〇〇年以降に増加して二〇一〇年ころにピークに達し、その後に安定したかに見えました。しかし、ここ数年でまた上昇傾向に転じています。ボリュームゾーンは60代ですが、伸び率では70代以降が高くなっています。40年以上連れ添って、もう我慢ならないということでしょうか。

「死後離婚」という言葉が話題になりました。配偶者が亡くなった後で離婚手続きをするというものであり、二〇〇〇年代は年間およそ2000件、二〇一〇年代以降は3000〜4000件で推移していて増加傾向にあります（法務省「戸籍統計」）。多くの場合は、夫の死後に妻が申し出ます。その背景には、義父母の介護の問題があると指摘されています。

長寿化の時代ですから、夫が自身の親より早く亡くなる場合があります。この場合の老親は多くが80代後半そして90代です。夫の兄弟姉妹が遠隔地にいるなどの理由で、残された妻が義父母の介護を担わざるを得なくなる（民法上の扶養義務）ケースも出てきます。その負担があまりにも大きい場合、それを回避するために亡くなった夫との結婚関係を解く法的手続きをとる例が少なくないというのです。ちなみに、死後離婚というのは分かりやすく表現した言葉であり、戸籍統計では「姻族関係終了」と言います。夫の親族との関係を終えるということです。したがって、夫の遺産や遺族年金の受け取りには影響がありません。また、届け出るのに姻族の同意も必要とされていません。

このように、さまざまな点から注目の集まるシニアの離婚ですが、件数の伸び率は高いものの、件数そのものは全体の中では、きわめて小さなものであることもまた事実です。改めて図表77と78にみるとおり、有配偶者の離婚率は、男女とも30代以下が圧倒的に高く、その後は、年齢の高い層になるほど減少する傾向が明らかです。60代の有配偶者離婚率（二〇二〇年）は、男性０・15％、女性０・09％ですから、だいたい１０００人に１人という水準です。

一方で、還暦後の結婚も、じりじりと増えています。60代以降の再婚件数は、男性の一九九〇年の３０９４件が、二〇二〇年には７５０２件と倍増、女性は一九九〇年の964件が、二〇二〇年には４１８１件へと4・5倍増です。王貞治《おうさだはる》さんや加藤茶《かとうちゃ》さんの熟年婚は、大きな話題になりました。また、還暦後の初婚件数は少ないのですが、男性の場合、一九九〇年のわずか134件から、およそ30年後の二〇二〇年には7倍の992件に増えています。女性は、一九九〇年に

60代以降の結婚は、絶対数は少ないが、伸び率はひじょうに高い

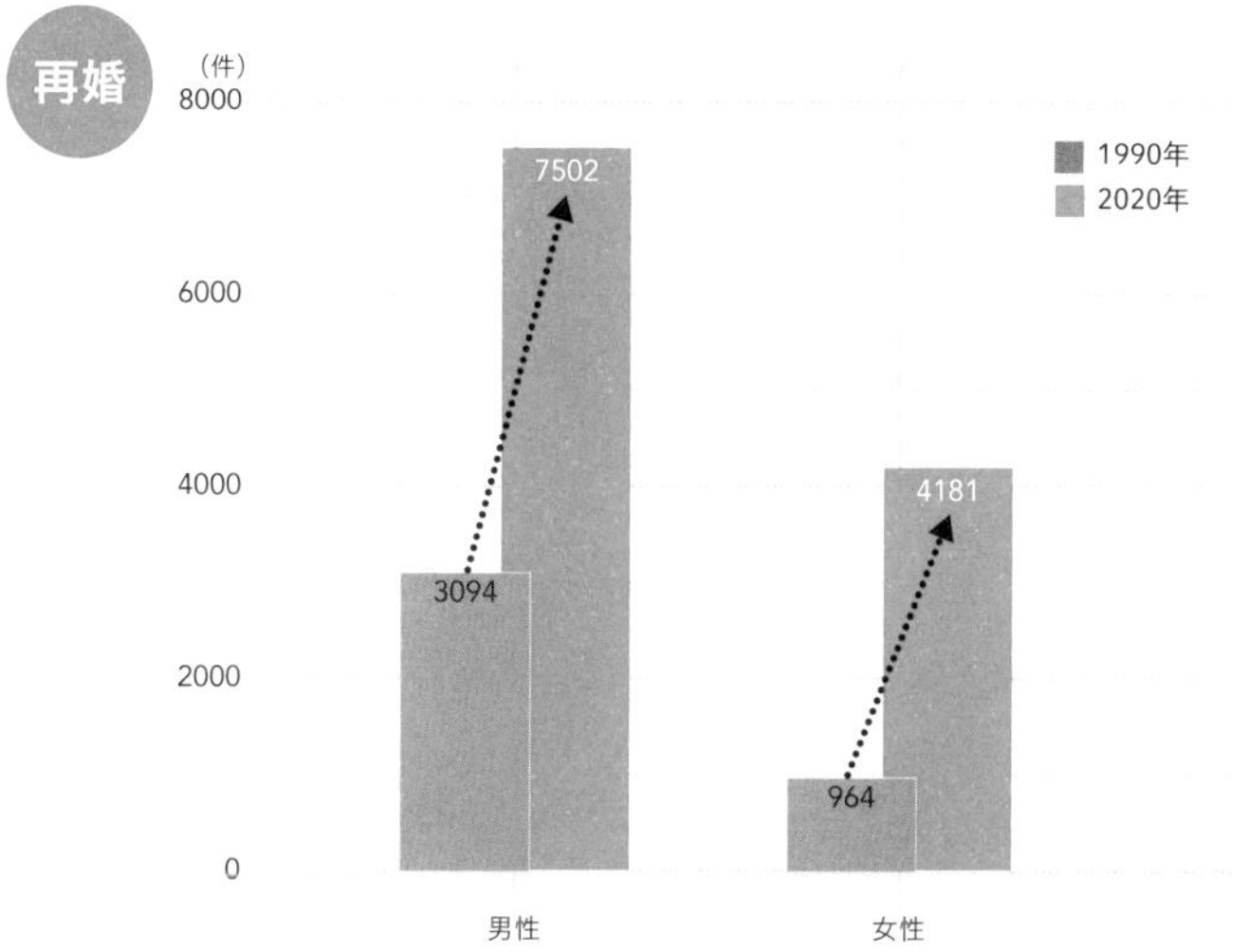

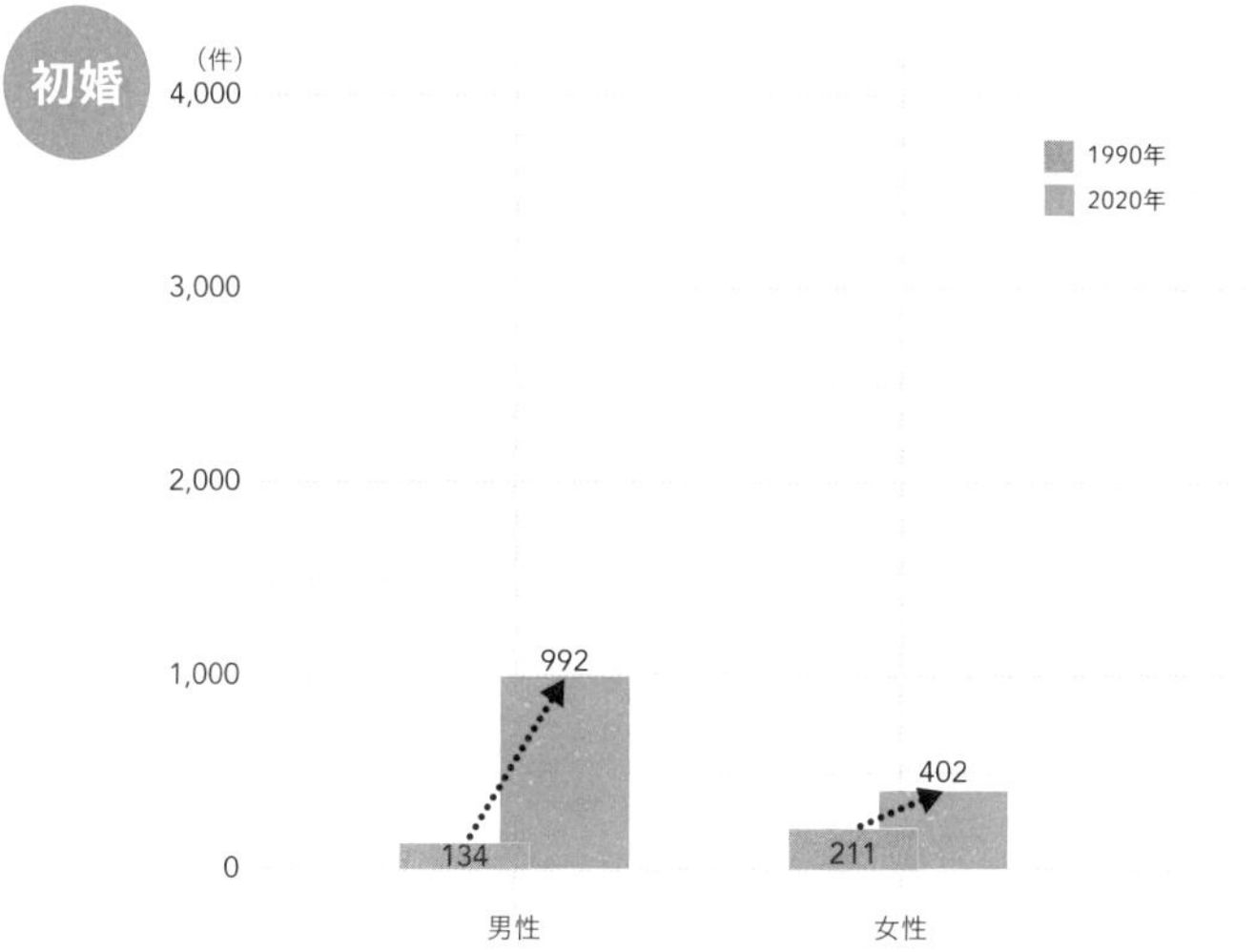

夫婦どちらかが60代以上の婚姻件数(初婚と再婚を含む)
図表79(上):再婚、図表80(下):初婚

211件、二〇二〇年には402件で2倍です。夫婦どちらかが60代以上の初婚と再婚を合計した結婚件数は、一九九〇年に1175件が、二〇二〇年には4583件へと4倍増です。今後、単身還暦者の初婚が増えるかもしれません。

還暦以上の全体人数を母集団とすれば、離婚は、先述のとおり、1000組に1組です。結婚は、60歳時点で独身の人を母集団とすれば、初婚と再婚を合計して2000人に1人という確率になります。還暦世代の大半の人は、三十数年連れ添った配偶者と、最後まで人生を全うすることになります。

晩婚化・非婚化で遠ざかる曾孫

還暦前後には孫を持つ人が現れてきます。日本人男性の平均初婚年齢は20世紀の間ずっと26〜28歳、女性は22〜28歳でしたから、それぞれが結婚して数年以内に出産しているとすれば、還暦世代の両親はだいたい80歳台後半、自分たちに子どもがいれば30歳前後ということになります。

二〇一八年の平均初婚年齢は男性31・1歳、女性29・4歳ですので、還暦世代の子どももそろそろ結婚して、早ければ子どもを生んでいることになります。還暦世代の親世代が健在であればいかに（これだけの高齢化社会ですからその可能性はおおいにあります）、曾孫をあやすことを楽しみにしている人もいることでしょう。

現代の平均的な親子世代のサイクルがおよそ30年周期とすれば、曾孫の出産時に生存しているためには90歳まで生きていなければなりません。歴史的に、女性は平均初婚年齢が男性よりも低いので、80歳台で曾孫に会うこともできるはずです。

過去の人口データから推計してみました。私たちの親世代について、父親は昭和五年（一九三〇年）生まれの男性全員を対象に、その中で曾孫誕生まで存命であった人の割合を求めたところ15％になりました。つまり、この世代の男性の7人に1人は曾孫に会えていることになります。母親は昭和一〇（一九三五）年生まれと仮定して同様の計算をすると40％となりました。つまり、この世代の女性のほぼ5人に2人が曾孫に会えていることになります。

では、いま還暦の世代はどうなるでしょう。厚生労働省の公表している年齢別の平均余命、国立社会保障・人口問題研究所が公表している将来人口推計などをもとに同様の推計を行うと、昭和三五（一九六〇）年生まれの男女が曾孫に会える確率は男性15％、女性20％となりました。男性はおよそ7人に1人で親世代と変わりませんが、女性は5人に1人と、親世代に比較して半減します。

その理由は未婚化、晩婚化、少子化、無子化です。私たちの平均余命は著しく延びてきているのですが、相手の曾孫のほうが、なかなか生まれてこなくなっているのです。この点は、旧世界と比較して寂しくなった一つの事象かもしれません。

「生涯未婚率」という統計用語があります。おそろしい表現ですが、定義は「50歳まで独身」の人の比率です。なぜ50歳かといえば、女性がこの年齢を超えると出産が難しくなるためとされています。この値は、昭和三五（一九六〇）年ごろまでだいたい1％台で推移していました。私たちの親世代は、ほぼ全員が結婚していたということです。それが一九七〇年代から徐々に増加し、そして二〇〇〇年代からは、その勢いが増して、二〇二〇年の国勢調査結果に基づく計算では、男性28・2％、女性17・8％にまで達しています。

また「無子割合」あるいは「生涯無子率」という言葉があります。同世代の女性で、生涯にわたり子どもを持たない人の比率です。国立社会保障・人口問題研究所の推計によれば、一九六〇年生まれ前後までは約2割、一九九〇年前後生まれでは約4割と、これも近年著しく上昇しています。これが少子高齢化の現実ですが、できることなら、かつての日本のように、多くの孫や曾孫に囲まれて老後を過ごしたいと考えている人にとっては残念な動向です。

■老親介護・老々介護の問題

50歳時点の未婚率は、この30年で急上昇

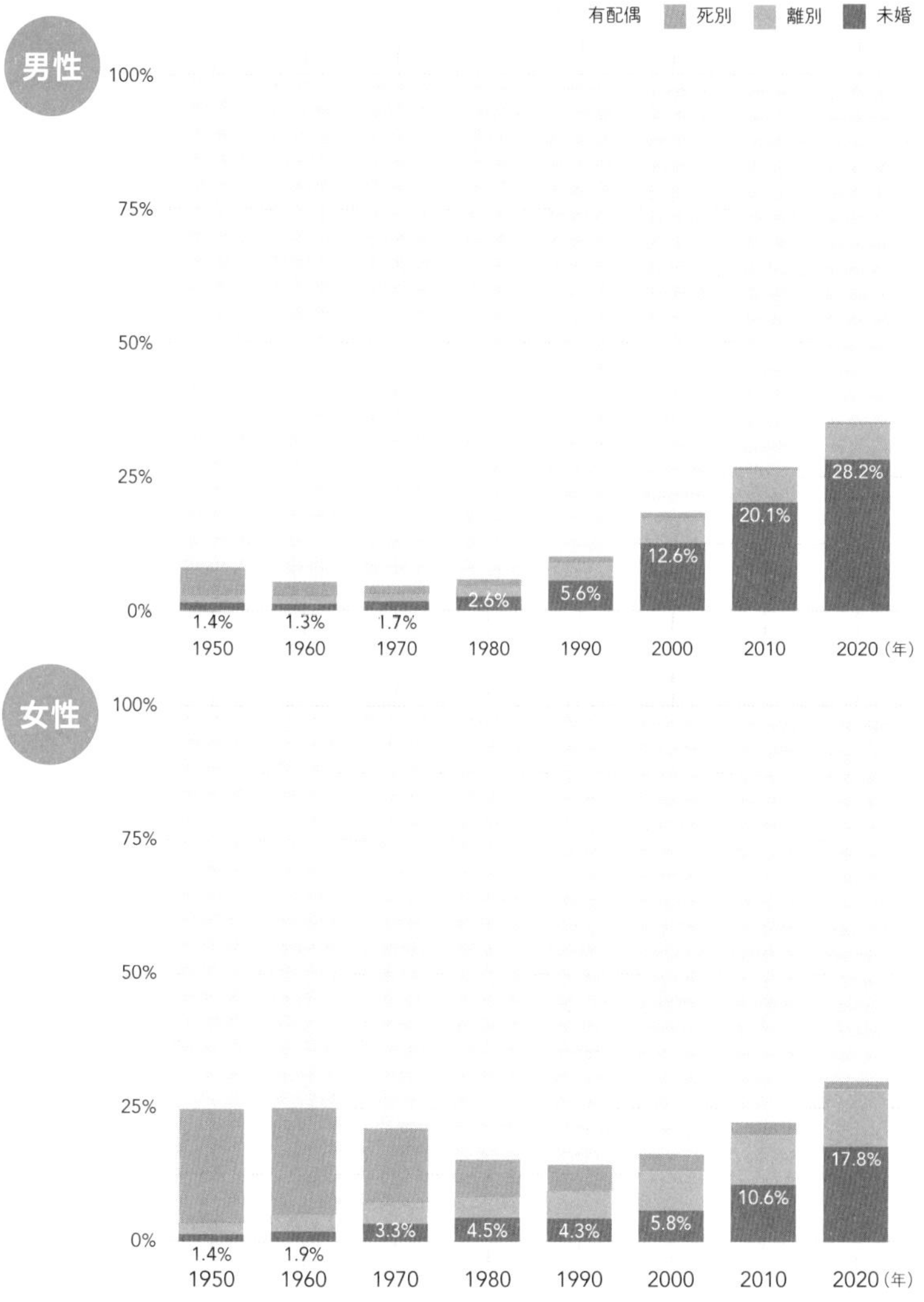

50歳男女の配偶関係の推移
図表81（上）：男性、図表82（下）：女性

長寿化が続く中で介護の比重が大きくなっていきます。問題は、大きく分けて二つでしょう。一つは、老親の介護（夫婦それぞれの両親なので最大4人、あるいはそれ以上）。もう一つは、配偶者がいる人に限られますが、配偶者の介護。ともに、とても大変であるということで、よくメディアに採り上げられています。

還暦世代の親の世代はいま90歳前後。90歳以上人口は200万人で、うち要介護・要支援の認定を受けている人はおよそ150万人、自立して生活することが難しい要介護3～5の人は71万人（3人に1人）です。特別養護老人ホームに入居している人は約54万人、在宅で親族等に介護を受けている人が24万人います。要介護度の高い高齢者の在宅介護は、介護する人が一日中拘束されるので大変です。

介護する側の数字を見てみると、二〇二一年の「社会生活基本調査」（総務省）によれば、ふだん家族を介護している人は、60歳台ではだいたい10人に1人です。この値は60代前半がピークで、60代後半から減少傾向になり、70歳以上では15人に1人が介護をしています。70歳以上ですから介護する相手は主に配偶者でしょう。

介護に要している時間は、60歳以上で介護をしている人は、1日平均で2時間強です。つまり、老親介護、老々介護というのは統計でみる限り、還暦世代の中では約1割（10人に1人）であり、その1日あたりの所要時間は平均で2時間強ということです。

寝たきりの老親ないし老いて具合の悪い配偶者が一日中、自宅にいるとするなら介護は大きな負担になりますが、多くの場合はデイサービスなどを上手に利用して、その負担を緩和させているとみられます。

在宅介護の負担を減らす仕組みは、介護保険法の成立以後、飛躍的に整備が進みました。たとえば、訪問介護、訪問看護、デイサービス、デイケア、ショートステイなどは、とても利用しやすくなっています。

厚生労働省では、3年に1回、「在宅介護実態調査」という聞き取り調査を全国で行っています。二〇二〇年の調査結果では、在宅の介護者が不安に感じている点は、「認知症」と「夜間の排泄」となっています。介護者の負担として、食事介助や入浴介助などが大変といったイメージがありますが、実際の在宅介護では、認知症で意思疎通が難しい場合、夜間のおむつ交換で介護者が十分に睡眠できないことなどが負担として重いことが分かります。

ただし、この「認知症」も「夜間の排泄」に伴う負担も、訪問介護や訪問看護など、訪問系サービスを利用している介護者は、比較的不安が少ない傾向が見られます。認知症の症状（食べたことを忘れてしまう、怒りっぽいなど）への対応方法を看護師に相談したり、夜間のおむつ交換をヘルパーにお願いすることなどにより、在宅介護を続ける上での不安や負担の軽減につながっていることが考えられます。

以上のように、一部の人は在宅介護がきわめて大変ですが、介護負担の緩和方法が整備されてきているというのも、また事実です。

新時代の人間関係

以上に見たとおり、同世代の過半数が自立的に90歳前後まで生きる時代では、家族関係や親子関係が、旧世界のイメージでは捉えきれなくなります。

一方で、今後ますます重要になるのが、横の人間関係ではないかと考えられます。旧世界においては、同世代のつながりは、クラスメートや会社の同僚などと、一つの場を共有することで作られていました。しかし、そのような関係性は、60歳を超えた30年間は、学校や会社のような社会の仕組みとしては用意されていません。

旧世界では、還暦を過ぎれば、同世代は次々に亡くなっていきました。その結果、老後は家族中心で過ごすことが自然だったのでしょう。しかし、これからは同世代の多くが、これからの30年間を並走します。90歳になっても同世代の半数が存命、多くは健在（自立的）です。

還暦以降の横のつながりは、いままで以上に可能性が広がりますし、重要性も高まっていくに違いありません。

時間の使い方

過半数の人は、60歳から90歳までの30年間、健康管理に気をつけることで、健康かつ自立的に暮らせます。では、その時間をどのように使えば、幸せで、充実した人生をすごすことができるのでしょうか。

もちろん、これは個別性の強いことなので結論は出せません。以下では、「いまの高齢者世代」が、還暦以降の時間をどのように使っているのかを、いくつかの視点から見てみることにします。

■テレビ「視聴爆発」からネットライフへ

私たちの時間の使い方を全国的に調査した「社会生活基本調査」（総務省統計局）があります。最新版の二〇二一年で年齢別・男女別の時間の使い方を見てみました。次頁図表には、多くの人が平均して1日に3時間以上を費やす項目をピックアップしてあります。

まず、どの世代でももっとも長く時間を使うのは睡眠です。60代前半の男性で7時間32分、女性で7時間14分です。よく、歳をとったから朝は早く目覚めてしまうとか、長く寝ていることができなくなった、などと聞きます。しかし、統計でみる限り、睡眠時間がもっとも短いのは50代から60歳にかけてであり、還暦後の減少はありません。むしろ、私たちの睡眠時間は年齢とともに長くなります。

睡眠の次に多くの時間を使う対象は、60代後半以降には、男女ともテレビ・ラジオ・新聞・雑誌です。65歳以上男性は、平均的に1日4時間以上をテレビ・ラジオの視聴に費やしています。もともと日本はよくテレビを見る国であり、イギリス情報通信庁の二〇一四年国際比較調査では、テレビ視聴時間の国民平均は、アメリカに次いで先進国中第2位でした。

いまの70代、80代、あるいはそれ以上の人たちの間では、還暦以降にテレビ視聴に費やす時間の急激な増大が起きました。このように高齢期を迎える多くの人が経験するテレビ視聴の大幅な増大現象を、NHK放送文化研究所は「視聴爆発」と呼び、それがあまりにも巨大なので、社会現象として重視し研究しているとのことです。

しかしいま、こうした時間の使い方は大きな潮目の変化の只中にあります。総務省「通信利用動向調査」によれば、60歳台以降のインターネット利用率は、この10年で大きく伸びています。60歳台で約8割、10年前の60歳台に比べ約3割増、いまの50歳台は95%と、ほぼ全員がインターネットを使っています。10年前の還暦者（現在の70〜80代）と現在の還暦者とは、イン

仕事の時間が減った分は新聞・テレビ・ラジオに

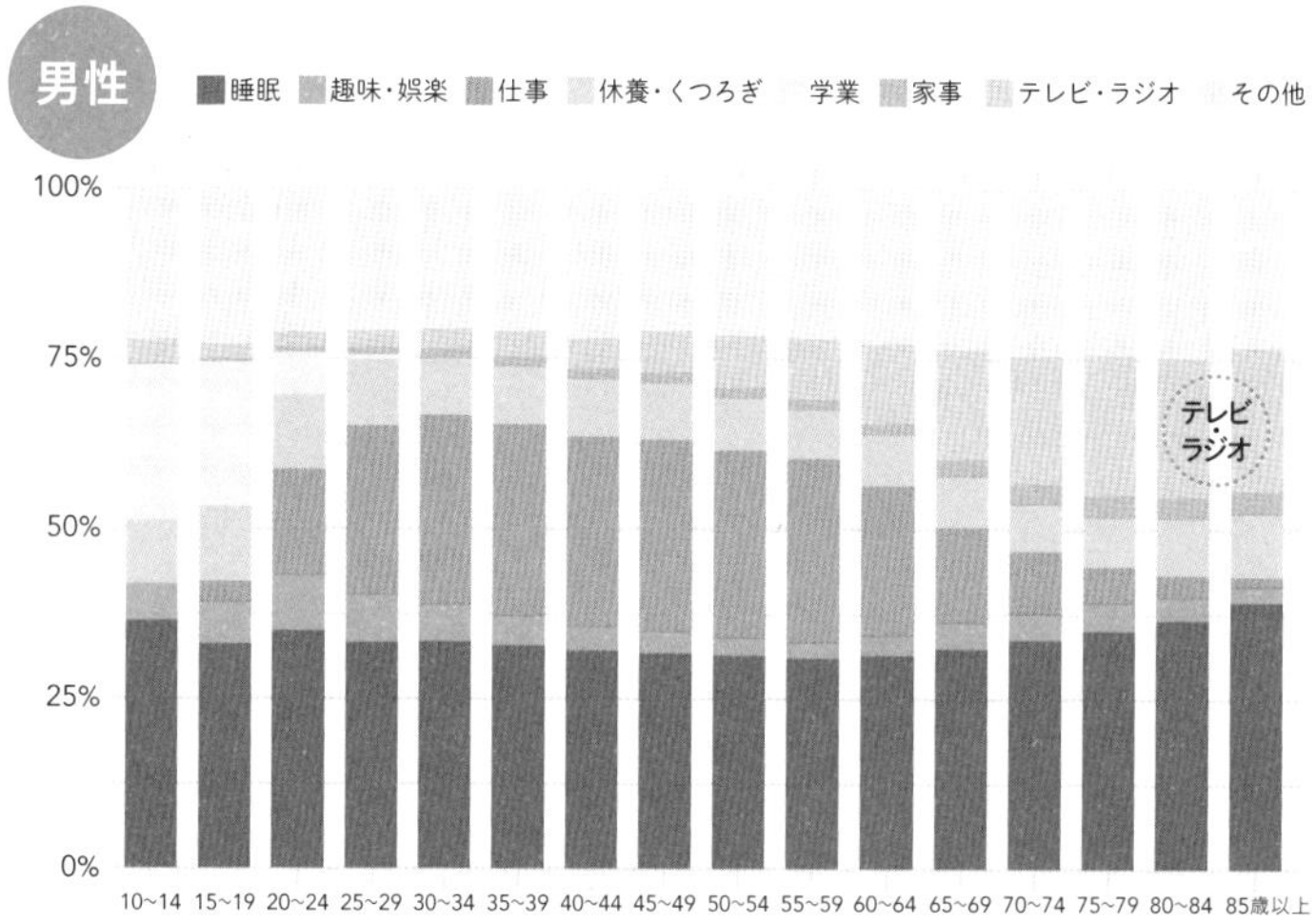

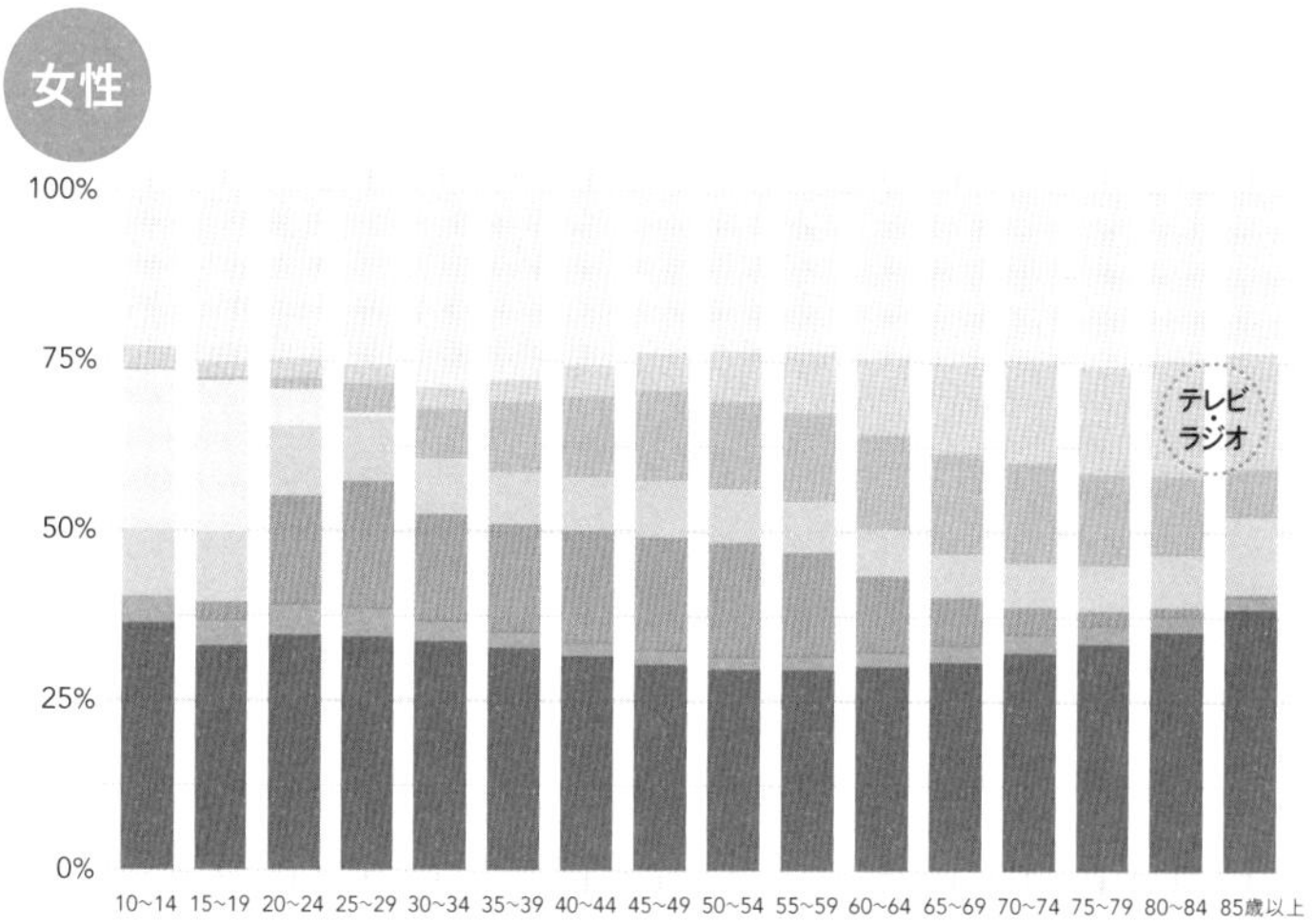

時間の使い方
図表83（上）：男性、図表84（下）：女性

ターネットなどについてのＩＣＴリテラシーも違い、テレビの視聴時間は、今後、大きく変わると予想されます。

実際、高齢者の電子商取引利用やYouTubeの視聴も増えているようです。終活を意識して断捨離を進め、不要となった品物をネット上でオークションにかける人も増えてきました。コロナ禍で、外出や、それに伴う飲食の機会が減ったので、これまで積ん読であった本を手に取ってみるなど、自宅での読書も増えているかもしれません。また、ポケモンＧＯなどの携帯ゲームで、祖父母と孫の共通の遊びで過ごすといったことも増えています。

これからの還暦者のリテラシーを考えると、一時的なテレビの視聴増はあるかもしれませんが、世の中の情報を得るため、また手軽な楽しみとして、あるいは寂しさを紛らわせる手段として、主体的にＳＮＳなどの双方向コミュニケーション・メディアを活用するなど、もっといろいろな時間の使い方が出てくるでしょう。

仕事とともにスポーツも趣味も

テレビ視聴が減ってネットに費やす時間が増えるのは当然と考えられますが、もう一つの大きな流れとして無視できないのは、「仕事」と「余暇活動」の時間の増大です。

これからは、60代以降もネット利用が当たり前

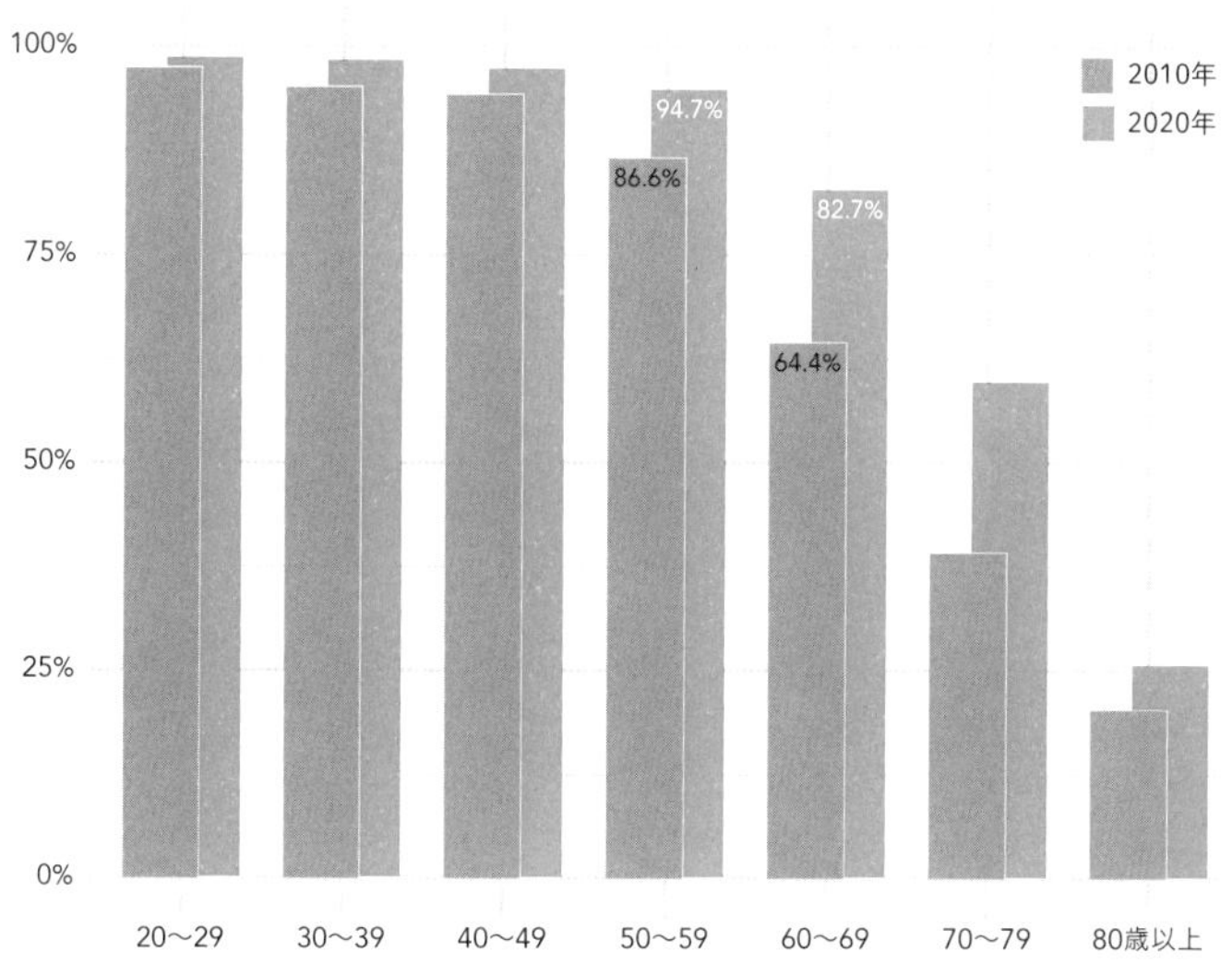

図表85：利用者の年齢階級別インターネット利用率

たとえば、60〜64歳で働いている人（労働力人口比率）は二〇一一年の57・1％から二〇二一年には71・5％に増加しました。二〇二一年には65〜69歳でも働いている人が、初めて5割を超えました（50・3％）。このように、60代以降の働く人の比率は、この10年、どの年代でもじわじわと伸びているのです。還暦世代の精神的・肉体的な若返りが進んでいる現在、60代以降の働く時間は、これからも増えていくと思われます。このことについては、次節で少し詳しく扱います。

一方で、そうは言っても、多くの人にとって、還暦後は仕事以外の広がりを求めたい期間でしょう。総務省「社会生活基本調査」では、年齢別にスポーツや趣味・娯楽に参加した人の割合（これを「行動者率」と呼びます）を集計しています。二〇一一年と二〇二一年を比較すると、スポーツの行動者率は、全年代で伸びているのですが、伸び率が大きいのは70歳以上です。また、「趣味・娯楽」も全年代で伸びていて、伸び率が大きいのは50代後半以降です。

■趣味・娯楽・教養の活動はネット活用が拡大

趣味・娯楽に関しては、ネット利用の拡大が並行して進んでいます。二〇〇五年と二〇二〇年で趣味・娯楽・教養でインターネットを利用した人の比率を比較すると、男性60代で12・1％

75歳を過ぎると趣味やスポーツへの参加率は下がる

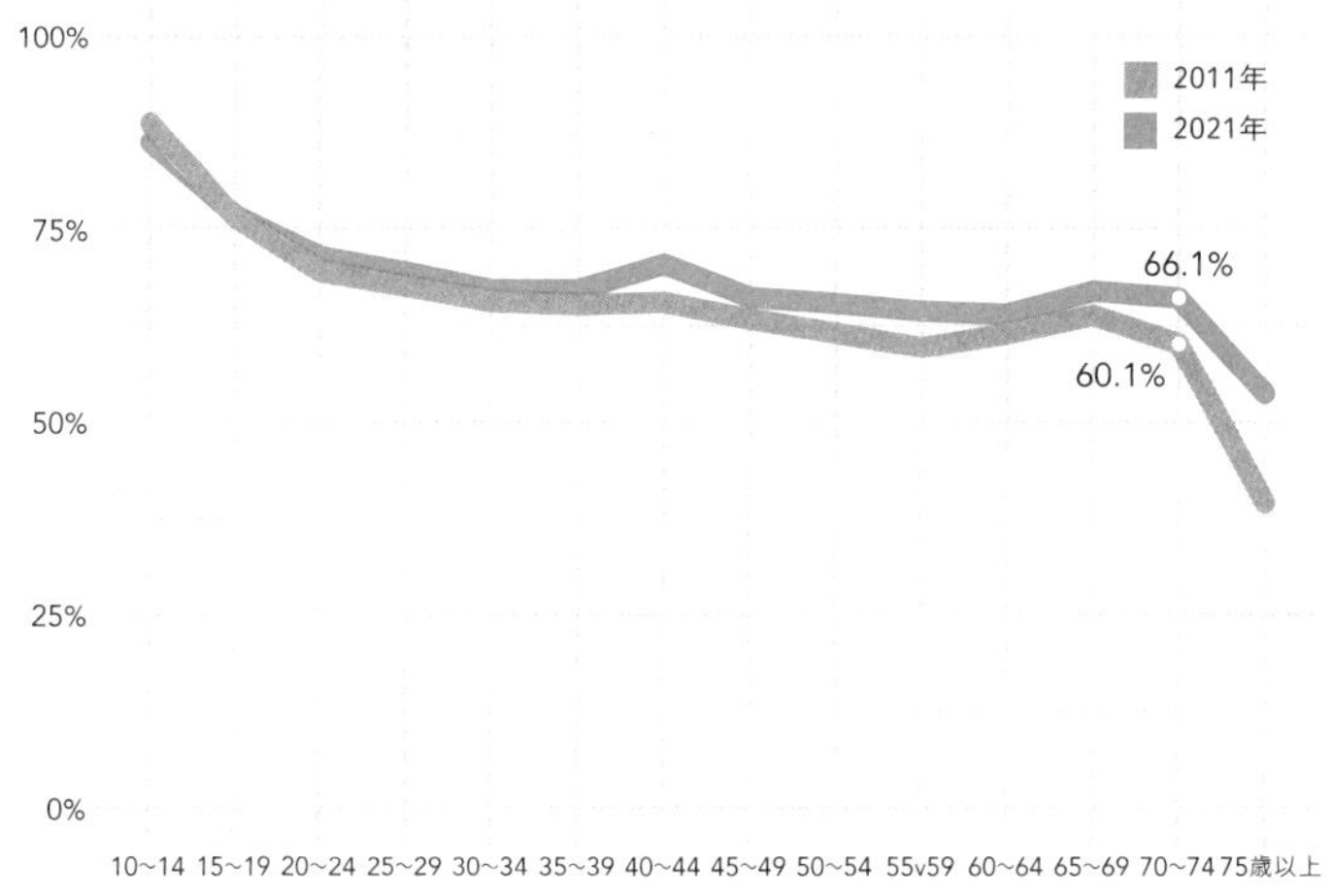

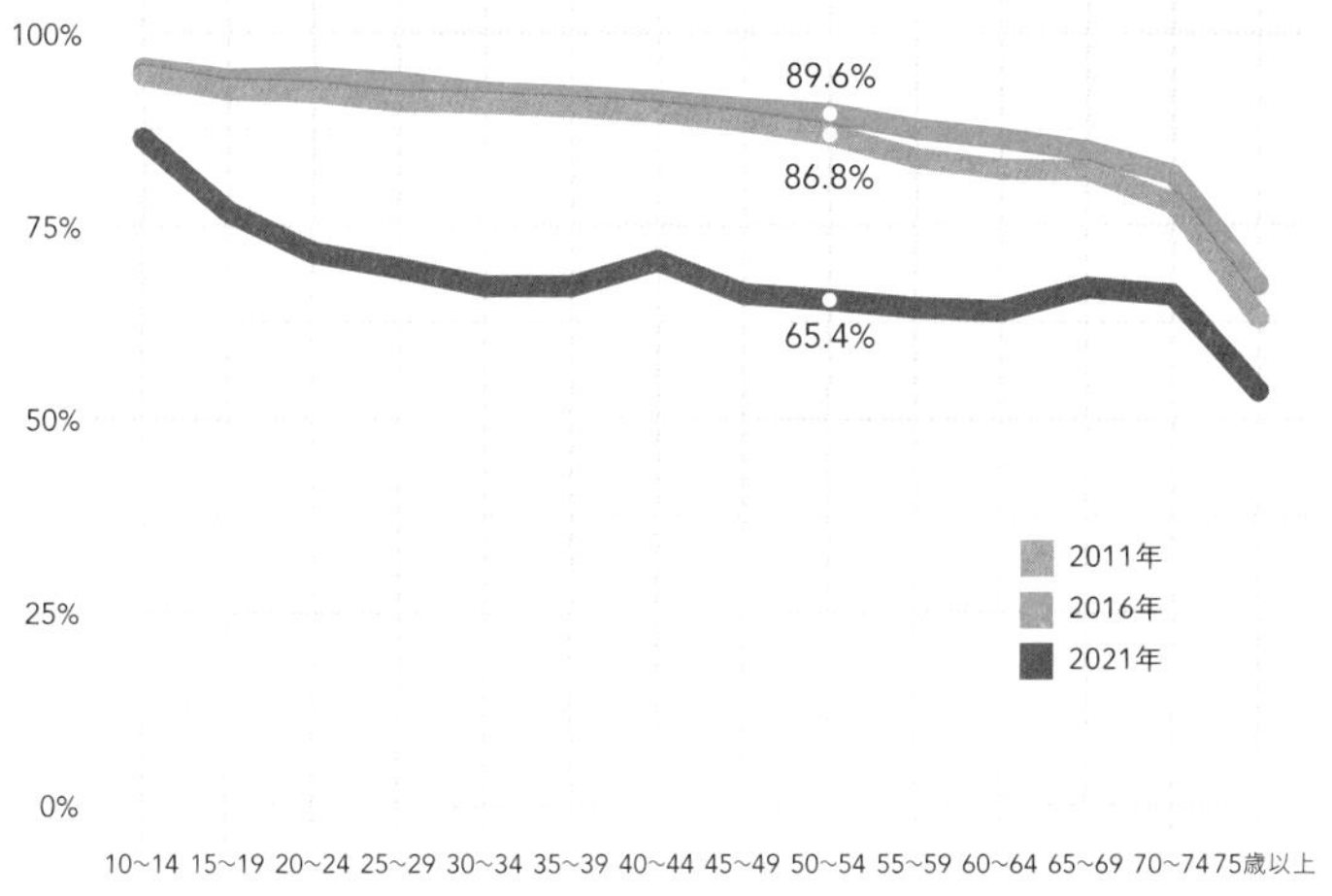

図表86(上)：「スポーツ」の年齢階級別行動者率
図表87(下)：「趣味・娯楽」の年齢階級別行動者率

から36・9％へ、女性60代で3・9％から30・0％へと大幅な伸びです。

■友人・知人との行動が増える

ネットで趣味・娯楽の活動を広げる還暦後の人が増えていますが、一方で、「旅行・行楽」のように外に出る余暇活動も増えています。

前出「社会生活基本調査」によれば、60代前半の「旅行・行楽」行動者率は49％、75歳以上でも26％です。興味深いのは、「誰と旅行したか」に関してです。男女とも、30代以降は「家族と」が第1位なのは変わらないのですが、50代くらいから、男女とも「友人・知人・その他の人と」が増え始め、とくに70代女性ではその比率が「家族と」に肉薄していきます。

■これからの時間活用

これまでの「還暦後」の人生において、テレビ・ラジオ・新聞・雑誌がひじょうに大きな位置を占めていたことは明らかです。そして、これからもマスメディアは、シニアライフにとって重要な位置づけであり続けるでしょう。

ネット利用の趣味・教養・娯楽が劇的に増えている

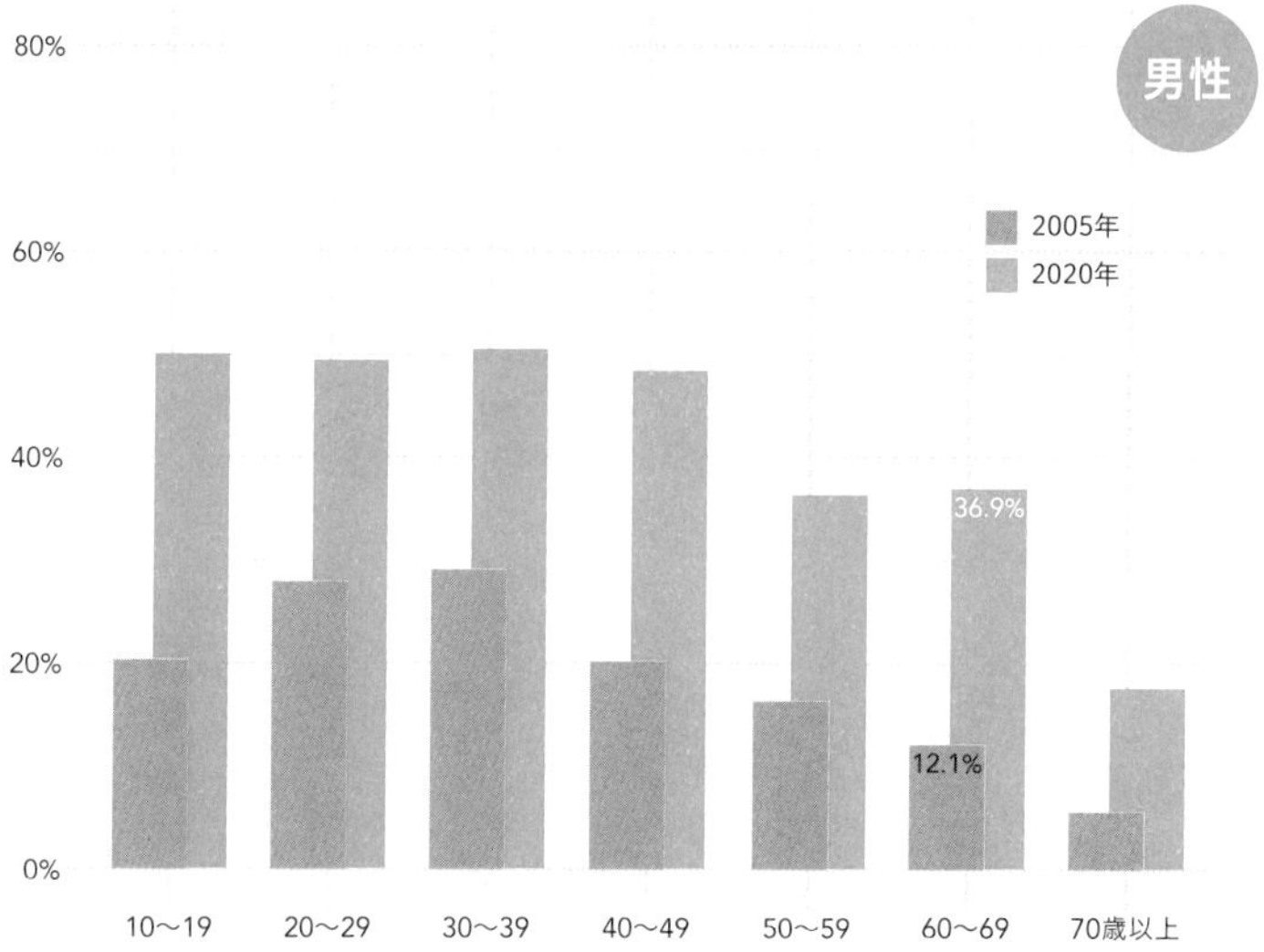

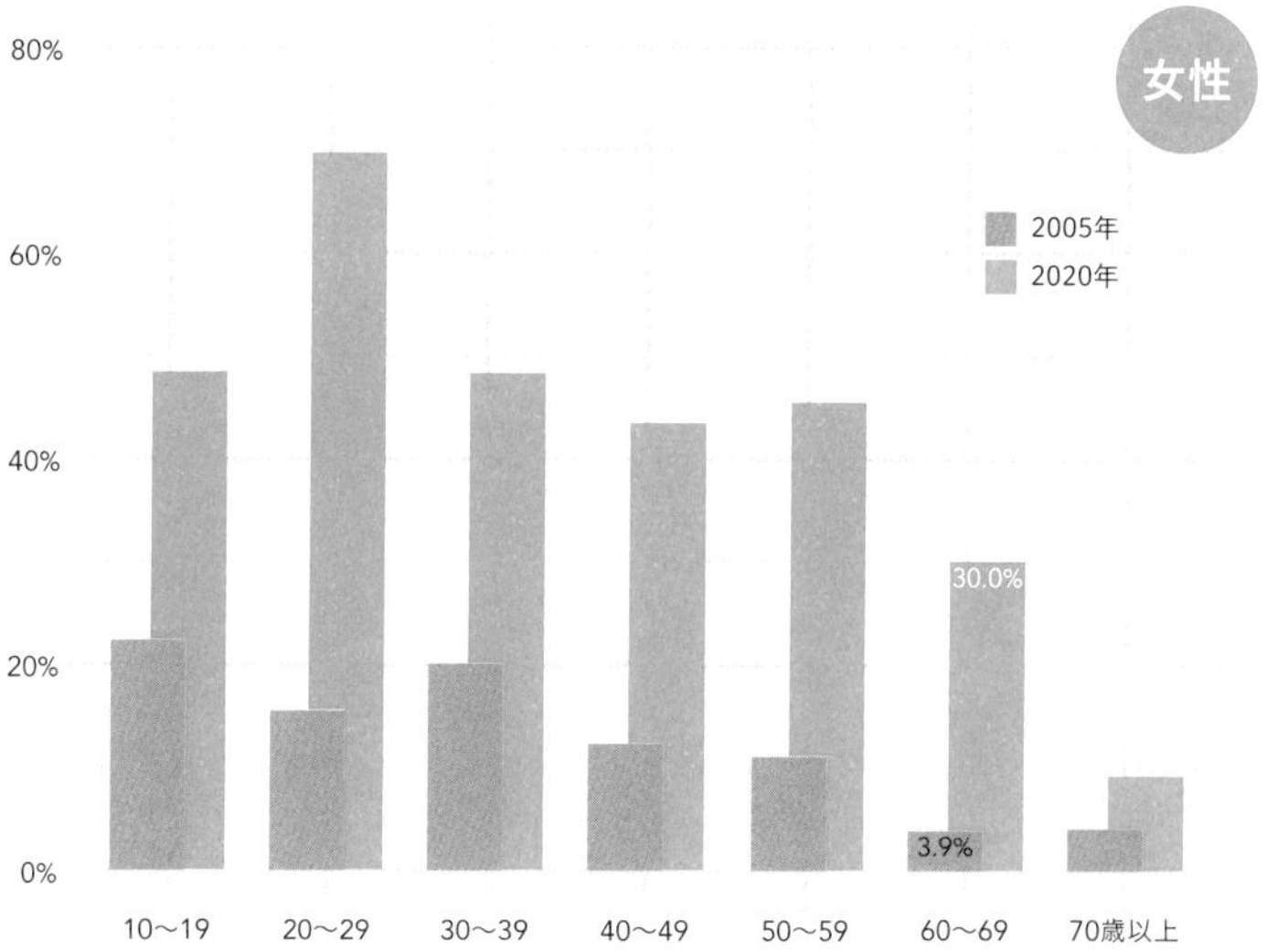

趣味・娯楽・教養のインターネット行為者率
図表88（上）：男性、図表89（下）：女性

しかし、60代以降における健康と体力の若返りが進み、同世代の友人関係が長く維持され、インターネットをはじめとするICTのリテラシーも備えたいまの還暦世代の行動様式は、大きく変化していくにちがいありません。まして、「これからの30年をどう過ごそうか」と考えたとき、その行動範囲は多様化する方向にあると予測します。

そんな中で、ここで紹介したように、

①余暇活動の拡大、

②ネットのフル利用、

③友人・知人との交流の増加、

の3点は、まず間違いなく今後も進展するでしょう。

お金

定年制が普通である、いまの日本の雇用制度の枠組みの中では、定年を過ぎて新たに職業に就くことが普通な状況を定着させるには、まだまだ時間が必要と思われます。60歳から30年間は、自立的に生きるのが普通だというイメージが社会に共有されれば、ならばもう一旗揚げるかと考えて起業する還暦者が多数出現するでしょうし、そういう企業は、多くの経験と実績が

60代〜70代は友人・知人との旅行を再び楽しむとき

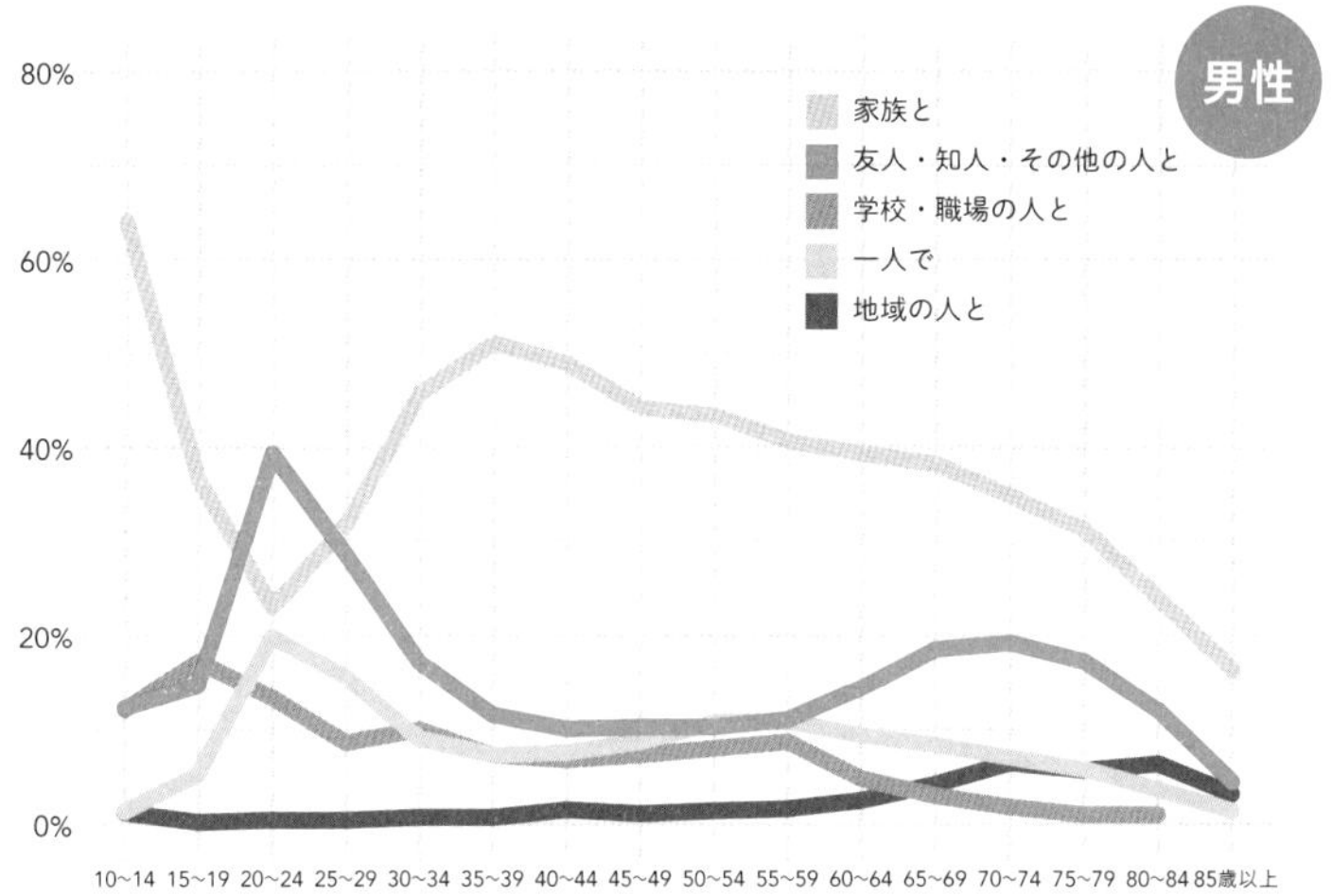

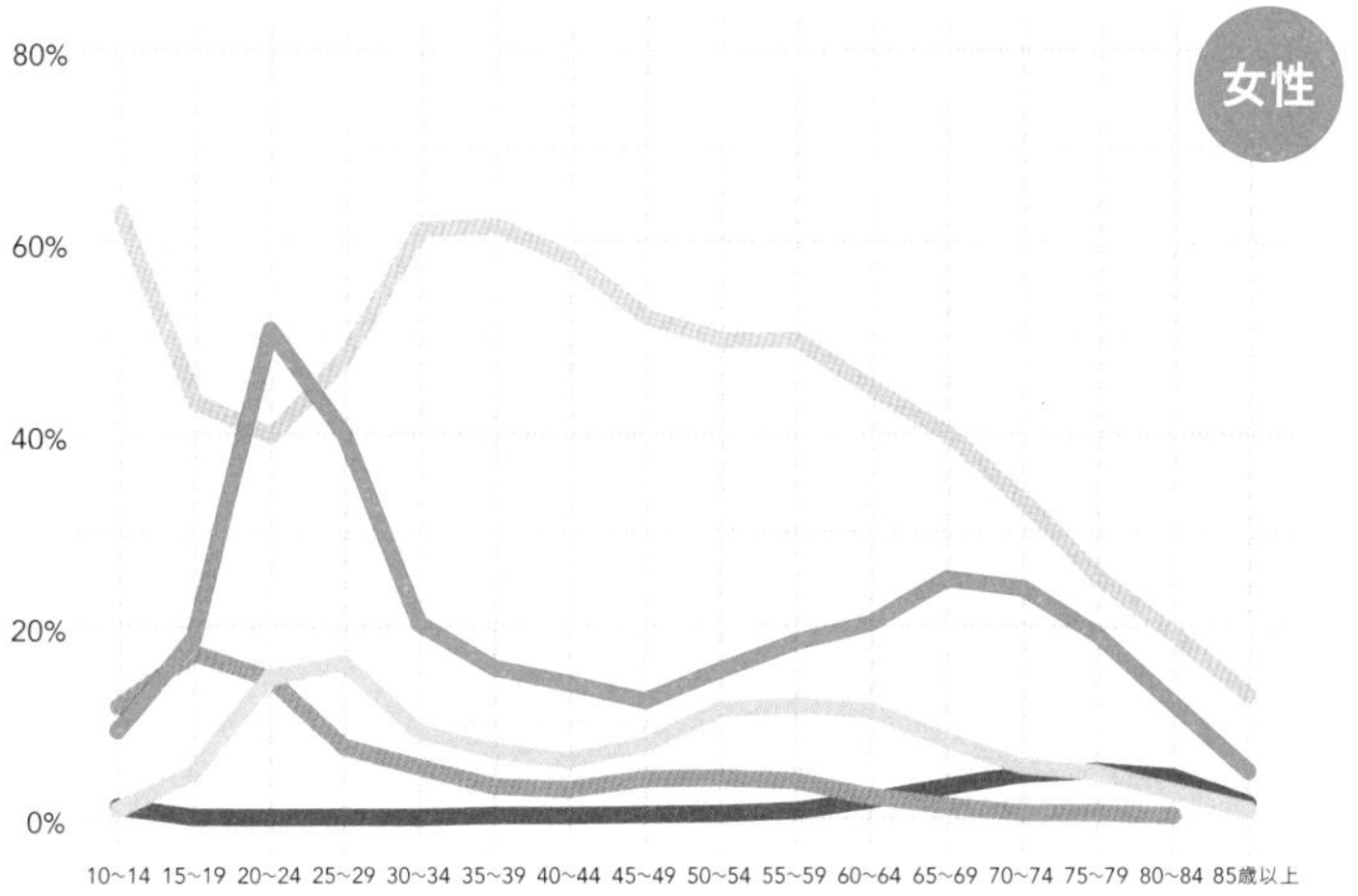

国内観光旅行に共に行った人
図表90（上）：男性、図表91（下）：女性

あるシニアを雇用するはずです。

そうなれば、60歳以降のお金の不安はかなり解消すると思うのですが、現状では、年金プラスαという枠組みが主になり、また個人差もきわめて大きいと言わざるを得ません。そんな中で、いくつか基本的と思われる事項を記述します。

■「老後2000万円問題」を振り返る

二〇一九年に「老後資金2000万円」問題が世間を賑わせました。金融庁の金融審議会市場ワーキング・グループがまとめた報告書に記載された内容ということで、多くの人は「定年後は収入が減るので、退職するまでには2000万円ほど貯蓄していなければならない」という意味で受け取ったようです。これに対しては「ただでさえ生活が苦しいのに、政府はさらに2000万円ためろと言うのか」などの反発があり、当時の麻生《あそう》担当大臣が報告書を受け取らないと表明する騒ぎになりました。

改めてその報告書に目を通してみれば、以下のような内容です。日本人が長寿化しているので老後に必要なお金も増えている。そのため、資産を増やすことが必要なのだが、多くの人の資産は銀行預金が多く、投資をしていない。その理由を見ると、投資に関する知識がないから、との回答が多いので、その点は改善していく必要がある、……。別に、騒いだり驚くようなことではありません。

問題の2000万円ですが、試算は、「夫65歳、妻60歳、ともに無職で年金のみで暮らす」というケース設定なのです。2人世帯の平均的支出は、月額25万円、それに対して年金収入は20万円。差し引き5万円の赤字だから、それが30年続くと2000万円になるというのが「老後資金2000万円」問題のロジックです。ちなみに、これは、金融庁のワーキング・グループに厚生労働省が提供した資料に記載されていたものでした。本書第二部の冒頭でも述べましたが、これはたんなるデータです。データは、スタンス次第でずいぶん違う解釈になります。

老後は年金だけでゆったり暮らそうという人の視点からは、「さらに2000万円必要とは何事か」となるでしょう。一方で、いまの勤め先はリタイアするが、まだまだ自分は働けるし働きたいという人の視点からは、「なんだ、月額5万円の収入があれば収支が釣り合うのか」という感想も聞かれそうです。

どちらの視点が正しいかはともかくとして、世の中の流れは後者です。前述のとおり、いま、60代以上で働く人が増えています。総務省の「労働力調査」に基づいてグラフにすると、60代以上の就業率は、どの年代でも、いまどき珍しいくらいきれいな右肩上がりの図になります。

60代以降に働く人が増えているのは、年金が不足していてとても生活できないからでしょうか。そうだとすれば、旧世界で作られた仕組みが、国民の長寿化によって機能不全を起こしている典型的な事例ということになります。

国が60歳以上の就業者に行ったアンケートで、「何歳まで働きますか」との質問に対する回答は「働けるうちはいつまでも」が42％で1位でした。還暦者の希望する引退年齢は65歳1割強、70歳2割、75歳1割という少なさです。60歳以上の4割の人が「いつまでも働く」と考えているのです。諸外国と比べた調査でも、日本人高齢者の就労意欲は、4割を超えており、米国、ドイツ、スウェーデンの3割弱と比べて高いのです。

働く理由を見れば、やはり経済的な理由が大きいと言わざるを得ません。ただし、年代別に変化も見られます。内閣府「高齢社会白書」によれば、「経済的な理由」が60代前半で男性65・1％、女性47・6％で、各種の理由の中では最大です。ただし、75歳以上では男性29・9％、女性38・5％に下がりますが、依然として働く理由の上位であることは間違いありません。経済以外の動機には、生きがい、社会参加、健康のため、などがあります。

■高齢世帯の暮らし向きは苦しいか？

75歳を超えても働く人が1割いて、その理由が経済的なものであるとする人が3～4割存在

60代以降でも働く人は増え続けている

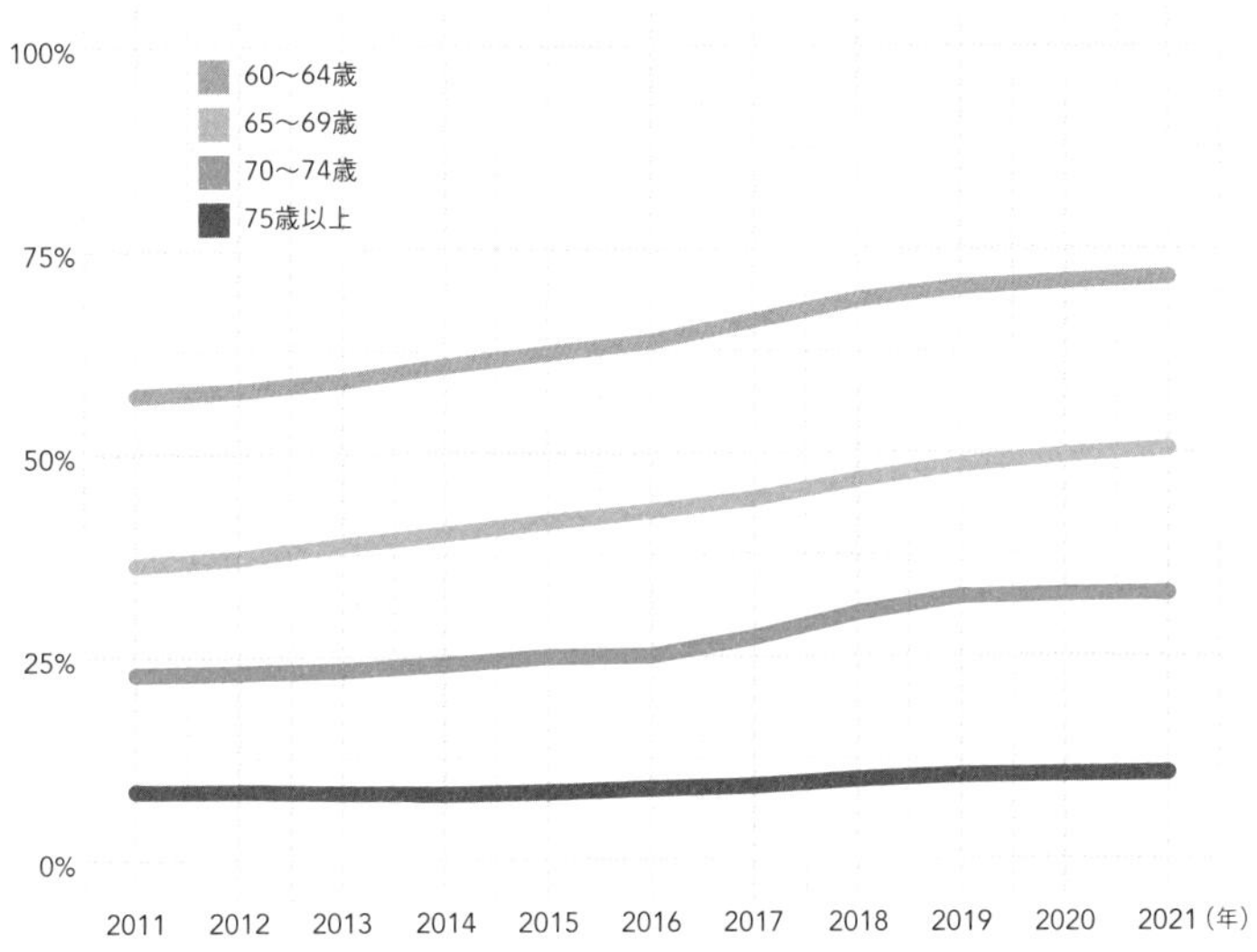

図表92：労働力人口比率の推移

することは事実です。それでは全体として、高齢世帯の暮らし向きはよいのでしょうか、深刻な状態なのでしょうか。

厚生労働省「国民生活基礎調査」には、世帯別に生活意識を問う項目があり、「大変苦しい」は全世帯で21・8%です。世帯主が65歳以上の高齢者世帯では19・7%と、全世帯平均をわずかに下回っています。逆に「大変苦しい」がもっとも高いのは母子世帯の41・9%で、全世帯平均の2倍です。また「児童のいる世帯」も、全世帯平均より上の25・5%です。

一方で、「ゆとりがある」「ややゆとりがある」「普通」の三つを合わせた値は、全世帯で45・6%、高齢者世帯は48・0%です。ようするに、高齢者世帯平均は全世帯平均と比べた場合、どちらかと言えば、苦しくない方に入ってしまうのです。

「苦しくない」とはいっても、還暦後の平均的な所得水準はかなり低いのが現実です。所得水準は低いのに、全世帯平均と比べて「生活は苦しくない」のはなぜでしょうか。

■収入も支出も減るが、ゆとりは増加

個人あるいは世帯の経済状況を論じるには、いくら稼いでいくら使うかという出入り(フロー)に加えて、いくら保有しているか、といういわゆる資産《ストック》の検討が欠かせません。以下では、こ

60歳をすぎても働く理由

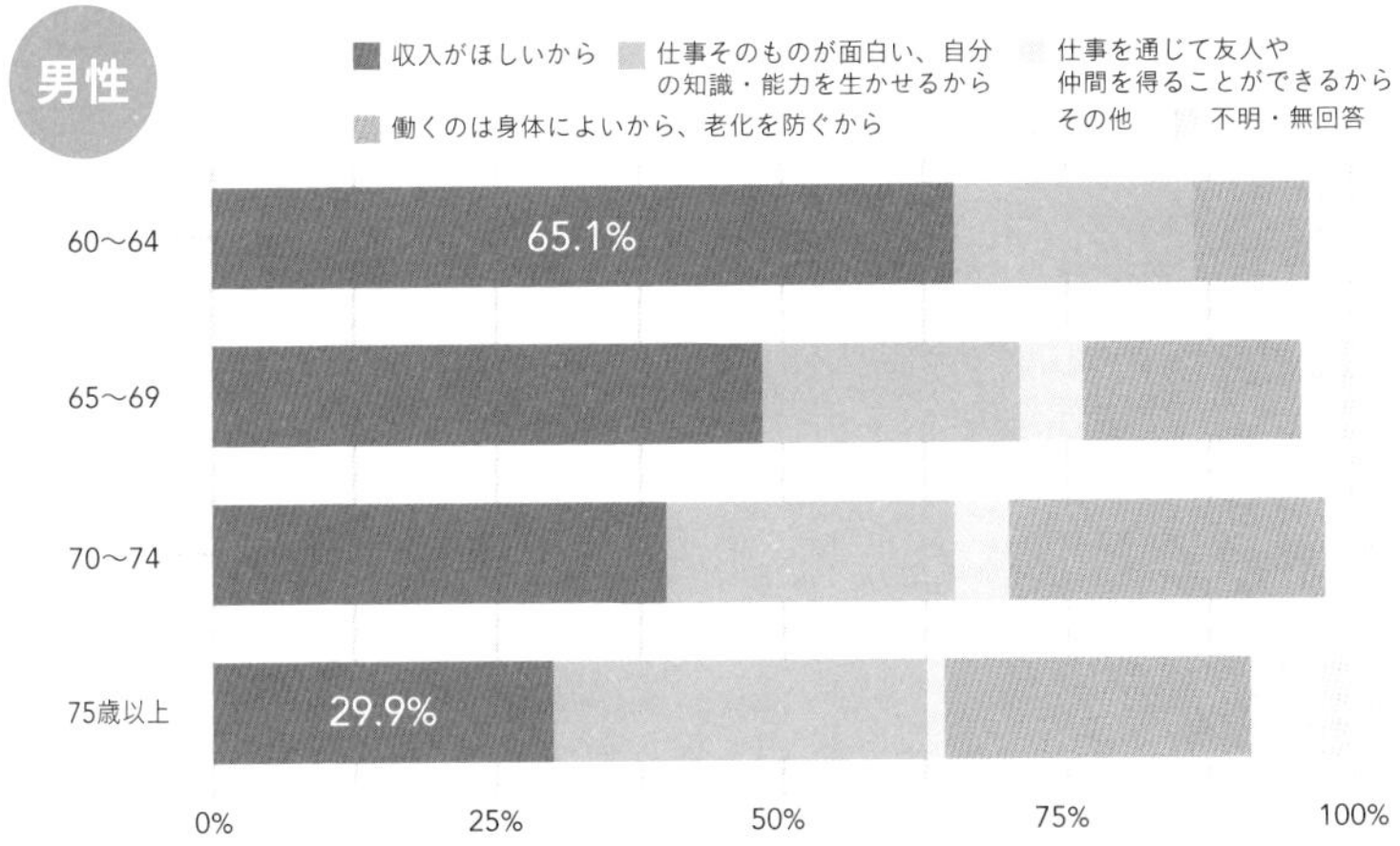

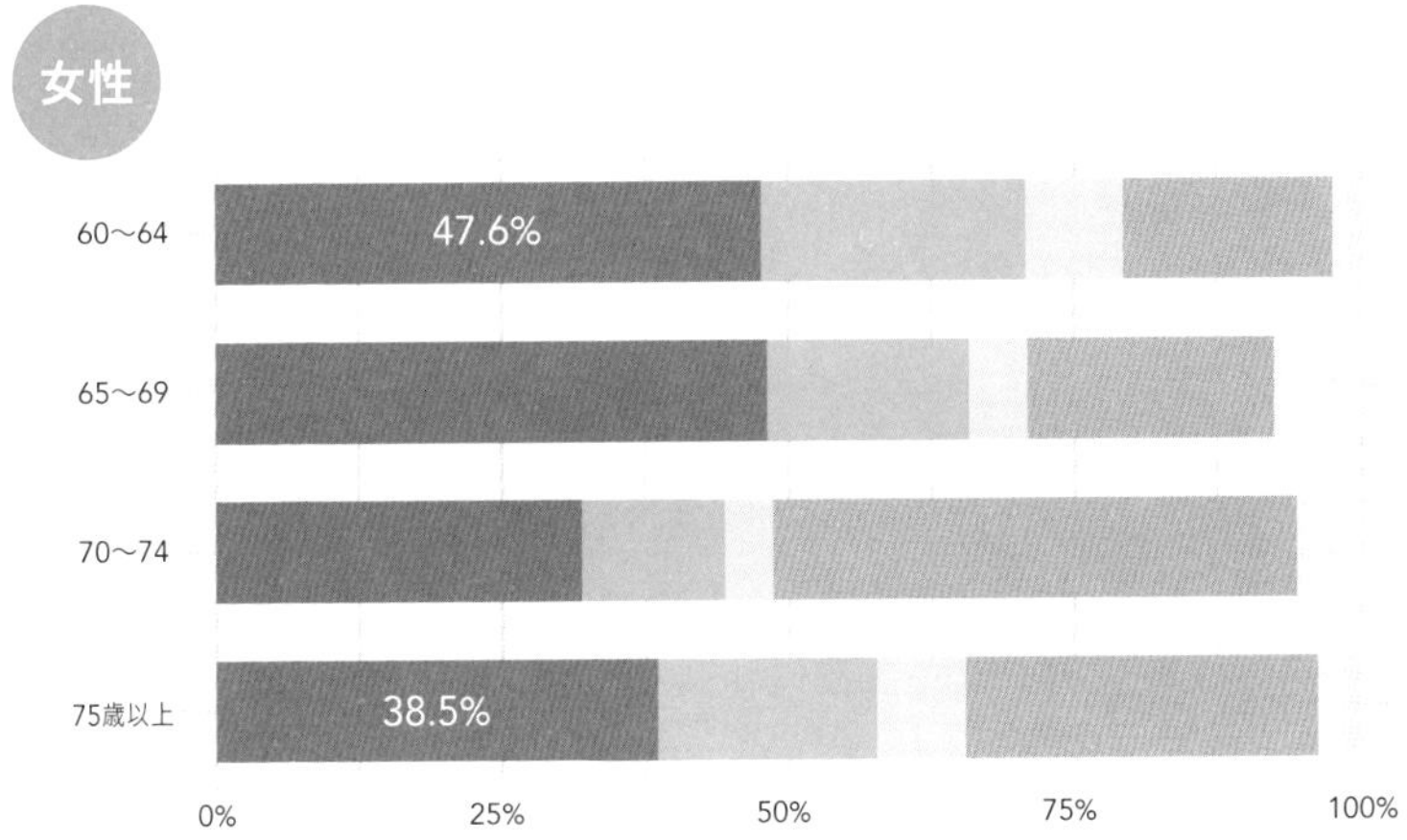

仕事をしている理由
図表93(上):男性、図表94(下):女性

の二つの面から、還暦後の「お金」について見てみます。

上掲の「国民生活基礎調査」によれば、二〇二〇年の世帯別平均所得は、世帯主が50代の世帯でもっとも多く783万円、60代で579万円、70代で419万円へと下がっていきます。私たちの所得は、世帯主の加齢により、生涯でもっとも所得の多い期間から10～20年を経て半減に向かいます。

一方、出ていくお金は、総務省の「家計調査」が調べています。世帯主が50代の世帯の消費支出は年間平均435万円、これが60代になると368万円、70代以上では324万円に減ります。とくに、50代から60代にかけて、教育費26万円、交通・通信費（主に自家用車関係費）19万円、仕送り金15万円だった分が減っていきます。60代から70代にかけては、それまでの交通・通信費（主に自家用車関係費）20万円、耐久財（家具など）11万円が減っていきます。保険や医療費は引き続き出ていきますが、還暦を過ぎると、年齢に応じた断捨離を実行していると言えます。

つぎに、資産に注目してみましょう。還暦世代の資産は、若いときからの積み重ねからくる余裕があります。

「国民生活基礎調査」によれば、日本の1世帯当たりの平均貯蓄額は１０７７万円ですが、世帯主が60代の世帯は１４６２万円で全世代中最高です。一方で、1世帯当たりの借入金額は、全世帯平均で425万円ですが、世帯主が60代の世帯では、214万円に過ぎません。借金がもっとも多いのは30代と40代で、ともに1000万円を超えています。大きいのはもちろん住宅ローンです。世帯主が70代以上の世帯は、貯蓄額1234万円、借入額108万円です。60代の金額との差額は200万円程度。つまり、現役時代よりも減少した収入をうまく活用しながら資産の目減りを抑制できている姿が現れていると思われます。

■資産を守ることの重要性

最近、予期せぬ出費として無視できないのは金融詐欺、特殊詐欺の被害です。具体的には、「投資詐欺」、「オレオレ詐欺」や「還付金詐欺」などです。警察庁によれば、最近数年間の特殊詐欺認知件数は年間1万5000~2万件、被害額は300億円を超えています。1件当たり平均200万円です。被害者に占める高齢者の比率は、二〇一九年で84%、とくに80歳前後の女性がオレオレ詐欺にかかることが多いのです。女性高齢者が多い理由として、この年齢層の一人暮らし高齢者に女性が多いこと、夫婦同居の場合でも、自宅にいて電話をとる確率が夫より高いことなどが指摘されています。不意の電話や怪しい勧誘などに関しては、1人で判断せずに、信頼できる相手に必ず相談するなどの慎重な対応が絶対に必要です（警察に窓口があります）。

起業するシニアが増えてきた

近年の特徴として、60代以降の起業が増加しています。起業者の数を把握することはなかなか難しいのですが、1年間に転職ないし新規就業して、その現在の地位が自営業主である人を独立起業した人と定義すれば、最新の統計（「平成二九年度就業構造基本調査」）では日本全国で独立起業した人は23万6000人で、うち還暦以降の人は5万6000人（全体の4人に1人）で、意外に比率が高いのです。60代前半の独立起業は1万2000人で、同世代人口の0・15%（600人に1人）、60代後半は2万5000人で同じく0・25%（400人に1人）となっています。

還暦以降で独立起業した人たちは起業に関心を持ったきっかけについて、「周囲の起業家・経営者の影響」「周囲（家族・友人・取引先等）に勧められた」「勤務先ではやりたいことができなかった」等を挙げています（中小企業庁「中小企業白書二〇一七年版」）。形態は、個人企業（個人事業主）が約8割、株式会社が2割弱です。この点については、年齢による違いがあまりありません。

体力年齢が若返り、頭の回転も衰えず、数十年に及ぶビジネスの経験と人脈がある還暦世代が、これから元気で30年間活動できるので、独立起業は、今後も増える可能性が高いでしょう。

それを支援する公的な制度も生まれてきています（たとえば、政策金融公庫の「女性、若者／シニア起業家支援資金」があります）。新卒採用は厳しい競合状況が続いていますし、シニア起業家がシニア社員を雇用するとなれば、還暦以降の就業機会拡大という波及効果も大きくなることが期待されます。

これからの働き方

以上に見てきたとおり、60代以降では働き方や収入のあり方が多様化します。旧世界（だいたい70歳くらいで亡くなることが前提）に作られた世の中の仕組みから現実（同世代の半数が90歳前後まで生きる）がはみ出してしまい、新しい形を模索している真っ最中だからです。

年金主体で暮らす人もいますし、ビジネスパーソンを続ける人もいれば、個人事業主として独立する人もいる。マッチングサービスを利用するなどして、ミニM&Aでいきなり経営者になる人もいます。これからも、いろいろな形が生まれてくるはずです。

人生の後半戦は、やはり自分自身の好きなこと、やりたいこと、夢だったことなどに取り組む時間としたい人も多いのではないでしょうか。このように混沌《こんとん》とした時代には、先行事例が参考になります。ネットで探せば、さまざまな第2の人生の先達が出てきます。

福井福太郎《ふくいふくたろう》さんは、若いころに転職を繰り返したものの、最後の勤め先で101歳までサラリーマンを続けました。働くのが普通だという人生観の持ち主です。

料理研究家の小林《こばやし》まさるさんは、若くして離婚・再婚・死別・シングルファザーを経験し、定年後に義娘の仕事を手伝ったのがきっかけで、78歳で自ら料理本を出すことになりました。

弁護士の吉村哲夫《よしむらてつお》さんは、定年退職後に勉強をはじめ、司法試験に合格し、70歳台の新米弁護士として活躍しています。勉強法は、パラパラ参考書をめくって、気になったところから始めるというもの。

アメリカのカーネル・サンダースさんは、レストラン経営に失敗した後、手元に唯一残された、お気に入りのフライドチキンのレシピだけを元手に65歳から再起を期し、10年間で世界的なチェーン店を育て上げました。

私たちがいつまで働くのかは、基本的には個人の自由であり、選択肢は広がっています。変化を「受け容れ」、変化を「楽しむ」スタンスで、自分の個性を活かすことが秘訣のようです。

住まい

60代からは、子どもの独立や自らの退職などのイベントがきっかけとなって、引っ越しをしたりリフォームをするなど、住まいについても変化が多くなります。関連メディアには、都心に住んでいた大企業勤務者が、退職してのびのびとした田舎暮らしを楽しむようになった、というような記事も見られますが、実際はどうなのでしょうか。

引っ越しをするなら近くへ

日本人の平均的な引っ越し回数は、一生でだいたい3〜4回という調査結果が出ています。引っ越しが行われるのは、①高校卒業時点（大学に通うのに下宿したり、実家から離れた土地で就職したり）、②結婚時点（実家から離れたり、妻または夫が相手先の実家に入ったり）、が主なのですが、その次くらいに、③定年退職後の転居、があるのです。ビジネスパーソン（サラリーマン）の中には、人事異動で転勤が多い人もいますが、それは全体の中では大きな比率を占めるものではありません。

還暦世代に関して言えば、統計でみる限り、高校を卒業してから就職や進学で3大都市圏に移住した人が多くいます。高度成長・安定成長と続く中で、地方から都市部への人口移動が顕著であった時代です。還暦世代は、同学年に150万人ほどいますが、うち30万人ほどが地方部から3大都市圏に転出しました。

たとえば、東京都に住んでいる人の4割は他府県からの移転者です。3大都市圏で高校まで終えた人たちが地元の大学に進学したとして、周囲に2～3割は、必ず地方出身で下宿住まいの学生がいたはずです。逆に、3大都市圏以外で当時の高校同級生を見れば、2～3割は地元を離れて3大都市圏に就職なり進学なりで転居していった人がいます。それから、およそ40年。還暦を迎え、いままでの勤め先から離れることになる人も多くいて、次の身の振り方を考える上で、転居という選択肢も、いままで以上に現実味を帯びてきています。

実際のところ、我が国ではどれくらいの人数が引っ越しをしているのでしょうか。国立社会保障・人口問題研究所が5年ごとに行っている「人口移動調査」によれば、日本人の5人に1人は5年前と同じ住所に住んでいない、つまり引っ越しをしています。もっとも多いのは20代と30代ですが、60歳以上に絞っても1割の人が5年前とは違う住所に住んでいます。

60歳以上の転居の理由でもっとも多いのは住宅の問題で、これが約半数を占めています。次が、親や子との同居または近居で、2割弱です。ですので、転居先は前住地の近くが多くなります。たとえば、東京都を前住地とする転居者の転居先は、1都3県内が88%を、大阪府を前住地とする転居者の転居先は2府2県内で86%を占めています。日本全体でも、転居者の転居先は同じ都道府県内が8割、うち同じ市町村内が6割です。

つまり、60代以上で5年以内に転居する人は1割、そのうち9割は居住都府県ないし隣接都府県ということです。都市で暮らす還暦者の中で、これから出生地へのUターンや地方移住を決行する人は、これまでだいたい1％前後であったということになります。これが、いままでの還暦後の住まい方です。

リフォームは還暦世代の一大仕事

60歳以上の人の9割は、持ち家に住んでいます。8割強は一戸建て、1割弱が分譲マンション等の集合住宅です。当然ですが、大都市部では分譲マンションの比率が高く、地方部では一戸建てが多くなっています。

生まれた実家を受け継ぐ人は、そのまま住み続けるということでしょうが、新規に持ち家を取得した人の多くは、住宅ローンを利用したと思います。全国消費実態調査などに基づく推計では、全世帯に占める住宅ローン利用世帯の比率はおよそ2割。世帯主の年齢別にみると、40代が45％でもっとも高く、50代は33％、60代は9％と、年齢が上がるとともに利用者比率は下がっていきます。ローンを組むのは30代から40代が一般的ですが、7割の人は15年以内に完済しており、30年以上をかける人は0・7％に過ぎません。このことが、60代以降のローン利用世帯比率の減少につながっています。

このように頑張って取得した持ち家ですから、長く居住し続ける人が多くなっています。60代の6割が、同じ家に31年以上住み続けています。還暦を過ぎての転居が少ないことは、すでに見たとおりです。内閣府が二〇一五年に行った世論調査でも、60代の89％、70代以上の92％が、現在の地域に住み続けたいと回答しています。いままで過ごしてきた家でこれからも暮らしていきたい、というのが還暦以降世代の多くが望むことになっています。

転居希望は1割です。そして、転居者の多くが「住宅の問題」を転居理由として挙げており、いま住んでいる住宅にも、多かれ少なかれ不具合、設備や間取りの問題が生じます。

そこで、同じ家に住み続ける人も、考えるのがリフォームです。国土交通省の「住宅・土地統計調査」によれば、二〇一四年から二〇一八年までに国内で行われたリフォームはおよそ900万件。そのうち60％の530万件は世帯主が65歳以上です。世帯主の年齢を55歳以上まで広げれば、その比率は80％まで高まります。リフォームは、まさに還暦世代の一大仕事になってきました。

一般的に住宅の耐用年数は、給排水や照明・電機など設備系が15〜25年、外壁や屋根などが30〜40年と言われています。私たちの平均的な居住年数が31年だとすると、ちょうど設備系に関しては耐用年数を過ぎて交換が求められており、外壁や屋根に関してはもうそろそろくたびれてきたから補修を考え始めなければいけないかな、という時期に当たります。また、今後の生活を考えると室内の段差を解消するなどバリアフリー的な要素も検討したほうがよいかもしれません。

実際には、この世代が主にリフォームする箇所は「台所・トイレ・浴室・洗面所」などの水回りがもっとも多く、次いで一部の人が「屋根・外壁等」を行います。予算規模は、1回あたりで100万円を下回ることはほとんどなく、中には1000万円を超えるケースも少なくないのが実情です。もし実行するとなれば、今後の最大支出項目の一つであることは間違いありません。住居の質は健康や日常生活に影響を及ぼします。よく考えて、慎重に実行したいところです。

■地方移住への行動は増えている

以上に見てきたのは、あくまで現在の還暦以降世代の「住まう」ことに関する行動の概要でした。今後もできる限り現在の自宅で暮らしたいという傾向が続くと予想されるものの、新たな兆しも出てきています。

人口の移動に関しては、総務省が「住民基本台帳」に基づいて公表します。その二〇二一年の象徴的な結果は、東京23区が初めて転出超過（転出者数が転入者数を上回る）となったことでした。東京都は、全体としては転入超過ですが、転入超過の人数は、5千余人と過去最低水準にとどまっています。いままでは、人口が集中して当然と思われていた大都市圏からの人口流出は、関西圏や中部圏でも見られます。

原因として多く指摘されているのは、新型コロナウイルス感染症の影響です。コロナ禍で経済を回すためにさまざまな試みがなされましたが、その中でリモートワークの一般化、その延長線上としてのワーケーションの普及、さらにはフルリモート（原則出社不要）を認める企業も現れるなどの展開が急速に進みました。このため、企業に勤務する30代〜40代の過密都市脱出が進んだ形となっていますが、実は、還暦以降の世代でもじわじわと地方移住が増え始めています。

東京圏の年齢5歳階級別転入超過数を見ると（図表95）、15〜29歳の圧倒的な転入超過数に隠れて目立ちませんが、30〜79歳は転出超過であり、その中では50歳以上の人数が多く、しかも二〇二〇年より二〇二一年のほうが増加していることが分かります。

また、コロナ禍で地方移住に関心を持った人々に対するアンケート結果では、実際に行動に移した人の比率が二〇二〇年末から二〇二一年四〜五月にかけて「増えた」のは、年齢別に見て60歳台以上だけでした（図表96）。

本書は、還暦後の地方移住がこれからの主流になるだろうと予測するものではありません。

30代〜70代では、大都市からの転出が転入を上回る

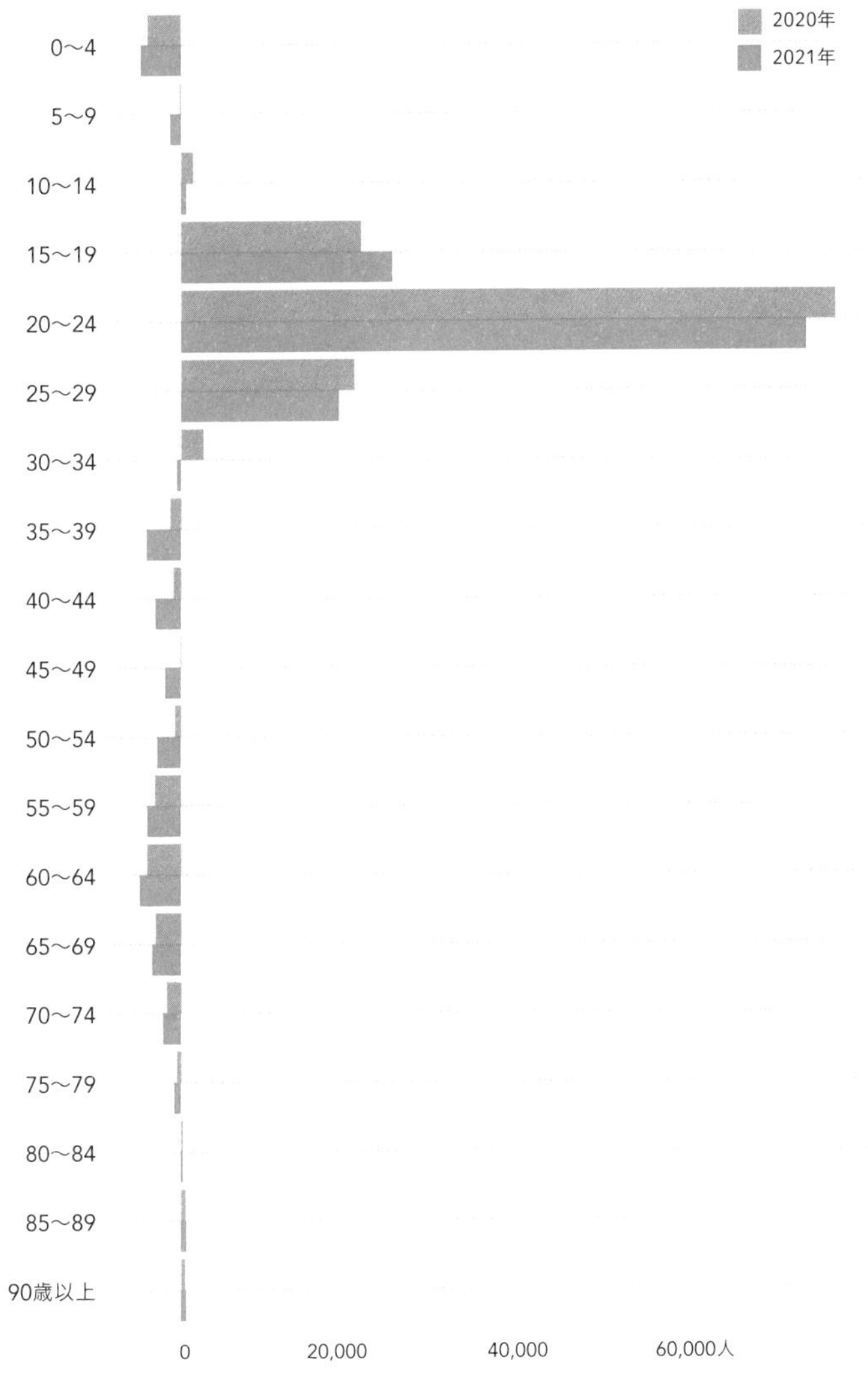

図表95：東京圏の年齢5歳階級別転入超過数

コロナ禍で地方移住を増やしたのは60代以上のみ

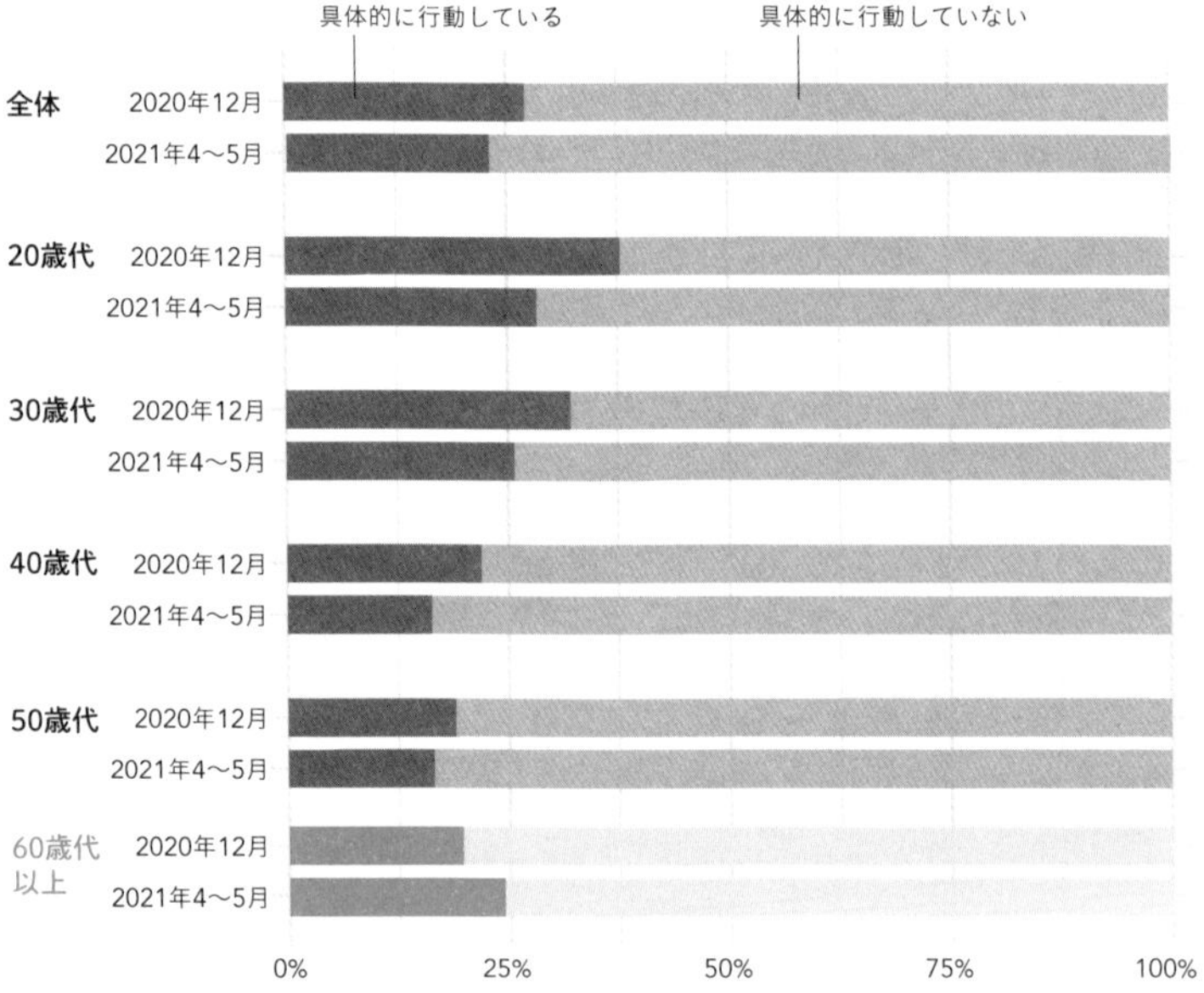

図表96：地方に関心がある人のうち、地方移住に向けた行動を取った人の割合

ただし、働き方と同じように、住まいに関しても、これからは、さまざまな選択肢が形としてあらわれてくるだろうし、それを妨げる要因は、どんどんなくなっていくこと（情報ネットワークの進化など）は重要と考えます。

大都市圏から地方部への移住は、日本全体の中で見れば、きわめて小さな兆候に過ぎません。しかし、日本人が長寿化し、還暦を過ぎても健康も体力も維持され、30年は元気に生きることができそうだという漠然とした予感が多くの人に共有されてきたと仮定すれば、こんな小さな兆候も、とても大きな意味を帯びてきます。

それは、60歳まで働いて、そのあとは10年くらい、住み慣れた自宅で暮らして最期を迎えるのだという、旧世界の人生イメージからの転換が、多少なりとも具現化されているからです。これからでも、「こんな住み方がしたかった」という夢を実現する可能性は、大きく残されているということです。

還暦世代がこれから目撃すること

人生100年時代と言われます。本書で触れるように、100歳まで生きる人はまだ限られていますが、90歳までなら半数が到達します。私たちが60代から90代を過ごすこれからの40年には、どのようなことが起こるのでしょうか。

二〇二〇年代——還暦者の60代

新型コロナウイルスの蔓延やウクライナ戦争で明けた二〇二〇年代ですが、これからの10年間を見通せば、ワクワクできそうな話題がいくつもあります。まず、JAXA（宇宙航空研究開発機構）がNASA（米国航空宇宙局）の「アルテミス計画」に協力する形で行う有人月着陸があります。目標は二〇二八年。

また、完全自動翻訳機の技術は近年著しく高度化しており、今後10年の間には、読む・書く・聞く・話すのどの場面でも活用できるようになると期待されます。英語がまったく話せなくても、海外旅行で会話の心配はなくなるでしょう。

二〇二四年の夏季オリンピック・パラリンピックはパリ、二〇二六年冬季大会はミラノ、二〇二八年夏季大会はロサンゼルスで開催されます。

二〇二五年には、大阪で日本万国博覧会が開催されます。またこの年あたりから高速道路で後続車両を無人走行させるトラック隊列走行が商業化されていきます。それ以降、生活道路でも無人走行タクシーなどの実験が広がっていきます。

二〇二七年にはリニア中央新幹線の開業が予定されており、計画通り進めば東京〜名古屋間が40分で結ばれることになります。

二〇三〇年代 —— 還暦者の70代

世界の経済勢力図は大きく変化し、米国に代わってGDP1位は中国、2位はインドになると予想されています。3位は米国、4位はインドネシア、日本は5位になるとみられています。

二〇三〇年代半ばまでには、EV（電気自動車）の車両数がガソリン車を上回ると予測されています。イギリスとフランスはすでに、二〇四〇年までにガソリン車・ディーゼル車の販売を禁止することとしています。日本でも、路上走行している自動車のほとんどがEVに切り替わっている可能性があります。

じん帯や軟骨、さらには臓器の再生医療は、二〇三〇年代初頭から実用化が進むと考えられています。高齢者に多い膝や腰の痛み、臓器の能力低下に対する治療方法は、私たちが70代になるころには一変しているでしょう。

宇宙関連では、NASAが二〇三三年に有人火星探査の実現を計画しています。国内では、リニアモーターカーの名古屋から大阪への延伸が二〇三〇年代末に実現する計画となっています。

二〇四〇年代――還暦者の80代

二〇四〇年代には団塊ジュニア（昭和五〇年代生まれ）が65歳以上に達し、年金給付などを受けることになります。一方で、少子化は長期的に進展しているので、社会保障の受給側が4千万人、これを支える生産年齢人口が6千万人という構成比になり、社会保障制度の持続可能性が本格的に問われる時代となります。これが「二〇四〇年問題」と呼ばれるものです。

科学技術の面でもっとも注目されるのは、AIが人間の能力を超えるのが二〇四五年と予測されていることです。ここで「超える」とは、AIが自ら人間よりも賢い知能になる状態を指しています。これが「二〇四五年問題」と呼ばれるものであり、当然ながら異論も多くあります。

私たちの周りでは、新車はすべて自動運転車になっている可能性があります。また厳しい環境規制を行っているスウェーデンをはじめとして英仏など欧州諸国では、いくつかの国が温室効果ガス排出ゼロを達成していると考えられています。

二〇五〇年代——還暦者の90代

30年以上先の予測は困難です。とくにこれからはAIがどれほどの速度で、どのような変化を人間社会にもたらすのか、とても正確には見通せません。

ただ、たしかに言えるのは、人口のことです。日本の人口は、30年後には、いまよりも2割（3000万人弱）ほど減少して1億人を割り込み、9500万人になります。65歳以上の人口が占める高齢化率は4割に達し、その後50年程度はその水準が続きます。

一方で、世界の人口はいまの77億人から97億人へと20億人増大します。その半数がアフリカで増えると予想されています。いま人口1・8億人のナイジェリアが、二〇五〇年には3・8億人となり、インド・中国に次いで世界第3位の人口大国になると考えられています。アジアに続き、アフリカの時代が来ることになるのかもしれません。

私たちの半数が90歳まで生きるとして、これからの30年（二〇二〇年〜二〇五〇年）は、これまでの30年（一九九〇年～二〇二〇年）に比較して、変化の大きい時代になりそうです。そのけん引役の一つは、やはりＩＣＴに代表される技術進歩でしょう。一方で、世界の社会経済的中心が、欧米（とくに米国）からアジア（とくに中国、インド）に、どの程度移っていくのかも今後30年の大きな関心事項になります。そして、私たちは、日本の社会保障制度がどのように再構築されるかに左右されつつも、医療技術の発展により、これまで以上に健康で豊かな生活を送れる可能性が広がっていると言えます。

おわりに

たとえば、30年後に90歳になった自分が、60歳のころを回想してみることを考える。60歳の自分は○○を始めようと考えている（○○は、「ピアノ」「起業」「ラテン語」、何でもいいです）。でも「この年齢で新しいことを始めても……」と二の足を踏んでしまった。

しかし、それを90歳の（一歩踏み出さなかった）自分から見れば、「あのとき始めていれば30年できたんだ……」。

「人生100年時代」と言われて久しいですが、健康寿命は平均寿命より10年短いとか、「2人に1人はがんになる」「5人に1人は認知症になる」「老後に2千万円必要」等々の情報が溢れる現代では、還暦後を生きる多くの人が、なんとなくぼんやりとした不安の中で、やりたいことに踏み出せないまま日々を過ごすことになりかねません。

本書では、しかるべきデータに基づき、ときに予測をまじえて「還暦世代は90歳まで、ほぼ自立的に生きることができる」としました。寿命が長いだけではなく、健康面の多くの不安要素（がん、認知症、脳卒中等）には、たぶんに生活習慣病の要素があるので、健康管理に気をつけることで、ほぼ自立的に30年を過ごすことが可能なのです。さらに、日本人の体力年齢は、おおむね20年で10歳若返っており、いまの還暦世代が90歳になった時の体力年齢は、おそらく、いまの70代半ばの世代と同等です。

今後30年間は、健康で自立的に生きられる、という前提がハッキリすれば、還暦以降の人生が、さまざまな可能性を秘めたものに見えてこないでしょうか。

こんな時代になったのは、人類史上でおそらく初めてです。そのため、働く環境など、還暦以降の人生を受け容れる社会の仕組みは、ほぼ未整備です。それでもこれからは、日本に生まれた人は、ほぼ間違いなく90歳(あるいはそれ以上)まで生きる社会になります。一九六〇年前後の生まれの世代は、おそらくそういう時代に生きる、日本の歴史の中で、いや世界の歴史の中での先駆者になると思われます。

これからの30年で何をしようか。

いまの日本の還暦世代がそれを考えて行動することが、間違いなく次の時代の扉を開けることになると思います。

＊　＊　＊

本書は、多くの人たちとの協同作業で生まれました。

編集の西田裕一《にしだゆういち》さんは、私と小学校の同級生でもあり、還暦後は横のつながりが大事、という本書の主張を自分たちで実践した形になりました。表紙も彼のアイデアで、年齢不詳のお茶の水博士には一九六三年出生説があり、ちょうど今年還暦だそうです（真偽は不明）。手塚《てづか》プロダクション様には、本書の企画内容にご賛同いただき、重要キャラクターの使用許諾に加えて、新たな絵を描き起こしていただきました。

共著者である三菱総合研究所の同僚3名（吉池由美子《よしいけゆみこ》、柏谷泰隆《かしたにやすたか》、古場裕司《こばゆうじ》）は、専門分野の情報を収集整理し、文章の素案を作り、何回も議論に付き合ってくれました。埼玉県立大学の田上豊《たがみゆたか》教授には学術的精査と論文紹介をしていただきました。素晴らしい装丁とレイアウトは、ミルキィ・イソベさんと安倍晴美《あべはるみ》さんによるものです。

第一部のコラムで米ロの平均寿命が低下した実例を紹介しました。長寿は、必ずしも個人の資質や努力のみによるものではなく、その時代の在り方に大きく依存します。健康で幸福な長寿社会は人類の夢と言ってよいと思いますが、その実現には、社会の安定がきわめて重要であることを強調してあとがきに代えたいと思います。

二〇二三年正月

長澤光太郎

参考文献

第一部　還暦後を読み解く七つの視点

疑問① 私たちは平均寿命でこの世を去るのか?

p.41　国立社会保障・人口問題研究所「人口統計資料集」
日本の人口に関する情報を網羅したオンライン・データベース。有史以来の日本の人口も参照できる。

p.49　国立社会保障・人口問題研究所「日本版死亡データベース（全国：生命表データ）」
政府のサイトでは生命表が分散しており経年的な変化が追い難い。このオンライン・データベースでは1947年以降の生命表データが一括掲載されており時系列分析に非常に有用。

p.56　国立がん研究所「コホート生存率表」
コホート生命表（ある年次に生まれた人たちの生命表）が全世代で整備されればH60の予測値はそれが最も正しい値になるはずだが、作成は難しい。このデータベースではある世代までのコホート生命表が参照できる。

p.43, p.173　河野稠果『人口学への招待――少子・高齢化はどこまで解明されたか』、中公新書、2007年
人口学のオーソリティによる平易な解説で、生命表や人口推計の概要を学ぶには最適の書籍。主に少子化の要因について詳しく分析している。

p.60　フランス・カヴァリエ『神様が忘れた娘：ジャンヌ・カルマン120年の人生』、木村佐代子訳、イーストプレス、1995年、ISBN978-4872570519

p.61　広瀬信義主任研究、権藤恭之（ほか）分担研究「百寿者の多面的検討とその国際比較：国際百寿者共同研究」（慶應義塾大学医学部老年内科、2002年）

p.61 Xiao Dong, Brandon Milholland & Jan Vijg, "Evidence for a limit to human lifespan" (*Nature*, volume 538, pp.257-259 [2016])
寿命はDNAにプログラムされているという仮説を展開したアメリカの学者の論文。

p.64 アン・ケース、アンガス・ディートン『絶望死のアメリカ――資本主義がめざすべきもの』、松本裕訳、みすず書房、2021年、ISBN: 978-4622089636

pp.64-65 雲和広「ロシアの人口動態」(一橋大学HQウェブマガジン)

p.65 社会実情データ図録「ロシアの平均寿命の推移」(個人サイト)

疑問② 2人に1人はがんになるのか?

p.67 国立がん研究センター「がん情報サービス」

p.67 厚生労働省「がん対策推進基本計画(第3期)〈平成30年3月9日 閣議決定〉」

p.67 厚生労働省「がん対策推進基本計画 中間評価報告書(第3期)〈令和4年6月〉」

疑問③ 健康寿命を過ぎたら寝たきりの生活が待っているのか?

p.85 World Health Organization(WHO) "The Global Health Observatory"
WHOの総合的な健康に関するオンライン・データベース。この中に世界各国の健康寿命の一覧が掲載されている。

p.93 厚生科学審議会地域保健健康増進栄養部会、次期国民健康づくり運動プラン策定専門委員会「健康日本21(第2次)の推進に関する参考資料」(平成24年[2012年]7月)

健康寿命をどのような指標で表現するのが望ましいかについては長く専門家による検討が続けられてきた。その過程はこの資料と下記の2つの資料で確認できる。

p.93　厚生労働科学研究費補助金 循環器疾患・糖尿病等生活習慣病対策総合研究事業「健康寿命における将来予測と生活習慣病対策の費用対効果に関する研究 平成23年度 総括・分担研究報告書」（研究代表者 橋本修二 平成24〔2012〕年3月）

p.93　厚生労働科学研究費補助金 疾病・障害対策研究分野 循環器疾患・糖尿病等生活習慣病対策総合研究「健康寿命の年次推移、地域分布と関連要因の評価に関する研究 平成22年度」（研究代表者 橋本修二 平成23〔2011〕年5月）

p.93　厚生労働省「健康寿命のあり方に関する有識者研究会報告書」（平成31〔2019〕年3月）
健康寿命の計算方法が複数ある中で、「自立的に生きられる期間」という概念を提唱した報告書。

p.91　厚生労働省老人保健課「要介護認定の仕組みと手順」

p.97　Kaori Ohmori, Shinichi Kuriyama, Atsushi Hozawa, Takayoshi Ohkubo, Yoshitaka Tsubono, Ichiro Tsuji, Modifiable factors for the length of life with disability before death: mortality retrospective study in Japan, *Gerontology* 2005 May-Jun;51(3): 186-91
1994年国保加入者のうち、40〜79歳5.5万人にベースライン調査を行った研究論文。調査時に70-79歳だった1万人のうち、1996-1999年に死亡した752人を対象として655人の遺族に訪問面接調査。その中で、調査時にADL自立だった594名を対象に分析した結果に基づき寝たきりの期間を推定。

p.97　三徳和子、伊藤弘人、後藤忠雄、尾形由起子、眞崎直子「要介護高齢者の10年転帰と医療機関以外での死亡に関するコホート研究」、日本医療・病院管理学会誌（59）、2018年4月
農山村地域の65歳以上の要介護高齢者2000人超を10年間観察し、

症状の経過や医療機関以外での死亡の特徴を明らかにした論文。

p.97　吉永一彦、宮崎元伸、谷原真一、馬場みちえ、畝博「要介護度別平均余命の概算」、『健康支援（Japanese Journal of Health Promotion）』第10巻 第1号、日本健康支援学会、2008年3月

p.99　「『寝たきりゼロへの10か条』の普及について」（平成3年3月7日 老健第18号　都道府県知事・指定都市市長宛 厚生省大臣官房老人保健福祉部長通知）

疑問④ 身体は衰える一方なのか

p.107　日本歯科医師会「『8020（ハチマルニイマル）運動』とは？」
「80歳でも20本の歯を残そう」が8020運動。その概要を知ることができる。実際に近年、無歯顎の高齢者は大きく減少した。

p.107　8020推進財団「Let's 8020」

p.111　国立研究開発法人国立長寿医療研究センター老化疫学研究部「日本の高齢者の若返り」
国立研究開発法人国立長寿医療研究センターは、日本の高齢者が心身ともに若返っていることをエビデンスに基づいて何度も発信してきている。以下の2篇の英文論文はそれらの例。

p.111　Suzuki T, Nishita Y, Jeong S, Shimada H, Otsuka R, Kondo K, Kim H, Fujiwara Y, Awata S, Kitamura A, Obuchi S, Iijima K, Yoshimura N, Watanabe S, Yamada M, Toba K, and Makizako H., Are Japanese older adults rejuvenating? Changes in health-related measures among older community dwellers in the last decade, *Rejuvenation Research*, 2021 Feb; 24(1), 37-48

p.111　Makizako H, Nishita Y, Jeong S, Otsuka R, Shimada H, Iijima K, Obuchi S, Kim H, Kitamura A, Ohara Y, Awata S, Yoshimura N, Yamada M, Toba K, and Suzuki T., Trends in

the prevalence of frailty in Japan: A meta-analysis from the ILSA-J, *The Journal of Frailty and Aging*, 10, 211–218（2021）

疑問⑤ 身体の不調を抱えながら生きていくのか

p.127　内閣府「高齢社会白書」各年版

p.135　WHO "Guideline for the pharmacological treatment of hypertension in adults: summary" (14 June 2022)
WHOは血圧140を高血圧の基準と推奨している。このことを含んだガイドライン。

p.135　特定非営利活動法人日本高血圧学会「高血圧基準に関するパンフレット」

p.135　厚生労働科学研究費補助金 疾病・障害対策研究分野 循環器疾患・糖尿病等生活習慣病対策総合研究「新旧（1980-2020年）のライフスタイルからみた国民代表集団大規模コホート研究：NIPPON DATA80/90/2010/2020」研究代表者：三浦克之（国立大学法人滋賀医科大学 社会医学講座 公衆衛生学部門）
循環器疾患基礎調査および国民健康・栄養調査の参加者を対象に国が行っている大規模な追跡調査に基づく研究成果。その一部に日本人の平均血圧の推移がある。報告書をウェブ上で参照することはできないが、日本人の血圧の推移に関するグラフは下記の英文論文に引用されている。
参考URL（NIPPON DATA）

p.135　Satoshi Umemura et al. The Japanese Society of Hypertension Guidelines for the Management of Hypertension (JSH 2019), 'Nature', *Hypertension Research* 42, 1235-1481 (2019)
日本高血圧学会が2019年に改訂した高血圧治療ガイドラインの概要を説明する論文。この中に上記大規模コホート研究で明らかになった日本人の平均的な血圧の推移を表すグラフが引用されている。

p.137　弘前大学健康未来イノベーション研究機構「健康を基軸とした経済発展モデルと全世代アプローチでつくる well-being 地域社会共創拠点」

疑問⑥ 5人に1人が認知症になるのか？

p.140　有吉佐和子『恍惚の人』、新潮社、1972、ISBN: 978-4101132181

p.144　日本神経学会監修、認知症疾患診療ガイドライン作成委員会編集『認知症疾患診療ガイドライン 2017』、医学書院、2017、ISBN: 978-4260028585

p.143　内閣府「平成 28 年版高齢社会白書（概要版）：第 1 章　高齢化の状況」（第 2 節 3）

p.148　厚生労働科学研究費補助金 厚生労働科学特別研究事業「日本における認知症の高齢者人口の将来推計に関する研究 平成 26 年度 総括・分担研究報告書」（研究代表者 二宮利治、平成 27（2015）年 3 月）
認知症の発症率等に関しては、全国複数の地域で追跡調査が行われている。代表的な事例に福岡県久山町を対象とした研究があり、日本の認知症有病者数の推計は久山町の調査結果に基づいて行われた。この将来推計値は厚生労働白書に引用された。

p.144　厚生省老人福祉課長「『認知症高齢者の日常生活自立度判定基準』の活用について」（老発第 0403003 号 平成 18 年 4 月 3 日、各都道府県知事・各指定都市市長宛）

p.147　東京都福祉保健局高齢社会対策部計画課（株式会社アストジェイ）「令和元年度認知症高齢者数等の分布調査報告書」（令和 2［2020］年 3 月）

p.150　山本幹枝、和田健二「認知症有病率の時代的推移 ── 洋の東西の比較」、『日本老年医学会雑誌』55 巻 4 号（2018 年 10 月）
イギリスやアメリカで認知症の発病者が減少しているのではないかという研究成果がいくつか発表されてきていることを紹介している。

p.151　F. E. Matthews, B. C. M. Stephan, L. Robinson, C. Jagger, L. E. Barnes, A. Arthur, C. Brayne & Cognitive Function and Ageing Studies (CFAS) Collaboration, A two decade dementia incidence comparison from the Cognitive Function and Ageing Studies I and II, *Nature Communications* 7, Article number: 11398 (2016)
イングランドとウェールズでの20年間の追跡調査の結果、65歳以上の男性は、すべての年齢で認知症の発症率が低下したことを報告した論文。全体の発症率は2割低下。

p.151　Kenneth M. Langa, Eric B. Larson, Eileen M. Crimmins, A Comparison of the Prevalence of Dementia in the United States in 2000 and 2012, *JAMA Intern Med*, 2017; 177(1): 51-58
米国の65歳人口に占める認知症有病率が2000年の11.6%から2012年の8.8%へと有意に低下したことを報告した論文。

p.151　Yu-Tzu Wu, Laura Fratiglioni, Fiona E Matthews, Antonio Lobo, Monique M B Breteler, Ingmar Skoog, Carol Brayne, Dementia in western Europe: epidemiological evidence and implications for policy making, *Lancet Neurol*, 2016 Jan;15(1): 116-24
欧州5か国における、ここ20〜30年の認知症有病率変化を比較した論文。イギリスとスペインの男性には有意な低下が見られ、その他の地域ではそのような傾向は見られない。その違いをもたらしているのは、教育や生活環境の改善、予防の改善など、住民レベルでの予防的活動である可能性があるとしている。

p.153　Tomoyuki Ohara, Jun Hata, Daigo Yoshida, Naoko Mukai, Masaharu Nagata, Toru Iwaki, Takanari Kitazono, Shigenobu Kanba, Yutaka Kiyohara, Toshiharu Ninomiya, Trends in dementia prevalence, incidence, and survival rate in a Japanese community, *Neurology*, May 16, 2017; 88 (20)
1985年から2012年にかけて5回の調査を行い、日本の高齢者にアルツハイマー病の有病率が増加している可能性があると指摘した論文。血管性認知症に増大傾向はみられないとしている。

p.153　国立研究開発法人国立長寿医療研究センター プレスリリース「『長寿コホートの総合的研究（ILSA-J）』により、近年、日

本人高齢者の認知機能が向上している可能性が示されました」(2022年6月7日)

p.154　令和元年度厚生労働省老人保健健康増進等事業「海外認知症予防ガイドラインの整理に関する調査研究事業」WHOガイドライン『認知機能低下および認知症のリスク低減』邦訳検討委員会:「認知機能低下および認知症のリスク低減 ―― WHOガイドライン」(2019)

p.153　Megumi Kasajima, et al., Projecting prevalence of frailty and dementia and the economic cost of care in Japan from 2016 to 2043: a microsimulation modelling study, *the Lancet Public Health* (online, May, 2022)
大規模な数理モデルを用いて、日本では高齢者人口の増加にもかかわらず認知症患者数が減少(2016年510万人が2043年465万人へ)することを世界で初めて発表した論文。この傾向は大卒男性で著しく、今後は健康・機能状態の男女格差や学歴格差を縮小するための社会政策が重要と指摘している。

p.150　Péter Hudomiet, Michael D. Hurd, and Susann Rohwedder, Trends in inequalities in the prevalence of dementia in the United States, PNAS, November 7, 2022.
米国の代表的シンクタンクであるランド研究所の研究者が発表した論文。アメリカの65歳以上人口における認知症有病率は2000年の12.2%から2016年の8.5%へと有意に減少し、その要因として教育レベルの向上が挙げられるとしている。

疑問⑦ 知能がどんどん衰えてしまうのではないか?

pp.161-166　日本教育心理学会 公開シンポジウム「加齢に伴い向上・維持する能力を発掘する」(吉田甫、高山緑、高橋雅延、竹内光、土田宣明、佐藤眞一)、*The Annual Report of Educational Psychology in Japan* 2018, vol.57, pp. 329-349

pp.165-166　楠見孝「熟達化としての叡智:叡智知識尺度の開発と適用」、『心理学評論』第61巻第3号、pp. 251-271、2019

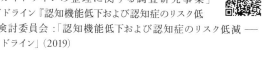

p.163　エリコ・ロウ「ハーバード大が突き止めた『年をとるほど脳が活性化する条件』人の脳には加齢に抗する底力がある」、『プレジデント』、2020年9月4日号
高齢者は一つの作業の達成に向けて若者が使わないような脳の部位も活性化させている。さまざまな脳の部位を使うため、より深い洞察が伴い「知恵脳」になるとも考えられるとするなどの興味深い論文を複数紹介した記事。

p.163　Tarek Amer, Karen L. Campbell, Lynn Hasher, 'Cognitive Control As a Double-Edged Sword, *Trends in Cognitive Sciences*, REVIEW, volume 20, issue 12, pp.905-915, December 01, 2016
高齢者は集中する能力が衰える一方で散漫になった意識が却って広範囲な情報の取り込みと組み合わせを促進し創造性を高める要因となる可能性があると指摘した論文。

第一部のまとめ

p.169　石井太「将来人口推計とその応用」、日本アクチュアリー会 平成 29 年度第 7 回例会、2017 年 12 月 6 日

第二部　「還暦後」への新たな視点

1. 60歳からの30年を健康面から展望してみる

p.181　日本老年学会・日本老年医学会「高齢者に関する定義検討ワーキンググループ」報告書、2017

p.185　厚生労働省「年金制度の仕組み」

p.186　厚生労働省「分野別の政策一覧：医療保険」

p.186　荻原勝『定年制の歴史』、日本労働協会、1984

p.186　隅谷三喜男「定年制の形成と終身雇用」『年報・日本の労使関係』、日本労働協会、1980

p.186　厚生労働省「高年齢者の雇用」

pp.187-189　鎌田ケイ子、川原礼子『老年看護学概論・老年保健（新体系看護学全書）』メヂカルフレンド社、2012
少し前の版であるが、それゆえに20世紀の老年学の成果の影響の名残が感じられる内容となっている。老年学はその後、高齢者の心身の若返り現象に注目する方向で変化している。

pp.187-189　東京大学高齢社会総合研究機構『東大がつくった高齢社会の教科書：長寿時代の人生設計と社会創造』、東京大学出版会、2017、ISBN: 978-4130624183

p.188　小此木啓吾『対象喪失 ―― 悲しむということ』、中公新書、1979、ISBN: 978-4121005571

p.192　森省二『子どもの悲しみの世界――対象喪失という病理』、ちくま学芸文庫、1995、ISBN: 978-4480082381

p.192　坂口幸弘『喪失学――「ロス後」をどう生きるか？』、光文社新書、2019、ISBN: 978-4334044190

p.196　東京都監察医務院「東京都監察医務院で取り扱った自宅住居で亡くなった単身世帯の者の統計（令和2年）」

4. 今後の30年間で気になるいくつかの事柄

■ つながり

pp.196-198　内閣府「平成26年度 一人暮らし高齢者に関する意識調査結果（全体版）」

p.204　国立社会保障・人口問題研究所「生活と支え合いに関する調査」

pp.209-210　厚生労働省「令和４年度離婚に関する統計の概況」

■ 時間（の使い方）

pp.220-222　齋藤建作「高齢者とテレビ」NHK 放送文化研究所年報 2010

■ お金

pp.230-231　金融審議会 市場ワーキング・グループ報告書「高齢社会における資産形成・管理」令和元年（2019 年） 6月 3 日

p.232　内閣府 政策統括官（政策調整担当）「第 9 回 高齢者の生活と意識に関する国際比較調査」、2021 年 3 月

pp.237-238　警察庁「特殊詐欺認知・検挙状況等について」

■ 住まい

pp.241-243　総務省統計局「住民基本台帳人口移動報告」

p.244-245　国土交通省「建築物リフォーム・リニューアル調査」

図表出典

本書に掲載した図表は96葉あります。それぞれの、データの出所と加工方法を簡潔に記しました。記載の方針は以下のとおりです。

- 繰り返し参照した統計等は冒頭に列挙。
- グラフに用いたデータが直接参照できる資料にはリンク先をQRコードで記載。
- 複数資料のデータを合成加工して作成したグラフに関してはこの限りではない。
- 白書等から転載したグラフについては転載元を表記。リンク先も転載元とした。

■ 厚生労働省「**生命表**」
「完全生命表」は、国勢調査による人口（確定数）と人口動態統計（確定数）による死亡数、出生数を基に5年ごとに作成。「簡易生命表」は、人口推計による人口と人口動態統計月報年計（概数）による死亡数、出生数を基に毎年作成。

■国立社会保障・人口問題研究所「**日本版死亡データベース：生命表**」
国際的な死亡データベースであるHuman Mortality Databaseと整合し、国際比較に適している生命表。厚生労働省作成の公式生命表とは、基礎としている人口や作成方法が異なるため、同じ数値とはなっていない。本データベースは一覧性が高く、時系列の生命表分析には極めて利便性が高い。

■ 厚生労働省「**人口動態調査**」
国の人口動態事象を把握し、人口及び厚生労働行政施策の基礎資料を得ることを目的とする。当調査の結果に基づき人口動態統計が作成される。

■ 厚生労働省「**国民生活基礎調査**」
保健、医療、福祉、年金、所得等国民生活の基礎的事項を調査し、厚生労働行政の企画及び運営に必要な基礎資料を得るとともに、各種調査の調査客体を抽出するための親標本を設定することを目的としている。

■ 総務省**「社会生活基本調査」**
国民の社会生活の実態を明らかにするため昭和51年(1976年)から5年毎に実施されている国の調査。この結果に基づき「社会生活基本統計」が作成される。

■ 総務省**「国勢調査」**
日本全体や各地域で、人々がどのような活動をしているか、また、どのように暮らしているかといった、人々や世帯のすがたを明らかにすることを目的とした、もっとも基本的な全数調査。

■ 国立がん研究センターがん情報サービス**「がん統計」**(全国がん登録)
国立研究開発法人国立がん研究センターが運営する公式データベース。がんに関する確かな情報を提供することを目的に、基礎知識から最新の統計まで網羅して提供している。

■ e-Stat
日本の統計が閲覧できる政府統計のポータルサイト。「国勢調査」や「国民生活基礎調査」など、279の調査データを収録(2022年12月現在)。

図表一覧

p.36 **図表1**(上):男性、**図表2**(下):女性
自分は何歳まで生きると思うか
資料:一般社団法人投資信託協会「2021年度60歳台以上の投資信託等に関するアンケート調査」(2021年3月)、p.67、5. 60歳台以上の現在の生活や今後への意識(2)「自身の想定寿命」

p.39 **図表3**(上):男性、**図表4**(下):女性
平均寿命の国際比較
資料:WHO「世界保健統計」2022年版

p.42 **図表5**(上):女性、**図表6**(下):男性
年齢別死者数(2020年)
資料:厚生労働省「第23回生命表」

p.46　**図表 7**（上）：80歳到達率の推移、**図表 8**（下）：90歳到達率の推移
還暦者の80歳、90歳到達率の推移
資料：総務省「国勢調査」各年版

p.50　**図表 9**（上）：女性、**図表 10**（下）：男性
還暦者の半数が到達する年齢の推移
資料：国立社会保障・人口問題研究所「日本版死亡データベース / 全国：生命表データ」
※指数ベース（総人口 10万人換算）

女性　男性

p.52　**図表 11**（上）：女性、**図表 12**（下）：男性
年齢別死者数の推移
資料：厚生労働省「人口動態統計」各年版

p.55　**図表 13**（上）：女性、**図表 14**（下）：男性
年齢階級別死者数の推移
資料：国立社会保障・人口問題研究所「全国：生命表データ」
※指数ベース（総人口 10万人換算）

女性　男性

p.57　**図表 15**：H60の理論値と実績値のズレ
資料：生命表（1950, 1960, 1970, 1980, 1990）、国勢調査（1955, 1960, 1965, 1970, 1975, 1980, 1985, 1990, 1995, 2000, 2005, 2010, 2015, 2020）
※理論値は、当該世代が還暦の時点での生命表に基づくH60。実績値は、当該世代の人口が還暦時人口の半数になった年齢。後者は国勢調査の5年ごとの値を直線で内挿して求めた。

p.63　**図表 16**：アメリカ、OECD 平均、ロシアの平均寿命の推移（1960～2020）
資　料：The Word Bank: DATA, Life expectancy at birth, total (years)

p.68　**図表 17**（上）：60歳からの累積がん罹患率（男女）
図表 18（下）：1 年間のがん罹患率
資料：国立がん研究センターがん情報サービス「がん統計」（2018年）
※全国推計値データに基づく。

pp.72-73　**図表 19**：10万人当たりの死亡者率（女性）
図表 20：上記の人々の死因比率（女性）「がん、および、がん以外」
図表 21：10万人当たりの死亡者率（男性）
図表 22：上記の人々の死因比率（男性）「がん、および、がん以外」
資料：厚生労働省「人口動態調査」（2019）

pp.75-76　**図表 23**：女性、**図表 24**：男性
60歳から90歳までの生存率と死因
資料：厚生労働省「第23回生命表」および「人口動態調査」（2019）

p.78　**図表 25**（上）：男性、**図表 26**（下）：女性
がんの部位別5年生存率
資料：国立がん研究センターがん情報サービス「がん統計」地域がん登録によるがん生存率データ（1993～2011年診断例）

p.80　**図表 27**（上）：2003年に55歳の男性
図表 28（下）：2015年に55歳の男性
肺がんと肝臓がんの加齢による累積罹患率推移
資料：国立がん研究センターがん情報サービス「がん統計」

pp.82-83　**図表 29**（上）：胃がん、**図表 30**（下）：前立腺がん
図表 31（上）：肺がん、**図表 32**（下）肝臓がん
部位別がん5年生存率
資料：国立がん研究センターがん情報サービス「がん統計」

p.87　**図表 33**（上）：健康寿命の国別ランキング
図表 34（下）：60歳以降の健康余命の国別ランキング
資料：WHO "The Global Health Observatory"(2021)

p.92　**図表 35**：要支援・要介護度の目安
資料：厚生労働省老人保健課「要介護認定の仕組みと手順」p.11、「要介護状態区分別の状態像」

p.94　**図表 36**（上）：男性、**図表 37**（下）：女性
要介護認定率
資料:厚生労働省「介護保険事業状況報告（令和2年9月分）」、総務省「令和2年国勢調査」

p.95　**図表 38**：健康寿命のあり方
資料 :「健康寿命のあり方に関する有識者研究会」報告書（平成31年3月）

p.98　**図表 39**（上）：男性、**図表 40**（下）：女性
65～90 歳の生存率と要介護認定率
資料 : 厚生労働省「第23回生命表」、厚生労働省「介護保険事業状況報告」（令和2年9月分）

p.104　**図表 41**：手塚治虫（1928～1989）が描いた男女の一生の図
資料 :『やけっぱちのマリア』（1972年）よりの引用。
© 手塚治虫プロダクション

p.106　**図表 42**：無歯顎者（65～74歳）の割合
資料 : 平成30年度分担研究報告書「歯科疾患実態調査と国民健康・栄養調査による歯の保有状況に関する評価の比較」
※「1～19本保有者」は計算値。

p.108, 110　**図表 43**（上）：6 分間歩行
図表 44（下）：上体起こし
図表 45：開眼片足立ち
資料 : スポーツ庁「体力・運動能力調査」各年版

p.113　**図表 46**：典型的な老化現象の有訴率の変化
資料 : 厚生労働省「国民生活基礎調査」各年版

p.117　**図表 47**（上）：男性、**図表 48**（下）：女性
70歳以上の運動習慣者の割合（年次推移）
資料 : 厚生労働省「国民健康・栄養調査」、表番号60「運動習慣の有無 - 運動習慣の有無、年齢階級別、人数、割合 - 総数・男性・女性、20歳以上」

p.119　**図表 49**（上）：男性、**図表 50**（下）：女性
「吸わない」と回答した人の割合（60歳台、70歳以上）
資料 : 厚生労働省「国民健康・栄養調査」（平成20年［p.293、第96表］、平成30年［p.165、第68表］）

平成20年　平成30年

p.121 **図表 51**（上）：男性、**図表 52**（下）：女性
1日の平均睡眠時間
資料：厚生労働省「国民健康・栄養調査」、令和元年（2019年）、表番号79「1日の平均睡眠時間 - 1日の平均睡眠時間、年齢階級別、人数、割合 - 総数・男性・女性、20歳以上」

p.126 **図表 53**：一人暮らし高齢者の日常生活における不安
資料：内閣府「平成27年度 高齢社会白書」、図1-3-3「日常生活の不安（複数回答）」

p.128 **図表 54**（上）：男性、**図表 55**（下）：女性
有訴率の推移
資料：「国民生活基礎調査」健康票、1998、2001、2004、2007、2010、2013、2016、2019年版、「有訴者率（人口千対），年齢・症状（複数回答）・性別」に基づいて作成。
※1,000人当たりの指数。2004年以降の5歳階級のデータについては該当年齢階級の平均をとり10歳階級に変更。

p.130 **図表 56**（上）：男性、**図表 57**（下）：女性
通院率
資料：「国民生活基礎調査」健康票、1998、2001、2004、2007、2010、2013、2016、2019年版「通院者率（人口千対）、年齢・傷病（複数回答）・性別」に基づいて作成。
※1000人当たりの指数。2004年以降の5歳階級のデータについては該当年齢階級の平均をとり10歳階級に変更。

p.133 **図表 58**（上）：男性、**図表 59**（下）：女性
主な通院理由
※「不詳」は除いた。
資料：「国民生活基礎調査」（令和元年）、表番号107「通院者率（人口千対）、年齢（5歳階級）・傷病（複数回答）・性別」

p.141 **図表 60**：65歳以上の認知症患者の推定数（有病率一定）
資料：「日本における認知症の高齢者人口の将来推計に関する研究」研究代表者：二宮利治（2515年3月）

p.142　**図表 61**：認知症高齢者の日常生活自立度
資料 :「厚生労働省老人保健福祉局長通知」(厚生労働省)

p.146　**図表 62**（上）：女性、**図表 63**（下）：男性
要支援・要介護認定者の自立度（東京都）
資料 : 東京都福祉保健局高齢社会対策部計画課「令和元年度認知症高齢者数等の分布調査」(令和2年3月)

p.152　**図表 64**（上）：男性、**図表 65**（下）：女性
認知機能が良好な者の割合（MMSE28点以上）
資料 : 国立研究開発法人国立長寿医療研究センター「長寿コホートの総合的研究（ILSA-J）」(2022年6月)

p.154　**図表 66**：WHO ガイドラインによる認知症予防のための項目
資料 :「認知機能低下および認知症のリスク低減〜 WHO ガイドライン」(pp.vii-viii)

p.162　**図表 67**：衰えない連合的知識
資　料 : Park, D.C., Lautenschlager, G., Hedden, T., Davidson, N.S., Smith, A.D., Smith, P.K. (2002), Models of visuospatial and verbal memory across the lifespan, *Psychology and Aging*, 17, 299-320

p.174　**図表 68**：2020 年生命表に基づく還暦者の生存率曲線
資料 : 厚生労働省「第23回生命表」

p.181　**図表 69**：還暦後の人生に関する限られた情報に基づく思い込みとデータに基づく新たな視点
※本文に基づく執筆者のオリジナル。

p.197　**図表 70**（上）、**図表 71**（下）： 一人暮らし高齢者に関する意識調査
資料 : 内閣府「平成 26 年度一人暮らし高齢者に関する意識調査」(図 1 幸福度、表 2-1 〜 2-5)

pp.201-202 **図表 72**：同居する人以外と会話する人数

図表 73（上）、**図表 74**（下）：ビデオ通話の利用（シニア）

資料：内閣府「新型コロナウイルス感染症の影響下における生活意識・行動の変化に関する調査」各回版（p.23、p.30）

p.206 **図表 75**（上）：男性、**図表 76**（下）：女性

60代以降の家族形態の変化

資料：「国勢調査」（2020年）、表番号4「配偶関係（4区分）、年齢（5歳階級）、男女別15歳以上人口 － 全国（大正9年～令和2年）」

※「第23回生命表」による将来人口を配偶関係の「配偶者・死別・離別・未婚」の構成比によって区分して作成。

p.208 **図表 77**（上）：男性、**図表 78**（下）：女性

年代別離婚件数比の推移

資料：総務省「人口動態統計」各年版

※30代以下、40～50代、60代、70代、80代の5区分とした。

p.211 **図表 79**（上）：再婚、**図表 80**（下）：初婚

夫婦どちらかが60代以上の婚姻件数（初婚と再婚を含む）

資料：人口動態調査「婚姻に関する調査」に基づく1990年と2020年の比較

p.215 **図表 81**（上）：男性、**図表 82**（下）：女性

50歳男女の配偶関係の推移

資料：国立社会保障・人口問題研究所「人口統計資料集」（2022）、表6-23「性別、50歳時の未婚割合、有配偶割合、死別割合および離別割合：1920～2020年」

※総務省統計局「国勢調査報告」により算出。「50歳時の未婚割合」は45～49歳の未婚割合と50～54歳の未婚割合の平均値。

p.221 **図表 83**（上）：男性、**図表 84**（下）：女性

時間の使い方

資料：「社会生活基本調査」（総務省統計局、2021）、「表番号1-1　曜日、男女、年齢、行動の種類別総平均時間、行動者平均時間、行動者率（10歳以上）－週全体、全国」

※平日・休日を総合した「週全体」の時間配分。10～14歳からの5歳刻み。

p.223 **図表 85**：利用者の年齢階級別インターネット利用率（年齢別）
資料：「令和 4 年版高齢社会白書」、「第 3 節〈特集〉高齢者の日常生活・地域社会への参加に関する調査（2）」、図 1-3-2-10

p.225 **図表 86**（上）：「スポーツ」の年齢階級別行動者率
資料：「平成28年社会生活基本調査 ── 生活行動に関する結果」、p.9、図 3-1「スポーツ」の年齢階級別行動者率（平成23年，令和3年）
図表 87（下）：「趣味・娯楽」の年齢階級別行動者率
資料：① 同上、p.12、図4-1「趣味・娯楽」の年齢階級別行動者率（平成 23年、28年、令和3年）② 総務省「社会生活基本調査（令和 3 年）」、生活行動編（全国）、スポーツ、表番号 A-2「男女、年齢、スポーツの種類別行動者率 (10歳以上) －全国」

p.227 **図表 88**（上）：男性、**図表 89**（下）：女性
趣味・娯楽・教養のインターネット行為者率
資料：NHK 放送文化研究所「2020年国民生活時間調査報告書」
※ 10～19 歳からの 10歳刻み。2005年と2020年の質問票に相違あり（2020年は「（ネット）動画（視聴）を除く」とあるので動画視聴を含めている 2005年との比較では過小評価の可能性あり）。

p.229 **図表 90**（上）：男性、**図表 91**（下）：女性
国内観光旅行に共に行った人
資料：「社会生活基本調査」（2016年版）、表番号 55-4「男女、ふだんの健康状態、共にした人、年齢、旅行・行楽の種類別行動者率 (10歳以上) －全国」
※今後の長期的な傾向を推測するため、新型コロナ禍の影響のない年度をベースに作成。

p.233 **図表 92**：労働力人口比率の推移
資料：「労働力調査」（総務省）、「第 1 就業状態の動向」（p.6）、表4 年齢階級別就業率の推移

p.235 **図表 93**（上）：男性、**図表 94**（下）：女性
仕事をしている理由
資料：厚生労働省「高齢社会白書」令和 2 年版高齢社会白

書（全体版）、第 1 章　高齢化の状況（第 3 節 1-2）、図 1-3-11

p.247　**図表 95**：東京圏の年齢 5 歳階級別転入超過数
資料 :「住民基本台帳人口移動報告」（総務省統計局）、表番号 3-3「年齢（5歳階級）、男女別転入超過数－全国、都道府県、3大都市圏（東京圏、名古屋圏、大阪圏）、21大都市（移動者、日本人移動者、外国人移動者）（2021 年）」

p.248　**図表 96**：地方に関心がある人のうち、地方移住に向けた行動を取った人の割合
資料 :「第3回 新型コロナウイルス感染症の影響下における生活意識・行動の変化に関する調査」、p.38

著者紹介

編著者

■ 長澤光太郎（ながさわ・こうたろう）

1958年生まれ。三菱総合研究所常勤顧問。東京大学工学部卒、修士（土地経済学：ケンブリッジ大学）、博士（工学：東京大学）。三菱総合研究所にて社会資本、社会保障等の調査研究に従事。MRIリサーチアソシエイツ代表取締役社長、専務執行役員シンクタンク部門長等を経て現職。共著書に『インフラストラクチャー概論』（2017年、日経BP社）、『「共領域」からの新・戦略』（2021年、ダイヤモンド社）など

著者

■ 吉池由美子（よしいけ・ゆみこ）

三菱総合研究所人事部長。お茶の水女子大学文教育学部卒。三菱総合研究所にて主に高齢化社会、ヘルスケア分野の調査研究に従事。ヘルスケア＆ウェルネス本部長、広報部長、シンクタンク部門統括室長等を経て現職。編著書に『フロネシス――人生100年時代の医療』（2018年、ダイヤモンド社）、『明日からできる訪問看護管理』（2018年、メディカ出版）など

■ 柏谷泰隆（かしたに・やすたか）

1968年生まれ。三菱総合研究所ポリシー・コンサルティング部門統括轄室長。京都大学法学部卒、政策研究大学院大学博士課程単位取得、政策研究科修士。三菱総合研究所にて高齢化社会、ヘルスケア、人材の調査研究に従事。プラチナ社会センター長、経営企画部長等を経て現職。編著書に『持続可能な高齢社会を考える』（2014年、中央経済社）、『「政治主導」の教訓』（2012年、勁草書房）など

■ 古場裕司（こば・ゆうじ）

三菱総合研究所ヘルスケア＆ウェルネス本部副本部長。東京大学大学院総合文化研究科修士課程修了。三菱総合研究所にてヘルスケア、医療・介護の調査研究に従事。社会保障政策グループリーダー、ヘルスケア・ウェルネス産業グループリーダー等を経て現職

■ 田上豊（たがみ・ゆたか）

1959年生まれ。埼玉県立大学大学院教授、三菱総合研究所客員研究員。東京大学医学部保健学科卒、東京大学大学院医学系研究科修士および博士課程修了（保健学博士）。三菱総合研究所にて社会保障分野に係る調査研究に従事した後、2015年より現職。編著書に『図説　福祉・介護ハンドブック（第2版）』（2006年、東洋経済新報社）、『実践事例で学ぶ介護予防ケアマネジメントガイドブック』（2007年、中央法規出版）など

還暦後の40年
データで読み解く、ほんとうの「これから」

2023年2月8日　初版第1刷発行

編著者 ■ 長澤光太郎
著　者 ■ 吉池由美子
■ 柏谷泰隆
■ 古場裕司
■ 田上豊

発行者 ■ 下中美都
発行所 ■ 株式会社 平凡社
〒101-0051 東京都千代田区神田神保町 3-29
電話 03(3230)6581［編集］ 03(3230)6573［営業］
ホームページ https://www.heibonsha.co.jp/

装　幀 ■ ミルキィ・イソベ
本文レイアウト ■ 安倍晴美（ステュディオ・パラボリカ）＋平凡社

印刷・製本 ■ 株式会社東京印書館

ISBN978-4-582-82495-7
© Kotaro NAGASAWA, Yumiko YOSHIIKE, Yasutaka KASHITANI, Yuji KOBA, Yutaka TAGAMI 2023 Printed in Japan

落丁・乱丁本のお取り替えは、直接小社読者サービス係までお送りください。
（送料は小社で負担いたします）。